KB096614

가면극 무대 뒤로

가면극 무대 뒤로

발 행 | 2024년 02월 01일
저 자 | 양승훈
펴낸이 | 한건희
펴낸곳 | 주식회사 부크크
출판사등록 | 2014.07.15.(제2014-16호)
주 소 | 서울특별시 금천구 가산디지털1로 119 SK트윈타워 A동 305호
전 화 | 1670-8316
이메일 | info@bookk.co.kr

ISBN | 979-11-410-6964-3

가면극 무대 뒤로

양승훈 지음

CONTENT

CONTENT

1부: 공허의 세계

1장: 공허의 세계

한 남자가 옅은 미소를 짓자 빗물이 그의 얼굴을 타고 흘렀다. 빗방울은 하나둘씩 그의 턱 밑에 고였다. 그 후 여러 빗방울이 남자의 턱 밑으로 뚝뚝 떨어져 그의 검은색 코트로 향했다. 빗방울은 코트의 상단 부분을 타고 흐른 뒤 검은색 물결을 그리며 사라졌다. 빗방울은 그의 겉옷에 희미하게 남았다. 그의 바지도 살짝 젖었다. 그래도 겉으로 그는 단정해 보였다. 하지만 그의 마음은 단정하지 못했다. 그의 마음속은 파도에 무너진 모래성 같았다. 키도 장대같이 크고 군인처럼 칼 각의 옷차림을 갖춘 그를 무너뜨린 것은 커피숍 바깥의 유리창이었다. 유리창을 통해 바라본 이 커피숍은 그에게 매우 친숙했다. 과제를 위해 노트북을 킨 학생들, 오랜만에 만난 친구들과 수다 떠는 사람들, 아이들과 함께 얘기하는 부모들, 티 타임을 즐기는 노인들. 흔히 커피숍에서 볼 수 있는 풍경이었다. 하지만 이 장면은 한 장소의 겉면에 불과했다. 적어도 그의 날카로운 눈에 담긴 여러 풍경은 저마다 다른 이야기를 했다.

학생들의 표정에서는 한숨이 보였다. 과제와 같은 의무는 학점이라는 달콤한 열매를 위한 땅속에서의 고군분투였다. 그랬기에 학생들은 피곤하고 지친 기색을 보였다. 이 상황에서 그들의 지친 표정은 정상적이었다. 다만 그들의 눈빛은 땅속에서 돋아나는 새싹처럼 파릇파릇했다. 적어도 그들은 열매만큼 달콤한 목적의식이 있었다. 그들은 분명 의지와 원동력이 있었다. 유리창을 바라보는 그 남자는 이미 이런 의지를 잊었다. 친구와 수다 떠는 장면은 또 어떠한가? 친구들은 반가움과 기쁨을 표시하기 위해 손을 흔들며 서로를 향해 인사했다. 한편 친구들은 오랜만의 재회에 많이 당황하기도 했다. 그들은 자리에 앉아 서로의 얼굴을 바라보면서도 대화 상황 속 혼자만의 순간을 바랐다. 그래서 그들은 대화하면서 몇 초간 허공을 바라봤다. 그렇게 그들은 대화의 다음 단계를 준비했다. 그래도 어색함은 찰나에 불과했다. 여전히 밝은 웃음이 이 대화를 가득 채웠다. 그들은 바쁜 일상에서 벗어나 순박한 동심의 세계로 돌아가려 했다. 유리창을 바라보는 그 남자는 무표정한 얼굴로 동심의 흔적을 바라봤다. 그리고 어린아이들의 활기를 보라. 아이들은 활발했다. 어린 자녀를 데려온 부모들은 아이들의 각종 행위에 반응했다. 손사래를 치거나 손뼉을 치거나 턱받침을 한 얼굴로 미소를 짓는 식이었다. 카페 유리창 뒤에 있는 그 남자는 이런 행위를 평범하게 여겼다. 그는 부모들이 자녀들의 체력에 못 따라간다고 생각했다. 하지만 부모들은 굉장히 능동적이었다. 부모들은 자녀들의 체력을 각종 행동으로 겨우 버티면서도 자녀들의 생기를 느꼈다. 자녀들은 그들의 부모에게 생명력을 전달하며 부모와 교감했다. 유리창을 바라보는 그 남자는 한 발자국도 움직이지 않은 채 생명력의 전이를 바라봤다. 그리고 아이들과 반대로 노인들은 정적이었다. 얼굴에 깊게 파인 주름은 세월의 흔적과 고통을 담은 듯 푸석해 보였다. 하지만 노인들에게도 생기가 있었다. 노인들은 단순히 커피를 한 잔 꼴깍 마시는 행위에도 옅은 미소를 보였다. 노인들은 오늘 주어진 하루에 감사를 표하는 것처럼 사소한 행위에도 기뻐했다. 유리창을 바라보는 그 남자는 그의 얼굴을 타고 흐르는 빗물을 가만히 놔둘 뿐이었다. 그는 눈물을 흘리며 감사라는 인생의 원동력을 보는 것 같았다.

사람들의 인생은 비슷했다. 흔히 바라볼 수 있는 커피숍의 풍경처럼 인생에는 대부분 희로애락이 다 있었다. 그리고 사람들은 순간적으로 인생의 여러 모습을 응시하고 경험했다. 하지만 그 남자는 이런 다채로움을 눈으로 포착하지 못했다. 그는 눈을 가득 채운 허무함에 고개를 떨궜다. 그리고 그는 목적의식, 동심, 생명, 감사 등 그에게 없는 모든 것들에 대해 집착했다. 이런 상태에서 그는 다시 커피숍 유리창에 비친 그의 모습을 바라봤다. 멍한 얼굴, 얼굴을 타고 흐르는 빗물, 빗방울이 묻은 검은 코트, 미동 없는 검은색 청바지. 그는 빗물이 눈물이 되어 그의 얼굴을 타고 흐르는 것을 봤다. 그리고 그의 존재는 점점 더 어두워지는 듯했다. 새까만 먹구름이 햇빛을 가리는 것처럼 남자의 검은 코트는 그의 존재감을 지웠다. 그는 생기 없는 표정을 지을 뿐이었다. 그는 자기의 무존재에 저항하지 못했다. 그는 갈 길을 잃은 노숙자처럼 목적지가 없는 세상을 거닐고 있었다. 밝은 조명이 비추는 커피숍은 그의 어두운 공허함을 비웃을 뿐이었다. 그의 공허함을 깨운 건 한 통의 전화였다.

곽세웅 편집장. 직장 상사에게 걸려오는 전화는 늘 어려운 법이다. 그것을 아는 남자는 눈을 동그랗게 뜨고 휴대폰의 전화벨을 바라봤다. 그는 한 번의 숨을 들이쉰 뒤 휴대폰을 꽉 쥐었다. 그는 이런 식으로 그의 정신을 꽉 붙잡았다.

"여보세요. 작가님 계시죠?"

"네, 곽세웅 편집장님. 말씀하시죠."

그 남자는 중후한 남자에게 걸려온 전화를 자연스럽게 받았다. 그리고 이제 그 남자의 목소리는 또렷했다. 더 이상 그는 길거리를 거니는 행인이 아니었다. 그는 한 출판사 편집장과 소통하는 작가님이었다. 출판사 편집장은 그에게 언제 도착하는지 물어봤다. 그는 이런 질문을 통해 편집장의 초조한 마음을 감지했다. 그는 편집장을 안심시키기 위해 10분이면 도착한다고 가볍게 얘기했다. 그러자 편집장은 안심한 듯 미소 지으며 이렇게 얘기했다.

"네, 오늘 특별한 손님도 와 계시니까 꼭 와주세요!"

곽세웅 편집장과 작가님은 화기애애한 분위기 속에 통화를 마쳤다. 곽세웅 편집장은 친절한 말투로 그의 작가가 오기를 바랐다. 하지만 작가님은 곽세웅 편집장과 만남을 피하고 싶었다. 곽세웅이 아끼는 그 작가는 본능적으로 휴대폰에 있는 한 사진을 바라봤다. 이 사진은 그 작가에게 매우 중요해 보였다. 그 작가는 단순한 책 사진에 있는 여러 글자를 바라봤다. 김민혁. 이름 석 자가 적혀 있는 그 이름은 언제나 봐도 질리지 않았다. 그랬다. 이 책은 김민혁 작가가 처음 출간한 책이었다. 민혁은 그때의 추억을 떠오르며 미소 지었다. 하지만 한편으로는 민혁은 그 이름 석 자에서 공허감을 느꼈다. 민혁은 그 공허함을 잠재우기 위해 자신의 인생을 되짚어봤다. 곽세웅과 그의 애증 관계를.

2장: 민혁의 과거 그리고 악연의 시작

사건은 민혁이 대학생일 때로 거슬러 올라간다. 당시 민혁에게는 인생의 GPS가 없었다. 인생의 목적지와 경로를 잘 몰랐고, 경로 탐색에 대한 압박감에 출발선에 서지도 않았다. 나는 누구일까? 나는 어떤 사람일까? 내가 잘하는 것이 무엇일까? 이렇게 민혁은 평생 여러 질문을 던졌다. 오로지 민혁은 질문만 던졌다. 물론 이 과정은 당연했다. 젊은이들은 그들의 꿈과 직업을 찾기 위해 계속 자신을 찾아야 했다. 당시 다른 모든 사람도 이런 고민을 한 번쯤 했고, 실제로 민혁은 친구를 통해 이런 종류의 고민을 자주 들었다. 대학에 갓 들어간 새내기 때만 해도 민혁은 평범한 학생이었다.

그런데 시간이 지날수록 민혁은 점점 조급해지는 것을 느꼈다.

대학 생활이 점점 끝나갈수록 민혁의 곁에 있던 친구들은 스펙을 쌓았다. 각종 자격증을 따고, 각종 대외활동에 참여하며, 심지어 인턴십도 완료한 친구들도 많았다. 물론 민혁은 친구들이 모든 활동을 진심으로 하지 않는다는 것을 알았다. 민혁이 친구들에게 스펙을 쌓는 이유를 물었을 때, 그들은 남들이 해서, 뒤처지기 싫다는 식으로 대답했다. 당시 대부분 친구는 그렇게 스펙을 쌓았다. 그런데 몇몇은 이런 대답과 함께 그들의 진로를 명확히 얘기했다. 여러 활동에 참여해보니 이런저런 직업을 가지고 싶다는 얘기 따위의 것 말이다. 어쨌든 민혁의 친구들은 사회라는 파도를 향해 발걸음을 내디뎠다. 그리고 그들의 방법대로 자아를 찾는 것 같았다. 반면에 민혁은 자신에게 질문만 던졌을 뿐 자신이 해온 것도, 잘하는 것도 없었다. 민혁은 질문 속에서 만들어진 몇 가지 경로를 조사하긴 했지만 그뿐이었다. 민혁은 항상 사회라는 거대한 파도 앞에 굴복했다. 그런 식으로 민혁은 아무 일도 하지 않았다. 민혁은 그저 눈앞에 있는 대학교 학점만 챙겼을 뿐이었다. 한국인들은 숫자로 다른 사람 간의 우월관계를 정립하는 것을 좋아한다. 그러므로 학점이 높으면 남들보다 앞서나갈 수 있다. 그것이 그의 논리였다. 안타깝게도 이러한 접근은 민혁에게 거대한 파도를 불렀다. 민혁은 아무 의미 없이 숫자에만 집착하며 자신이 좋아하는 것조차 몰랐다. 심지어 민혁은 자아에 관한 생각조차 하지 않았다. 분명 민혁은 모래성을 짓듯 자아에 대한 심오한 질문을 소중히 쌓았다. 하지만 아이러니하게도 민혁은 거대한 파도로 그 흔적들을 지웠다. 파도는 항상 민혁의 앞에 서 있었다. 당시 민혁은 쉴 시간이 없었다. 조금이라도 시간을 지체하면 파도가 민혁의 질문은 물론이고 민혁까지 덮칠지도 몰랐다.

그래서 민혁은 배를 타고 파도의 반대 방향으로 달렸다. 당시 민혁은 무작정 제주도로 여행을 떠났다. 휴식은 가끔 불편한 현실을 머릿속에서 지우는 환각제가 되는 법이다. 그랬기에 민혁은 현실의 파도에 동요하지 않았다. 당시 민혁은 휴식 호를 타고 인생이라는 파도의 반대 방향으로 달리면 되었다. 그래도 민혁이 불편한 현실을 피하지만은 않았다. 민혁은 파도에 휩쓸렸던 질문의 잔재를 다시 수집했다. 다시 자신을 찾고자 하는 욕망이 민혁에게 다가왔다. 처음은 어렵지만, 그다음은 쉬운 법이다. 민혁은 색다른 방식으로 자신을 찾는 여정을 떠나보려 했다. 시간이 촉박하더라도 민혁은 행동을 통해 자신을 찾고자 했었다. 민혁은 파도의 반대 방향을 따라 여정을 탐색하고자 했다. 그래서 내린 결론이 세계 일주였다.

물론 진정한 세계 일주는 아니었다. 당시 민혁은 수많은 국가를 다 방문하진 못했다. 그러기에 민혁의 발 앞에 파도가 가까이 다가왔고 돈이 부족했다. 그 대신 민혁은 자신이 생각하기에 남들이 잘 안 가는 곳을 택했다. 그 이유는 간단했다. 그때 민혁은 자신이 남들과 다르다고 생각했다. 보통 당시 사람들은 타인을 보고 타율적으로 인생을 살다가 그들의 진로를 발견했다. 타인을 보고 스펙 쌓기에 열중하던 자신의 친구처럼 말이다. 민혁은 그와 다르게 자신에게 질문을 많이 던져 길만 다듬었다. 민혁은 명확한 경로에 집착하며 길을 나서지 못했다. 이런 점을 비추어 본 민혁은 자신이 남들과 꽤 다르며 그들과 출발점도 다르다고 봤다. 그래서 민혁은 여행 경로를 선택하는 과정에서 남들과 차별점을 두려 했다. 민혁은 사람이 한 점 없는 드넓은 초원부터 여정을 시작했다. 민혁은 드넓은 초원을 바라보며 자신을 짓누르는 압박감을 해소했다. 그리고 민혁은 계속 북쪽으로 향했다. 마침내 민혁은 온종일 햇살이 가득한 곳에 도달했다. 민혁은 그곳에서 밝은 태양을 바라보며 마음속에 잠재했던 어둠을 밝혔다. 마지막으로 민혁은 계속 남쪽으로 내려갔다. 마침내 민혁은 푸르른 나무가 가득한 열대우림에 도착했다. 민혁은 그곳에서 광활한 자연을 바라보며 생기를 느꼈다. 민혁은 이런 여정 속에서 많은 것을 느꼈다. 그래서 민혁은 자신이 느낀 점을 SNS상에 쓰곤 했다. 민혁은 그날도 어김없이 SNS상에 게시물을 올렸다. 그리고 그때 민혁과 세웅의 만남이 시작되었다.

"저랑 같이 글 써볼래요?"

생각지도 못한 세웅의 메시지에 민혁은 당황했다. 당시 민혁은 마음을 다잡고 본능적으로 세웅의 프로필 사진을 눌렀다.

북쇼출판사 운영 중. 아름다운 글로 한 편의 멋진 쇼를 만드는 사람.

민혁은 그 순간 세웅이 출판사 편집장인 것을 알았다. 민혁은 그 사실이 신기하면서도 이상했다. 당시 북쇼출판사라는 회사는 민혁의 인생에서 한 번도 들은 적이 없었다. 게다가 쇼라는 어감도 왠지 모르게 타락했다. 원래 쇼는 다른 사람의 비위를 맞추기 위해 주로 하는 법이다. 사회생활처럼 말이다. 민혁은 계속 이런 식으로 의심했다. 하지만 한편으로 그때 민혁은 세웅이 흥미로웠다. 세웅은 처음으로 민혁에게 SNS상에서 메시지를 보냈다. 그리고 결정적으로 세웅은 출판사 편집장이었다. 사실 민혁은 유치원 시절부터 자신만의 이야기를 좋아했다. 신기하게도 이야기에 대한 민혁의 상상은 나이가 들수록 더 자주 일어났다. 만약 좀비가 세상을 지배한다면 어떻게 될까? 만약 AI랑 내가 연애를 한다면 어떻게 할까? 만약 나만의 유토피아가 있다면 그곳은 어디일까? 남들은 터무니없는 잡동사니에 무관심했다. 그런데 민혁에겐 이런 상상이 가치가 있었다. 아침에 일어나서 밥을 먹고 학교에 가고 수업을 듣고, 하교해서 집에서 숙제하고, 또다시 밥을 먹고, 또 다른 하루를 준비하고. 민혁에게 상상이란 쳇바퀴처럼 무의미하게 돌아가는 하루에 대한 일탈이 되곤 했다.

세웅의 글을 읽은 당시 민혁은 계속 돌고 도는 인생이라는 쳇바퀴에 싫증이 났다. 물론 그때 민혁은 세계 일주를 하며 공허한 마음을 가라앉혔다. 그래도 인생의 공허함이 완전히 사라지지 않았다. 초등학교부터 대학교까지. 민혁의 인생은 하루하루가 지루하고 평탄한 길의 연속이었기 때문이다. 민혁은 이야기 속으로 들어가 험난한 길을 색다르게 걷고 싶었다. 더구나 민혁은 계속된 여행으로 행동하는 것, 도전하는 것이 얼마나 중요한지 깨달은 상태였다. 그랬기에 약간의 의심은 있었지만, 민혁은 세웅에게 다가갔다.

"네. 글쓰기는 제가 평생 바라던 꿈이었습니다. 기꺼이 도와드리고 싶어요!"

　민혁이 휴대폰을 바지 주머니에 넣으려던 순간 기분 좋은 진동이 울렸다. 곧바로 세웅에게 답장이 왔다. 세웅은 민혁의 긍정적인 반응에 감사를 표했다. 그리고 세웅은 하루빨리 민혁을 만나고 싶다는 내용의 글을 남겼다. 이 메시지로 민혁은 인생의 거친 파도를 뚫는 서프보드를 마련했다. 게다가 세웅의 답장 이후 나타난 이 서프보드는 민혁에게 친숙했다. 민혁은 인생의 대부분을 이야기 속에서 살아왔다. 그랬기에 민혁은 자신이 가졌던 허무맹랑한 상상의 도구들로 모든 것을 해결하면 되었다. 이 메시지를 받자마자 민혁은 귀국편을 구했고 한국에 도착했다. 비록 장기간의 비행에 몸이 피곤했고 시차로 인해 모든 것이 혼란스러웠지만, 민혁은 이런 불편함이 싫지만은 않았다. 이런 기분으로 민혁은 공항에서 자신을 기다리는 세웅을 찾았다. 한참을 두리번거린 뒤 민혁은 휴대폰을 바라봤다. 분명 세웅은 그 시간에 3번 게이트에서 민혁을 기다리겠다고 했다.

　"혹시 김민혁 씨 맞나요?"

　민혁은 중후한 목소리에 본능적으로 고개를 돌렸다. 이 목소리는 민혁에게 낯설었지만 반가웠다. 당시 일반인 민혁을 알아보는 사람은 가족 말고는 그 사람밖에 없었으니까. 곧바로 세웅은 민혁을 알아보고 자신을 간략히 소개했다. 세웅은 한 신사처럼 말끔한 모습으로 그의 명함을 민혁에게 줬다. 그리고 세웅은 먼저 민혁에게 악수를 건넸다. 당시 둘은 서로 악수한 뒤 오래 지내온 친구처럼 가볍게 서로를 끌어안았다.

세웅을 처음 본 순간 민혁은 거대함이라는 단어를 떠올렸다. 물론 그 단어는 좋은 의미를 내포했다. 세웅은 액션 영화에 나오는 배우처럼 온몸이 탄탄했고 키도 제법 컸다. 당시는 칼바람이 부는 겨울날이었다. 그랬기에 사람들은 두꺼운 옷을 껴입으며 추위를 피했고 세웅도 마찬가지였다. 분명 세웅은 두꺼운 옷을 껴입으며 그의 맨몸을 완벽하게 감췄다. 그런데도 민혁은 그 두꺼운 옷 속에서 세웅의 탄탄한 몸매를 직감했다. 민혁은 세웅의 몸을 가볍게 살핀 뒤 세웅의 얼굴을 바라봤다. 당시 세웅은 인중과 턱을 뒤덮은 수염을 길렀고 왼쪽 이마에 가벼운 흉터가 있었다. 이런 모습을 종합했을 때, 대다수는 세웅을 출판사 편집장으로 보지 못했을지도 모른다. 오히려 그보다는 세웅을 운동광이나 혹은 동네 골목 깡패로 봤을지도 모른다. 하지만 그때 민혁에게 세웅은 액션 영화에 나오는 배우 그 자체였다. 그때 민혁은 압박감이라는 파도를 피해 서프보드를 탈 준비를 하던 사회 초년생이었다. 처음 마주할 사회생활에 민혁은 설레기도 했지만, 동시에 낯선 환경에 대한 부담이 있었다. 그런 민혁에게 세웅의 단단한 근육은 부당함이라는 악마를 막을 정의의 방패였다. 민혁에게 세웅의 흉터는 오랜 시간 여러 경험을 통해 얻은 영광의 상처로 보였다. 민혁에게 세웅의 수염은 바람에 흩날리는 갈대처럼 초연하게 흩날렸다. 당시 민혁은 세웅이 동료로서 마음에 들었다.

그렇게 세웅과 민혁은 가볍게 인사를 했고, 근처 커피숍에서 앉아 서로의 안부를 물었다. 민혁은 자신의 여행을 간략하게 설명하며 대화를 계속했다. 둘은 서로를 보고 가볍게 웃으며, 따뜻한 아메리카노 두 잔과 달콤한 도넛 두 개를 시켰다. 그 뒤 둘은 본격적으로 사업에 관해 얘기했다. 민혁은 세웅과 함께 하는 첫 사회생활을 기대했다. 세웅은 당당한 민혁의 모습을 신기하다는 듯이 바라봤다. 그때 세웅은 민혁이 독특하다고 단도직입적으로 주장했다. 세웅은 보통 사람들에 관한 이야기로 입을 뗐다. 보통 사람들은 대기업이나 공무원처럼 안정성이나 명예와 돈을 택한다. 그것이 세웅이 포착했던 당시 현실이었다. 그런데 민혁은 세웅의 볼품없는 출판사에 들어오겠다고 결정했다. 세웅의 출판사는 돈과 명예가 보장되지 않았다. 분명 민혁은 현실 감각이 부족했다. 그래도 세웅은 몽상가인 민혁에게 경의를 표했다. 당시 민혁은 자신을 신기하게 바라본 세웅에게 가볍게 미소를 지었다. 민혁도 세웅이 신기하다고 했다. 당시 민혁도 세웅처럼 보통 사람들의 이야기를 화두로 꺼냈다. 보통 사람들은 SNS를 시간 보내는 용으로 쓴다. 민혁은 이런 식으로 현대인의 공허를 정의했다. 이와 달리 세웅은 SNS를 통해 민혁에게 관심을 가졌다. 세웅의 행동은 용감했고 또 의미 있는 일이었다. 그때 세웅은 민혁의 따스한 말에 가볍게 미소를 지었다. 세웅은 외국에 다녀왔던 민혁에게 립서비스를 배워왔냐고 농담했다. 세웅의 가벼운 농담에 둘은 서로를 보고 웃었다.

모든 것이 완벽했다. 커피의 쓴맛은 달콤한 도넛으로 중화됐고, 아름다운 음악은 두 사람의 귀를 타고 흘러내렸다. 게다가 둘은 적재적소에 가벼운 농담을 주고받았다. 한편 민혁은 즐거운 대화를 하는 동안 한 질문을 머릿속에 가득 채웠다. 어떻게 세웅은 자신처럼 평범해 보이는 사람을 특별하게 생각했을까? 민혁은 세웅의 취향과 시선을 독특하다고 여겼다. 동시에 민혁은 세웅이 의심스러웠다. 민혁은 다시 북쇼출판사의 그 부정적인 어감이 떠올렸다. 왜 세웅은 많고 많은 사람 중에 본인을 선택한 것일까? 이 질문에서 시작된 의심은 점점 더 커졌다. 그래서 당시 민혁은 세웅에게 단도직입적으로 접근했다. 민혁은 왜 굳이 많고 많은 사람 중에 자신을 선택했는지 세웅에게 물었다. 그런데 세웅의 답변은 민혁의 질문만큼 명확하지 않았다. 세웅은 그저 민혁을 남과 다른 사람, 신기한 사람이라고 말했다. 세웅은 그것 외에 명확한 이유를 말하지 않았다.

세웅의 모호한 답변에 민혁의 의구심은 더 커졌다. 그래서 민혁은 집요하게 세웅에게 명확한 답변을 얻으려 했다. 곧바로 민혁은 왜 자신을 신기하게 여기는지 세웅에게 물었다. 그리고 민혁은 몇 가지 사실에 대해 부연 설명했다. 민혁은 예술 분야도 하나의 비즈니스라고 했다. 그리고 민혁은 비즈니스가 검증을 바탕으로 이루어진다고 했다. 당시 민혁은 유명 작가의 작품을 예로 들었다. 그리고 민혁은 유명 작가의 이름은 귀중한 보증수표와 같다고 했다. 반면 당시 민혁은 SNS상에 글을 조금 적었던 일반인이었다 그랬기에 민혁은 자신이 돈을 부르는 복덩이는 아니라고 했다. 세웅은 당돌한 민혁이 정말 의아했다. 보통 사람은 그들에게 주어지는 큰 역할에 부담을 느끼거나, 고마움을 표하는 법이다. 그런데 민혁은 달랐다. 대화 초반에 민혁은 처음 주어지는 사회생활에 부담을 느꼈다. 그리고 이 자리를 준 세웅에게 감

사람을 거듭 강조했다. 하지만 어느 순간부터 민혁은 다른 사람이 되었다. 민혁은 계속 의심했다. 민혁은 이미 사회생활을 시작할 때부터 한 가지의 진리를 파악했다. 분명 모든 일에는 항상 이유가 따르는 법이다. 민혁은 직감적으로 사회생활의 작동 원리를 이해했다. 당시 민혁은 어둠의 베일 속에 감춰진 것을 비추고 바라보고 싶었다.

"민혁 씨는 항상 진실만을 원하는 타입이군요."

세웅은 그의 앞에 놓인 커피잔을 만지작거리며 흥미로운 미소를 지었다. 그때 민혁은 세웅과 다르게 진지한 표정을 지었다. 민혁은 당시 상황을 냉철하게 진단했다. 민혁은 세웅의 현실적인 목표를 추론했다. 그 추론의 결론은 돈이었다. 민혁은 세웅이 돈을 위해 자신에게 접근했다고 생각했다. 돈이 있어야 세웅의 작은 출판사가 성장할 수 있었기 때문이다. 세웅의 당시 행보는 그 추론을 도출한 민혁에게 너무 무모해 보였다. 민혁은 자신보다 훨씬 더 글을 잘 쓰는 사람이 많다고 생각했다. 그런데 왜 세웅은 자신을 선택했을까? 왜 세웅은 돈이라는 중요한 목적을 위해 자신을 불러들였을까? 민혁은 이렇게 많은 질문을 되물었다. 결국, 민혁은 궁금증을 해결하고자 냉철하게 세웅에게 질문해야 했다. 당시 세웅은 단도직입적인 민혁의 질문에 약간 당황했다. 세웅은 민혁이 완만하고 부드러운 파트너일 줄 알았다. 그런데 민혁은 가끔 날카롭기도 했다. 이런 파트너를 대하기 위해선 만반의 준비가 필요했다. 그래서 세웅은 목을 가다듬고 새까만 커피를 홀짝 마셨다. 세웅은 그동안 민혁에게 토로할 진실에 대해 생각했다.

"민혁 씨는 많은 것을 알고 있군요. 그런데 한 가지 간과한 게 있네요. 돈이 모든 것을 해결할까요? 반은 맞고 반은 틀려요. 이 업계에선 돈 말고도 중요한 것이 있죠. 바로……"

세웅은 커피잔을 테이블에 내려놓고 민혁의 반응을 관찰했었다. 민혁은 초롱초롱하게 눈을 뜨며 그다음 말을 기다렸었다.

"명성이죠."

세웅은 명성이라는 두 단어를 힘주어 말했다. 하지만 민혁은 세웅의 모호한 답변에 만족하지 않았다. 민혁은 불만을 달래기 위해 탱글탱글한 도넛을 한 입 베어 물었다. 당시 민혁은 하얀색 설탕과 부드러운 빵 조각에 기뻤다. 그렇게 민혁은 여유롭게 세웅의 말을 들었다. 하지만 세웅은 초조한 듯 손을 무릎에 비비적댔다. 분명 세웅은 초반에 만난 민혁을 보고 안도했다. 분명 민혁은 세웅을 반갑게 맞이했다. 그리고 민혁은 세웅을 신뢰했다. 이에 세웅은 민혁이 마음에 들었다. 세웅은 민혁과 이야기가 쉽게 풀릴 거라는 희망이 있었다. 하지만 민혁의 날카로운 질문 폭격과 함께 세웅이 품었던 그 희망은 사라졌다. 당시 민혁과 세웅이 커피숍에서 나눈 것은 대화가 아니었다. 그보다는 거래였다. 겉으로 둘은 맛있게 도넛을 먹고 가볍게 커피를 마셨다. 하지만 팽팽한 기 싸움이 그 안에 있었다. 민혁은 그 기 싸움에서 우위를 점했다. 민혁의 반복적인 의심과 칼보다 날카로운 호기심은 세웅을 자극했다. 당시 세웅은 어느 순간 날카로워진 민혁이 당황스러웠다. 세웅은 최선을 다해 평정심을 유지하려 했다.

결국, 세웅은 민혁에게 백기를 들었다. 세웅은 민혁에게 그의 모든 과거를 얘기하겠다고 약속했다. 그 대신 세웅은 자신을 전적으로 믿어 달라고 민혁에게 부탁했다. 민혁은 세웅의 파트너가 될 수도 있었다. 그랬기에 세웅은 민혁이 그를 신뢰하길 원했다. 민혁은 세웅의 부탁을 긍정적으로 검토했다. 세웅은 민혁의 긍정적 반응에 약간은 안도했다. 세웅은 민혁과 처음 대화하던 그 카페에서 허공을 올려다봤다. 그런 뒤 세웅은 복잡미묘한 표정을 지으며 민혁을 자신의 과거로 초대했다.

　세웅은 돈의 중요성에 관한 민혁의 주장을 일부 반박했다. 세웅은 자신이 민혁으로부터 돈을 원했다는 것을 인정했다. 그런데 그와 동시에 세웅은 그의 풍족한 자산을 강조했다. 세웅은 오래전 그의 출판사는 이렇게 작은 규모가 아니었다고 했다. 오히려 세웅은 과거 그의 회사는 잘 나갔다고 했다. 세웅은 이미 많은 돈을 모았다. 세웅은 오직 한 사건 때문에 그와 그의 회사가 몰락했다고 했다. 아픈 과거를 토로한 뒤 세웅은 얘기를 끊고 약간의 커피를 마셨다. 당시 세웅은 커피가 더 쓰게 느껴졌다. 그 쓰디쓴 커피는 세웅이 겪었던 시련과 고난이었다. 세웅의 과거는 그만큼 썼다. 그 뒤 세웅은 다시 대화에 집중하는 민혁을 바라봤다. 민혁은 세웅의 입을 뚫어지게 쳐다봤다. 세웅은 다시 그의 의무를 떠올렸다. 처음 만난 이 청년을 자신의 편으로 끌어들이는 것. 세웅은 그것을 위해서 대화를 이어갔다. 세웅은 과거에 동고동락하던 유명 작가에 관해 얘기했다. 당시 세웅은 그 작가에 관해 얘기하기를 주저했다. 세웅은 그 작가를 배신자로 생각했기 때문이다. 세웅은 그런 상황에서 그 작가에 대한 모든 정보를 폭로하지 않았다. 민혁은 잠깐 생각에 잠기다가 세웅과 타협점을 찾았다. 둘은 그 작가의 이름을 하나의 비밀로 남겨두기로 했다. 민혁은 여전히 모든 것들에 대해 의심하고 호기심을 가졌지만, 최소한의 선은 지켰다.

세웅은 민혁의 집중하는 눈빛을 바라보며 얘기를 재개했다. 세웅은 그 작가가 민혁과 비슷하다는 사실을 강조했다. 그 작가도 민혁처럼 신인이었고 호기심이 많은 사람이라면서 말이다. 한편 당시 세웅은 그 작가와 민혁의 다른 점도 강조했다. 바로 수상 경력이었다. 세웅은 그 작가가 20대 중반이라는 나이에 문학상을 받았다고 했다. 그런 능력을 일찍이 알아본 세웅은 바로 그 작가에게 전화했다. 그때 세웅은 그 작가와 긍정적으로 대화했고, 서로 대화가 잘 통했다고 했다. 그렇게 세웅은 그 작가의 첫 작품을 정식 출판했다. 그 작가에게 문학상을 안겼던 그 작품 말이다. 문학상이라는 보증수표 덕에 둘은 탄탄대로를 걸었다. 세웅은 그 작가와 함께 다른 사람의 이목을 집중시켰고 돈도 많이 벌었다고 했다. 하지만 세웅은 그 작가의 두 번째 작품부터 상황이 꼬였다고 했다. 그 말을 꺼낸 순간 세웅은 아픈 과거에 화가 나 씩씩거렸다. 동시에 세웅은 힘들었다. 당시 세웅은 민혁에게 모든 정보를 세세하게 전달해야 했다. 세웅은 아픈 과거에 애를 먹었다. 당시 세웅의 고통을 덜어주는 것은 새까맣고 쓴 커피밖에 없었다. 세웅은 커피를 약간 마신 뒤 얘기를 계속했다.

세웅은 그 작가와 두 번째 작품을 준비하는 과정이 문제였다고 했다. 세웅은 그 작가가 두 번째 작품에 부담감을 느꼈다고 했다. 그리고 세웅은 그 이유로 소포모어 징크스를 댔다. 첫 번째 작품을 대박 터트린 예술가는 그다음 작품에서 망하는 현상 말이다. 어쨌든 그 작가는 소포모어 징크스가 불러온 불안감에 휩싸였다. 급기야 그 작가는 불안감에 압도되어 글쓰기를 그만뒀다. 그 사건을 얘기한 뒤 세웅은 그다음 내용이 잘 안 떠올랐다. 세웅은 도넛을 한 입 베어 물고 생각에 잠겼다. 곧바로 세웅은 얘기를 이어 나갔다.

세웅은 그 작가가 자신을 마구 비난했다고 했다. 세웅은 그 작가와 자율성의 측면에서 갈등을 빚었다고 했다. 그러면서 세웅은 분명 그때 그가 그 작가의 자율성을 보장해줬다고 했다. 세웅은 정말 최소한으로 그 작가에게 개입했다고 했다. 그런데 그 작가는 세웅의 이런 간섭이 자신의 예술을 왜곡한다고 봤다. 결국, 둘은 관계가 틀어졌다. 세웅은 그때 사건이 떠오르는 듯 잠깐 심호흡했다. 민혁은 차분히 세웅이 안정되기를 기다렸다. 그러면서 민혁은 그 작가와 세웅의 입장을 충분히 공감했다.

곧바로 세웅은 그의 억울함을 밝혔다. 세웅은 결코 그 작품을 왜곡한 적이 없다고 했다. 세웅은 문학계에서 약간의 편집은 기본이라고 했다. 세웅은 단지 여러 맞춤법과 몇 가지 요소들에 손을 봤다고 했다. 세웅의 말이 끝나자마자 민혁은 몇 가지 요소가 무엇인지에 대해 질문했다. 민혁은 눈앞에 놓인 커피와 도넛을 먹지도 않은 채 세웅의 이야기에 집중했다. 민혁은 그 대화 속의 단 한 마디도 놓치지 않았다.

세웅은 친절하게 민혁의 질문에 답변했다. 세웅은 돈을 끌어모으기 위한 양념 질에 관해 얘기했다. 세웅은 사람들의 외설적이고 파괴적인 본능에 관해 얘기했다. 사람들은 인간이기 전에 동물이므로 사람들은 순한 소설보다 외설적이고 파괴적인 소설을 좋아한다. 세웅은 당당히 그가 생각하는 인간의 본성을 주장했다. 세웅은 이 논리에 근거하여 그 작가의 작품에 간을 쳤다고 했다. 세웅은 그 일에 대해 작품 왜곡이 아닌 진심 어린 조언이라고 주장했다. 세웅은 그 작가에 대한 분이 안 풀렸는지 테이블을 주먹으로 쾅 쳤다. 민혁은 그 모습에 적잖이 당황했지만, 다시 그 이야기에 집중했다.

　세웅은 그 사건 이후로 그 작가와 연락을 주고받지 않았다고 했다. 결국, 세웅은 조금씩 그 작가와의 관계를 청산했다. 세웅은 민혁과 만난 그 순간까지도 그 작가와 연락을 해 본 적이 없다고 했다. 세웅은 그 작가의 근황만을 간략히 언급했다. 세웅은 그 작가가 강원도의 산자락에 살고 있다고 말했을 뿐이었다. 세웅은 그 작가가 속세를 뒤로하고 자연으로 귀의했다고 했다. 세웅은 그 작가의 근황보다 다른 것을 강조했다. 세웅은 그 이후의 사건을 강조했다. 그날을 기억하는 듯 세웅은 분노를 잠재우기 위해 다시 커피를 마셨다. 그때 세웅은 그의 과거를 얘기하면서 가장 많은 양의 커피를 마셨다. 그만큼 세웅의 마음속의 울분은 쉽게 사라지지 않았다. 세웅은 애써 감정을 추스르고 이야기를 계속했다.

　민혁은 세웅의 얘기를 들은 뒤 커피잔을 움켜줬다. 민혁은 커피잔 속의 새까만 커피를 바라봤다. 세웅의 이야기는 새까만 커피처럼 어두웠다. 한 마디로 암울했다. 한편 동시에 그때 세웅의 이야기는 커피처럼 풍미가 있었다. 세웅이 이야기에 재주가 있었기 때문이다. 세웅은 인생에서 밝은 부분과 어두운 부분을 이야기에 고루 섞었다. 이런 모습이 이야기에 풍미를 더했다. 그리고 그 풍미는 민혁의 마음에 전이되어 공감이라는 맛을 선사했다. 당시 민혁은 커피잔의 질감을 느꼈다. 민혁은 딱딱하지만 부드러운 곡선에 미소를 지었다. 마찬가지로 세웅의 거친 인생에도 부드러우면서도 유동적인 면이 있었다. 민혁은 커피잔과 세웅의 이야기를 통해 많은 것을 느꼈다. 민혁은 그때 이후로 세웅에 대한 의심을 어느 정도 지웠다. 민혁은 세웅에게 미소를 지으며 고개를 끄덕였다.

민혁은 아픈 과거를 드러내는 것은 용기 있는 행동이라고 말했다. 민혁은 세웅의 얘기에 감사를 표했다. 당시 민혁은 세웅과의 거래를 만족했다. 민혁은 세웅의 도움을 통해 받을 달콤한 돈을 기대했다. 더불어 세웅은 진솔하게 그의 아픈 과거를 얘기했다. 그랬기에 민혁은 세웅을 더욱 신뢰했다. 그런데도 민혁은 그 거래에서 한 조건을 걸었다. 민혁은 그 작가에 대해 다시 얘기했다. 민혁은 다시 세웅의 얼굴을 살펴봤다. 세웅은 미소는 지었지만, 그 속에는 약간의 긴장이 있었다. 그 작가가 다시 언급되자마자 세웅은 긴장했다. 한편 민혁은 사회에서 흔히 말하는 기 싸움과 밀고 당기기에 재미를 들였다. 민혁은 세웅의 여러 반응을 흥미롭게 쳐다봤다. 민혁은 세웅을 몇 번 지켜본 뒤 짧은 침묵을 깼다.

　민혁은 자신이 그 작가와 다르다고 했다. 당시 민혁은 신인상을 비롯한 상을 받은 적이 없이 평범했기 때문이다. 그랬기에 민혁은 세웅과 문학에 대해 토의하고 싶다고 했다. 그리고 심심한 요리에 간을 치는 것처럼, 민혁은 세웅의 편집을 용인한다고 했다. 그렇지만 민혁은 자아실현을 중시한다고 했다. 그래서 민혁은 자신의 첫 소설에 자신의 진심을 담기길 원했다. 민혁은 세웅이 이야기에 간을 치는 것. 그것을 넘어서는 행위를 원치 않았다. 당시 민혁은 이렇게 말하는 자신이 거만하고 오글거렸다. 그렇지만 민혁은 이 상황을 즐겼다. 민혁은 사회생활에서 첫 거래를 머릿속에 강렬히 새기고 싶었다. 민혁은 영화 속 주인공처럼 강렬한 모습을 과시하고 싶었다. 민혁은 날카로운 눈빛과 부드러운 표정을 지으며 젊음의 패기를 과시했다. 세웅은 민혁이 흥미롭다는 듯 활짝 웃었다. 세웅은 자신을 보조라고 여겼고 셰프는 민혁이라고 여겼다. 결국, 둘은 서로의 처지를 이해하고 공감했다.

　세웅은 민혁에게 악수를 건넸다. 그렇게 둘의 거래는 끝났다. 그리고 둘의 관계는 시작되었다. 지금으로부터 불과 오 년 전 한 카페에서 벌어진 일이었다. 하지만 둘의 관계가 계속 순탄치는 않았다. 이는 처음부터 둘의 관계가 연인 관계처럼 사랑스럽지 않았기 때문이다. 두 사람의 관계는 가족 관계처럼 피로 이루어지지 않았다. 그보다 둘의 관계는 상호보완적 관계에서 시작되었다. 쉽게 말해 거래로 이루어진 관계였다. 둘의 조합은 서로의 득과 실을 따지는 차디찬 관계였다.

　첫 시작은 순탄했다. 당시 민혁은 자신의 오랜 꿈, 즉, 이야기를 만드는 것에 대한 환상이 있었다. 그리고 민혁은 자신의 이야기가 세상에 나타나기를 바랐다. 하지만 현실과 환상은 간극이 큰 법이다. 당시 민혁의 사례도 절대 다르지 않았다. 작가로서 민혁은 한 문장조차도 제대로 못 만들었다. 나는 너를 사랑해라는 문장이 나는 너를 혐오해로 둔갑하는 것 같았다. 세웅과 가볍게 처음 만났을 때만 해도 민혁은 분명 자신이 있었다. 민혁은 인생의 대부분을 이야기를 쓰며 보냈다. 비록 그것이 전문적인 활동은 아니었지만, 글쓰기는 민혁의 유일한 취미였다. 가볍게 물을 마시듯 민혁은 공책에, 휴대폰에 끊임없이 글을 썼다. 그런 민혁은 첫 작품을 쓰는 동안 압박감을 느꼈다. 컴퓨터 문서에 적힌 빽빽한 문자 개수만큼 빽빽한 부담감이 민혁의 마음속에 가득했다. 당시 민혁은 부담감을 피하고자 무엇이든 하고 싶었다. 그래서 민혁은 마지막 선택지로 세웅에게 도움을 요청했다. 고맙게도 세웅은 민혁에게 많은 조언을 해줬다. 가끔은 휴식도 괜찮다. 최대한 짧고 간결하게 써라. 자극적으로 써라. 세웅은 인생의 서프보드 위에서 휘청댔던 민혁을 일으켜주는 은인이었다. 하지만 서로의 관계를 위협하는 문제가 계속 나타났다.

　둘의 관계는 세웅이 민혁의 보조가 된다는 조건으로 성립되었다. 그런데 그 조건이 계속 효력을 잃어갔다. 당시 민혁은 끊임없이 세웅에게 도움을 요청했다. 문학계에서 신인이었던 민혁은 계속 글의 파도에 허우적거렸다. 그래서 민혁은 자의적으로 세웅에게 자신의 서프보드를 양도했다. 그때 이후로 둘의 관계는 새 국면을 맞이하게 되었다. 세웅이 민혁의 모든 것에 개입했다. 민혁은 세웅의 무기인 경험에 무릎을 꿇었다. 그 결과 세웅이 둘의 관계에서 우위를 점했다. 민혁은 세웅의 지시를 무조건 따르는 보조가 되었다. 어쩌면 민혁은 세웅의 노예였을지도 모른다. 적어도 보조는 때때로 자신의 의견을 피력하지만, 민혁은 세웅에게 의견 피력을 거의 안 했다. 분명 민혁의 손은 키보드를 두들겼지만, 세웅의 생각이 민혁의 손을 통제했다.

그런데도 둘의 관계가 유지된 것은 이 관계가 둘에게 이득이었기 때문이다. 세웅은 더 말할 것도 없이 이 관계의 최대 수혜자였다. 새 작가와의 관계를 통해, 세웅은 자신이 더 이상 악질적이지 않음을 문학계에 알렸다. 더불어 세웅은 경험으로 무장한 자신의 권력으로 글을 썼다. 실질적으로 세웅이 민혁의 첫 소설을 만들었다. 이런 면에서 볼 때 민혁은 이 관계의 피해자였다. 모든 일은 세웅의 손아귀 속에서 좌지우지되었다. 당시 민혁은 아무것도 안 했다. 자아실현의 욕구가 강했던 민혁으로서는 용납하기 어려웠다. 하지만 인생에는 자아실현의 욕구만 있지 않은 법이다. 당시 민혁은 절실하게 돈을 원했다. 민혁은 세계 일주라는 큰 프로젝트에 재산을 탕진했다. 더구나 세계 일주를 위해 쓴 돈 일부는 가족에게 빌렸다. 만약 민혁이 직접 돈을 못 벌었다면 평생 가족에게 의지한 채 살아야 했다. 민혁의 가족도 이를 싫어했을 것이고 당시 민혁도 그것을 싫어했다. 자아실현을 위해서는 주체적이고 독립적인 삶이 우선이었다. 민혁도 그것을 알았기에 경제적인 독립을 강력히 원했다. 민혁은 철두철미하게 계속 계산했다. 우선 세웅은 과거에 나름 유명한 출판사 편집장이었다. 그랬기에 당시 세웅은 비록 과거보단 못하더라도 권위가 있었다. 그리고 민혁은 그런 세웅과 관계를 유지하며 그의 권위에 편승하면 되었다. 한편 민혁은 세웅이 자신의 작품을 쓰는 것에 크게 개의치 않았다. 세웅은 과거에 유망한 작가와 작업한 인물이었다. 민혁은 세웅이 자신보다 문학적 감칠맛을 잘 알 것이라 확신했다. 민혁은 세웅의 글재주를 이용해 자신의 책이 인기를 끄리라 확신했었다. 더불어 실질적으로 세웅이 글을 쓰지만, 대중들은 그것을 몰랐다. 민혁은 아무것도 하지 않고 사람들에게 명성을 살 수 있었고, 부를 살 수 있었다. 한 마디로 이 관계는 민혁에게 너무 소중했다. 그리고 민혁은 자신이 조금이라도 일을 한다고 자위했다. 예를 들어 글의 초벌 작업은 항상 민혁이 담당했다. 민혁은 이에 자부심을 느꼈다. 물론 세웅은 민혁과의 전화로 민혁의 작업을 대부분 바꿨다. 그래도 당시 민혁에게 그것은 중요하지 않았다. 그보다 자신이 초벌 작업을 담당하는 것이 중요했다. 이 면을 바라본 채 민혁은 최소한의 주체성을 지켰다고 생각했다. 쉽게 말해 정신승리였다.

어쨌든 민혁의 첫 소설은 생각대로 꽤 좋은 성적을 거뒀다. 초반에는 출판사 업계가 인식하는 세웅의 이미지가 크게 작용했다. 문학계는 오랜만에 소설을 제작한 세웅이 달갑지 않았다. 당시 그들에게 세웅은 여전히 악마, 뱀, 갑질의 왕이었다. 세웅은 이런 반응을 억제하기 위해 여러 미디어를 통해 민혁과의 관계를 과시했다. 적어도 그곳에서 둘의 관계는 끈끈한 우정의 교과서였다. 당시 둘은 서로에게 좋은 칭찬을 하고 서로를 존경했다. 가끔 세웅은 자신의 아픈 과거를 꺼냈다. 이에 덧붙여 세웅은 민혁만이 그의 아픈 상처를 치유한다고 했다. 그렇게 세웅은 민혁과 따스한 관계를 강조했다. 이런 노력에 몇몇 문학계가 세웅의 재기에 박수를 보냈다. 그 결과 세웅은 아주 조금씩 명성을 되찾았다. 그리고 민혁의 소설에 쏟아지는 돈도 조금씩 불어났다. 대중들은 그 소설을 쓴 것처럼 보이는 민혁에게 열띤 환호를 보냈다. 당시 민혁은 쏟아지는 박수갈채에 기뻤다. 하지만 동시에 혼란스러웠다. 과연 이 박수갈채는 나의 것일까 아니면 세웅의 것일까? 돈 때문에 세웅이 나를 이용하게 놔둔 것은 어떻게 봐야 할까? 나는 진짜 세웅이라는 뱀의 꼬임에 넘어간 하와일까? 민혁은 계속 여러 질문을 머릿속에 품었다.

이때부터 세웅은 민혁에게 복잡한 사람이었다. 세웅은 선인이자 악인이었다. 자신에게 막대한 돈을 선사한 사람이자 자신의 주체성을 이용한 사람. 저자 김민혁은 저자 곽세웅과 관계에서 막대한 혼란을 느꼈다. 심지어 민혁은 자신을 의심하기도 했다. 가면 갈수록 민혁에게 쏟아지는 박수갈채는 그에게 큰 짐이 되었다. 민혁은 자신의 능력으로 자신의 책을 쓰지 않았기 때문이다. 그보다 그 책은 세웅의 글솜씨로 이뤄진 업적이었다. 당시 민혁은 자신의 주체성을 이용한 세웅이 싫었지만 할 말이 없었다. 민혁이 자의적으로 세웅에게 이용당했기 때문이다. 민혁은 계속 부정적으로 생각했다. 민혁은 자신의 무능력함을 비하했다.

민혁은 낮아진 자존감을 극복하고자 세웅과 관계 정리를 생각했다. 하지만 지금까지도 민혁은 세웅과 관계를 유지했다. 그 관계는 여전히 민혁에게 돈이 됐기 때문이다. 지금까지도 민혁의 우선순위는 돈이었다. 하지만 민혁은 그 관계의 대가로 중요한 자신을 잃었다. 결국, 민혁은 살아있는 좀비 그 자체가 되었다. 민혁은 암울한 과거를 잊지 못하며 검은색 옷으로 무장한 채 빗길을 걸었다.

그래도 잡생각을 많이 하면 시간이 잘 가는 법이다. 민혁은 어느새 약속 장소에 도착했다. 민혁은 옷에 묻은 빗방울을 털었다. 동시에 민혁은 마음을 다잡았다. 민혁은 세웅을 만나기 전에 최대한 밝음을 유지해야 했다. 둘의 관계는 외관상으로 완벽해야 했기 때문이다. 약속 장소는 한 단독주택이었다. 그 주택은 매우 거대했다. 앞에 있는 광활한 잔디밭은 흐린 날씨에도 파릇파릇한 생명력을 보여주었다. 고개를 들어야 전광이 겨우 보이는 3층 자리 건물은 민혁을 더 초라하게 만들었다. 간간이 여러 나무가 앞마당에 보였다. 이곳은 동화 속의 집 같았다. 거대한 숲속에 있는 신비로운 주인공의 대저택. 그런 집이 현실에 존재했다. 민혁은 그림 같은 집을 바라보며 애써 미소를 지었다. 그리고 민혁은 조심스럽게 초인종을 눌렀다. 빗물을 막아줄 따스한 문이 열렸다. 문이 열리자 민혁은 어렴풋이 보이는 따스한 불빛에 미소 지었다. 하지만 곧이어 민혁은 신선한 충격에 빠졌다.

3장: 낯섦과 친숙함

세웅은 민혁의 예상을 뛰어넘는 엄청난 부자였다. 광활한 잔디밭, 교회의 첨탑처럼 높이 솟은 3층 건물, 중문에서 희미하게 보이는 샹들리에. 세웅은 이 모든 것을 누렸다. 곧바로 민혁은 3일 전의 일이 떠올랐다. 그날 저녁 9시쯤에 세웅은 민혁에게 전화를 걸었다. 세웅은 그의 집에 민혁을 초대하고자 민혁에게 전화를 걸었다. 세웅은 단 한 번도 민혁을 자신의 집에 초대한 적이 없었다. 그래서 세웅이 민혁과 친분을 더 쌓기 위해 민혁을 그의 집에 초대했다. 이에 덧붙여 당시 세웅은 선물은 필요 없다고 민혁에게 단언했다. 세웅은 민혁과 오랜 친구가 아니라는 사실을 강조했다. 세웅은 민혁과 자신은 비즈니스 관계에 있다고 못을 박았다. 만일 민혁이 집들이 선물을 가져온다면, 세웅은 그것을 쓰레기통에 버리겠다고 가볍게 농담했다.

민혁은 세웅의 농담에 살짝 웃었다. 하지만 그 전화를 받은 뒤 민혁은 의아했다. 보통 사람들은 선물을 좋아하는 법이다. 그런데 세웅은 선물 받기를 거부했다. 왜 그랬던 것일까? 이미 세웅은 많은 것을 가져서 그랬을까? 그렇다면 도대체 얼마나 많은 것을 가졌단 말인가? 그날 이후 민혁은 끊임없이 세웅의 자산에 대해 상상했다. 이제 민혁은 생애 처음으로 호화스러운 풍경을 바라봤다. 세웅은 정말 많은 것을 가졌다. 세웅은 민혁의 상상을 훨씬 뛰어넘는 재력을 가졌다. 민혁은 그것이 부러웠고 신기했다. 하지만 이것보다 더 신기한 일이 있었다. 세웅 외에도 익숙한 인물이 민혁 앞에 서 있었다.

이 사람이 입은 재킷은 맑은 하늘색처럼 아름다웠다. 그는 호화스러운 하얀 대리석과 어울리는 하얀색 바지를 입었다. 그는 호화스러운 이 순간을 위해 미소를 지었다. 이 모든 것이 민혁과는 달랐다. 민혁은 그저 축축 젖은 옷을 입은 부랑자에 지나지 않았다. 민혁은 이 집의 호화에 압도당한 사람에 불과했다. 하지만 그는 민혁에게 친숙했다. 그의 이목구비가 민혁의 그것과 너무 닮았다. 민혁은 당황한 기색을 지우고 곧바로 왠지 모를 친숙한 그를 껴안았다.

"와, 형이 여기에 있다니!"

정말 그랬다. 민혁의 형이 세웅과 같이 있었다. 민혁의 형은 세웅과 사이좋게 민혁을 반겼다. 민혁은 그 낯설면서도 친숙한 광경에 다시 충격에 빠졌다. 그래도 민혁은 자신이 가장 아끼는 형을 봐서 좋았다. 민혁은 환하게 미소 지었다. 이것은 직장상사와의 만남을 위한 웃음이 아니었다. 이것은 가족과의 재회에서 볼 수 있는 진심이 담긴 미소였다. 세웅은 민혁과 민준의 똑같은 이목구비에 감탄했다. 두 형제의 외모는 한 책의 초본과 복사본의 차이만큼 유사했다. 또 세웅은 둘의 이름이 매우 유사하다는 것에 놀라움을 표했다. 민혁과 민준. 두 사람의 이름은 둘의 외모만큼 유사했다. 세웅은 유사한 두 형제를 혼동하지 않기 위해 수를 썼다. 그래서 세웅은 손가락으로 각각 민혁과 민준을 가리켰다. 민준은 쌍둥이는 비슷한 법이라며 세웅을 보고 웃었다. 그리고 민준은 동생 민혁을 따스하게 바라봤다.

민준은 민혁의 옷에 묻은 빗방울을 털며 동생을 반겼다. 민혁은 언제나 따스한 형의 모습에 미소를 지으며 집 안으로 들어갔다. 민혁은 반짝반짝한 집의 모습에 입이 다물어지지 않았다. 민혁은 사방을 둘러보았다. 온 세상이 새하얀 눈밭 같았다. 앞서 중문을 통해 어렴풋이 본 대리석 바닥이 이곳에 있었다. 그리고 새하얀 빛깔의 비싼 벽지가 그 주변에 있었다. 심지어 거실 옆에 있는 주방 탁자에도 새하얀 대리석이 있었다. 민혁은 놀란 마음을 다잡고 자연스럽게 위를 올려다봤다. 하늘에 닿을 것 같은 천장이 민혁의 머리 위에 있었다. 그리고 태양만큼 거대한 샹들리에가 천장 위에 매달려 있었다. 샹들리에는 햇빛처럼 호화스럽고 밝은 자태를 자아냈다. 동시에 민혁은 샹들리에가 곧 자신 같았다. 민혁은 천장에 위태롭게 흔들리는 샹들리에처럼 낯선 세웅의 집을 불안하게 거닐었다. 민혁의 검은색 옷은 화사한 집 분위기와 맞지 않았다. 더구나 대리석 바닥을 거니는 민혁의 양말은 상태가 심각했다. 민혁의 하얀색 양말은 이미 많은 빗물에 젖었다. 민혁은 누추한 양말을 하얀 신세계에 들이고 싶지 않았다. 민혁은 양말을 벗어 손으로 그것을 꽉 쥐었다. 그렇지만 손에 대롱대롱 매달린 양말은 민혁을 더 초라하게 만들었다. 민혁은 이곳이 낯설었다. 민혁은 이곳에 있는 째깍째깍 시계 소리가 콩닥콩닥 뛰는 자신의 심장 소리 같았다. 민혁은 이곳에서 초조했다. 그런 민혁에게 세웅은 정중히 다가왔다. 세웅은 자신의 집이 마음에 드는지 민혁에게 정중히 물었다. 민혁은 속으로 세웅의 호화스러운 자산과 그 결과물인 이 집에 압도당했다. 그래도 민혁은 겉으로는 아무렇지 않은 척하며 미소 지었다. 민혁은 최대한 자연스럽게 미소를 지으며 세웅과 함께 호화스러운 샹들리에를 올려다봤다. 민혁은 눈동자를 이리저리 굴러가며, 위태롭게 흔들리는 샹들리에를 바라봤다.

　세웅은 엄지와 검지를 비비적거리며 민혁을 쳐다봤다. 분명 세웅은 암묵적으로 풍족한 자산을 과시했다. 민혁은 여전히 이곳의 호화에 동화되지 못했다. 오히려 민혁은 이곳에서 압도당했다. 하지만 민혁은 겉으로 자연스럽게 행동했다. 민혁은 한 교양인처럼 천천히 주변을 둘러봤다. 그러다 민혁은 한 방에 시선을 집중했다. 세웅은 자연스럽게 민혁의 시선을 따라가며 민혁이 보는 그 방을 바라봤다. 세웅은 집주인으로서 민혁에게 그 방을 소개했다. 그 방은 세웅이 최근에 만든 음악 스튜디오였다. 세웅은 다시 엄지손가락과 검지를 비볐다. 그랬다. 이 음악 스튜디오도 세웅의 자산의 결과물이었다. 세웅은 민혁과 함께 천천히 음악 스튜디오 안으로 들어갔다. 민혁이 스튜디오 안으로 들어가자 민혁의 형 민준도 자연스럽게 이곳으로 발걸음을 옮겼다. 그리고 세웅은 음악 스튜디오 안의 여러 악기와 음반을 두 형제에게 설명했다. 세웅이 친절히 이곳을 설명하던 도중 민혁과 민준의 배꼽시계가 울렸다. 민준과 세웅은 어색한 상황에 호탕하게 웃었다. 민혁도 둘을 따라 멋쩍은 웃음을 지었다. 하지만 민혁은 속으로 울고 싶었다. 비록 반가운 형을 만났지만, 민혁은 대리석으로 둘러싸인 이곳이 너무 낯설었다. 민혁은 이곳에 발을 디딘 자신이 너무 싫었다. 민혁은 자신을 부자에게 구걸하는 가난뱅이로 여겼다. 민혁은 당장 이곳을 벗어나고 싶었다. 이때 민혁은 활짝 웃은 민준의 얼굴을 바라보았다. 이제서야 민혁은 마음을 다잡았다. 민혁에게는 자신과 애증 관계에 있는 세웅도 이 낯선 장소도 상관없었다. 항상 민혁을 애틋하게 바라보는 형 민준이 이곳에 있었기 때문이다. 분명 민준은 민혁을 만나러 이곳에 왔다. 이 이유 말고는 다른 이유가 없었다. 민준과 세웅은 그렇게 친하지 않았기 때문이다. 민혁은 형의 마음을 알기에 이곳을 떠날 수 없었다. 민혁은 반드시 민준과 함께 이곳에 머물러야 했다. 그것이 그의 의무였다. 집주인 세웅은 두 형제의 배꼽시계를 듣고 음식을 준비하러 주방으로 향했다. 음식이 나오는 동안, 두 형제는 못다 한 이야기를 하러 푹신한 소파에 앉았다.

이제서야 민혁은 민준을 자세히 바라볼 수 있었다. 분명 민혁은 중문 앞 현관에서 민준의 화사하고 상쾌한 옷감을 바라봤다. 그때 그 모습은 누더기를 입은 자신과 너무 달랐다. 그런데 소파에 기댄 민준의 모습은 초라한 민혁의 모습과 절대 다르지 않았다. 민준의 손은 물기가 없었다. 그보다 그 손은 사막처럼 건조했다. 그리고 그 속의 굳은살은 민준이 겪은 모든 고생을 저장한 듯했다. 민준의 주름은 타이어 자국처럼 깊고 선명하게 파였다. 민준의 화사한 옷도 더 이상 상쾌한 느낌을 주지 않았다. 민준은 바쁘게 살아온 듯했다. 민준이 편하게 소파에 누워 있는 동안, 그의 옷깃은 단정하지 않았다. 쓰레기통에 버린 신문지처럼, 옷깃들은 완전히 구겨졌다. 민혁은 이런 구겨진 옷깃을 본 뒤, 민준의 하늘색 티셔츠가 더 이상 맑아 보이지 않았다. 그보다 거센 파도 같았다. 민준의 티셔츠는 거센 파도가 되어 피로한 민준을 집어삼켰다. 민준을 자세하게 바라본 민혁은 죄책감을 느꼈다. 오랜 시간 동안, 민혁은 형이 고생한 흔적을 보지 못했기 때문이다. 민혁도 민준처럼 나름 바쁘게 살아왔다. 민혁은 첫 소설이 성공하여 많은 곳에 부름을 받아왔다. 라디오에 출연했고, 각종 강연을 했고, 사인회도 몇 번 했다. 그렇게 바쁘게 지내는 동안, 민혁은 민준과 딱 한 번 만났다. 그것도 지금으로부터 3년 전이니 꽤 오래되었다. 그 오랜 시간 동안, 민혁은 형을 챙기지 못했다. 민혁은 세웅의 도움으로 돈을 모았지만 고생하는 형을 보살피지 못했다. 그동안 민준은 그의 몸 희생해서 돈을 벌었다.

　사실 민준의 희생정신은 그의 가족 내에서 모르는 사람이 없었다. 그 정도로 민준은 맏이로서 오랫동안 희생해왔다. 좀 더 정확하게 말하면 민준의 부모님이 그를 그렇게 만들었다. 부모님은 어린 민준에게 항상 첫째라는 점을 강조하곤 했다. 이제 너는 혼자가 아니야. 너는 동생이 있어. 너보다 어린 동생을 잘 돌봐야 해. 이런 말들이 민준의 귓가에 배경음악처럼 맴돌곤 했다. 동생의 등장으로 민준은 부모님이 그에게 준 사랑을 동생에게 나눠 줘야 했다. 약간의 시련에도 어린 민준은 성숙하게 부모님의 말씀을 따랐다. 초콜릿을 정확히 반으로 갈라 민혁에게 주거나, 민혁이 무서워하는 작은 벌레를 대신 잡곤 했었다. 민준은 동생을 잘 돌보며 부모님에게 많은 칭찬을 받곤 했다. 민준은 그런 칭찬을 받는 자신을 뿌듯하게 여기곤 했다.

민준은 민혁을 기른 봉사자이자, 보조 양육자였고, 또 개척자였다. 민준은 인생 선배로서 민혁보다 더 빨리 많은 것을 경험해 왔다. 초등학교 입학, 혼란의 시기인 사춘기, 고등학교에서 치른 굵직한 시험까지. 민준은 이 모든 일을 가장 먼저 겪었다. 민준의 경험 덕분에 민혁은 낯선 환경에서도 쉽게 적응했다. 그리고 민준의 희생 덕분에 민혁은 많은 것을 해왔다. 가장 대표적인 예시가 민혁의 세계 일주였다. 민혁은 당시 돈이 별로 없었다. 소정의 장학금만 민혁의 손에 있었을 뿐이었다. 민혁은 이 돈만으로 인생의 새로운 발자국을 내디딜 수 없었다. 민준은 그 사실을 알았다. 그래서 당시 민준은 그의 월급 대부분을 민혁에게 송금했다. 당시 민준은 오랜 취준 생활을 끝내고 평범한 중소기업에서 일했다. 그곳은 대기업이 아니었다. 따라서 민준은 월급으로 굶어 죽지 않을 정도로만 살아갔다. 민준에게 사치란 없었다. 민준은 최대한 절약했다. 그래도 민준은 민혁에게 그의 돈을 아끼지 않았다. 예전부터 민준은 민혁의 개척자였다. 민준은 민혁의 길을 막는 것이 있다면 그것을 해치곤 했다. 민준은 민혁의 개척자로서 의무를 다해왔다. 따라서 민준의 송금 행위는 그저 일반적인 의무였다. 그래도 민혁에게는 그 돈이 굉장히 특별했다. 결과적으로 민혁은 그 돈으로 유명한 작가가 되었기 때문이었다. 민준의 그 행동이 민혁의 인생을 180도 바꿨다. 민혁에게 민준은 인생의 은인이었다. 민준의 희생, 그리고 과거의 여러 추억이 민혁의 머리를 맴돌았다. 민혁은 다시 민준의 피로한 눈동자를 바라봤다. 그 순간 민혁의 죄책감은 더욱 강해졌다.

"뭘 그리 쳐다봐? 부끄럽게."

민준은 오랜만에 본 동생의 얼굴에 당황한 듯 가볍게 농담했다. 민혁은 머릿속의 죄책감을 억지로 짓누르며 민준을 향해 옅은 미소를 지었다. 민혁은 오랜만에 보는 형이 반가운 듯 밝게 웃었다. 민혁은 시간 핑계로 민준을 멀리했던 과거를 고백했다. 그렇게 민혁은 형의 희생에 감사했고, 이에 대해 형식적으로 사과했다. 민준은 죄책감에 빠진 민혁을 다독였다. 민준은 동생 민혁이 자랑스럽다고 했다. 민준은 따스한 손길로 민혁의 어깨를 두드렸다. 민준은 민혁에게 용기와 자신감을 불어넣었다. 민혁은 형식적인 사과에 대한 민준의 반응에 조금 안도했다. 이제 민혁은 자신에 대한 형의 마음이 변치 않았음을 알았다. 민준은 항상 민혁을 칭찬하고 위로해주었다. 민준의 말 단어 하나하나에서 민혁은 따스함을 느꼈다. 민혁은 자신의 어깨를 툭툭 건드리는 형의 모습을 바라봤다. 민준은 민혁을 향해 웃었다. 이 웃음을 본 민혁은 죄책감을 일시적으로 잊었다. 이제 민혁은 마음속에서 강한 향수를 느꼈다. 이렇게 두 형제가 서로를 바라보는 상황이 민혁에게는 참 오랜만이었다. 민준의 눈길은 민혁에게 포근한 친숙함을 주었다. 민혁은 형과 밝게 웃으며 과거의 이야기를 머리 위로 펼쳐보았다. 그렇게 둘은 시간 가는 줄 모르고 과거로 시간여행을 했다. 둘은 오랜만에 만난 친구처럼 화목하게 대화했다. 둘의 끝날 줄 모르던 대화는 세웅이 상을 차리는 순간 종료되었다. 세웅이 음식을 준비하자 민혁은 시계를 바라봤다. 이 집에 온 지 벌써 1시간이 훌쩍 넘었다. 분명 민혁은 비를 맞아 축축했고 배가 고팠다. 다행히 민혁은 형과 오랜만에 얘기를 나눈 뒤, 모든 불편감을 지울 수 있었다. 그리고 민혁의 옷차림도 훨씬 나아졌다. 비록 양말은 조금 젖었지만, 코트와 바지는 어느 정도 물기가 말랐다. 그리고 민혁은 그를 진심으로 사랑하는 민준에게 푹 빠졌다. 그 덕에 민혁은 식욕도 잊은 채 형만 바라봤다. 민혁은 형이 있는 것에 감사했다. 분명 민혁은 낯선 세웅의 집에 압도당했다. 하지만 이것은 이미 과거였다. 민혁은 형의 도움으로 그를 둘러싼 낯선 환경에 서서히 적응했다. 민혁은 빨리 흘러간 시간에 놀라며 행복하게 식탁으로 향했다.

그야말로 진수성찬이었다. 갖가지의 음식들이 반듯한 대리석 식탁 위에 즐비했다. 식탁의 양쪽 끝에는 진귀한 연어 스테이크가 있었다. 연어 스테이크 위에 하얗게 흩뿌려진 타르타르 소스는 눈의 풍미를 더했다. 연어 스테이크 옆쪽이자, 세 사람이 앉은 테이블 바로 앞에 와인이 있었다. 민혁은 레드 와인 두 잔과 화이트 와인 한 잔을 보고, 그의 위치를 알아차렸다. 민혁은 달콤한 맛을 좋아했다. 민혁은 달콤한 화이트 와인이 자신의 음료임을 알아차렸다. 민혁은 화이트 와인이 놓인 테이블에 앉았다. 민혁은 화이트 와인 속의 달콤한 거품을 바라봤다. 민혁은 화이트 와인의 단맛과 민준과 달콤한 추억이 이룰 조화를 기대했다. 민혁이 기쁜 마음으로 자리를 선점하자 세웅이 민혁의 맞은편에 착석했다. 세웅의 테이블과 민혁의 테이블 사이, 참깨 드레싱을 뿌린 샐러드와 적당한 크기의 소고기 스테이크가 있었다. 민혁은 아름다운 요리를 보고 군침을 다셨다. 참깨 드레싱은 정말 고소해 보였다. 민혁은 둥그런 스테이크를 보고 환하게 미소를 지었다. 민혁은 자신이 외국의 고급 레스토랑에 온 것 같다고 느꼈다. 더불어, 닭 한 마리를 통째로 구운 거대한 요리는 테이블의 한 가운데 있었다. 모든 음식이 완벽했다. 민준도 완벽한 요리에 감탄했다. 민혁과 세웅이 자리에 앉은 순간에도, 민준은 우뚝 서서 고귀한 음식들을 눈에 담았다. 민준은 이 음식을 대접한 세웅에게 엄지를 치켜세우며 민혁 옆에 앉았다.

"오래 기다리게 해서 미안합니다. 많이 힘드셨죠?"

세웅은 집주인으로서 손님들의 안위를 살폈다. 두 형제는 세웅의 인자한 표정에 웃음으로 화답했다. 민준은 민혁을 사랑스럽게 바라보며 세웅의 대접에 감사를 표했다. 그리고 민준은 민혁과 함께 있어 즐겁다고 단언했다. 민준은 시간 가는 줄 모르고 이 순간을 즐긴다고 말했다. 민혁도 형의 말에 고개를 끄덕이며 자신이 행복하다는 것을 표현했다. 시간은 늦은 저녁이었다. 셋은 분명 배고팠다. 셋은 걸인처럼 테이블에 놓인 모든 것을 해치웠다. 분명 민혁은 테이블에 놓인 진수성찬이 과하다고 생각했다. 그런데 이것은 쓸데없는 걱정이었다. 우선 덩치 큰 세웅이 이곳에 있었다. 세웅은 덩치만큼 많은 양의 음식을 먹었다. 세웅은 사실상 폭식하며 그의 육중한 덩치를 과시했다. 민준도 꽤 많은 양을 먹었다. 오랜 시간 동안 가족을 위해 일한 삶이 민준에게 고달팠던 듯했다. 민준은 사랑하는 동생과 함께 식사하는 이 순간을 자기 보상의 시간으로 썼다. 민준은 어떠한 눈치도 보지 않고 눈앞의 많은 음식을 먹었다. 형이 게걸스럽게 먹는 모습을 본 민혁은 이에 미소 지었다. 민혁은 이미 형의 푸석한 모습을 보고 죄책감을 느꼈었다. 민혁은 이 시간만이라도 형이 그를 위한 일을 하기를 원했다. 민혁은 그런 모습을 보며 자신이 느꼈던 죄책감을 지우고 싶었다. 다행히도 민준은 이 시간을 즐겼다.

어느새 셋은 말없이 접시를 비웠다. 집주인 세웅은 손님이 음식을 잘 먹는 모습에 기뻤다. 하지만 동시에 불안했다. 이제 집주인으로서 무엇을 해야 할까? 세웅은 식사 후반부부터 이렇게 고민했다. 세웅은 잡생각을 지우기 위해 새빨간 레드 와인을 들이켰다. 술은 사람들에게 용기를 주고 사람들을 진지하게 만드는 법이다. 세웅도 술을 마시고 한층 진지한 표정을 지었다. 세웅은 걱정을 털어내고 진솔한 대화를 시작했다. 세웅은 시곗바늘을 바라보며 시간이 빠르게 지나간다고 감탄했다. 세웅은 민혁의 첫 작품을 출판한 이후 벌써 5년이 흘렀다고 말했다. 민혁도 세웅의 말에 동의하며 5년 전 추억에 잠겼다. 세웅은 다시 째깍째깍 움직이는 시곗바늘을 응시했다. 그리고 옅은 미소를 띠는 민혁에게 조심스럽게 말했다.

"무례하게 물어봐서 미안합니다만 확실히 묻고 싶네요. 차기작 생각은 없나요?"

세웅은 진지한 표정으로 민혁을 바라봤다. 세웅은 진심으로 민혁의 대답을 원했다. 5년의 공백은 문학계에서 너무도 길었다. 세웅은 민혁의 긴 공백기에 너무 조급했다. 세웅은 이미 2년 전부터 민혁에게 차기작을 강요해왔다. 당시 민혁은 항상 그 질문을 무시했다. 민혁은 곧 차기작을 구상하겠다고만 얘기하며 자리를 피하곤 했다. 하지만 세웅은 민혁의 차기작이 즉시 필요했었다. 그래서 세웅은 민혁의 무시에도 굴하지 않고, 시간이 날 때마다 민혁에게 차기작을 강요해왔다. 물론 세웅은 민혁의 회피를 예전부터 이해했다. 세웅은 민혁이 바쁘게 살았던 것을 알았다. 그런데도 5년의 세월은 새 도전을 하기에 충분했다. 적어도 세웅은 그렇게 생각했다. 다만 민혁은 그렇지 않은 듯했다. 세웅의 질문을 듣자마자 민혁은 화이트 와인을 잘못 넘겼다. 민혁은 화이트 와인을 잘못 삼켜 계속 기침했다. 그 정도로 세웅의 질문이 당황스러웠다. 여전히 민혁에게 차기작은 성가셨다. 민혁은 다음 작품 생각을 할 틈이 없었다. 그리고 민혁은 세웅과 함께 작업하던 삶을 좋아하지 않았다. 이 순간만큼은 민준의 따스한 눈빛과 말투도 민혁의 불안을 잠재우지 못했다.

민혁도 세웅처럼 술의 힘을 빌렸다. 비록 술은 민혁의 목 안에서 방황했지만, 술은 술이었다. 화이트 와인은 민혁의 영혼에 용기를 불어넣었다. 그 덕에 민혁은 세웅을 똑바로 응시했다. 민혁은 첫 소설을 발매한 이후 자신의 고충을 모두에게 털었다. 민혁에게 첫 작품은 기대 이상이었고 완벽 그 자체였다. 그랬기에 민혁은 차기작이 부담되었다. 이제 민혁은 완벽한 작가로서 다시 여러 독자와 평론가를 만족시켜야 했다. 이런 암묵적인 의무는 어린 민혁에게 너무 버거웠다. 민혁은 이런 식으로 차기작에 대한 부담을 세웅에게 털어놨다. 세웅은 이런 민혁이 신기한지 미소 지었다. 세웅은 민혁에게 자신감을 불어넣고 싶었다. 그래서 세웅은 과거 이야기로 돌파구를 찾았다. 세웅은 과거의 민혁에 대해 얘기했다. 세웅은 그를 당돌한 눈빛으로 바라봤던 민혁을 회상했다. 세웅은 그를 날카롭게 추궁했던 민혁에 대해 얘기했다. 세웅은 현재의 민혁에게 과거의 민혁이 했던 행동을 강조했다. 그렇게 세웅은 지금 민혁이 과거의 초심을 되찾기를 원했다. 민혁은 세웅의 진담에 멋쩍은 웃음을 지었다. 세웅은 그런 민혁의 모습이 재밌는듯 살짝 웃었다. 세웅은 새빨간 레드 와인을 다시 마셨다. 민혁은 더 이상 그 레드 와인에 풍미가 보이지 않았다. 그것은 피 같았다. 그리고 세웅은 민혁에게 파릇파릇한 피를 빨아먹는 흡혈귀와 같았다. 적재적소에 써먹는 추억, 그 보기 좋으면서도 기분 나쁜 웃음, 진솔하면서도 날카로운 눈빛. 민혁은 세웅에 관한 모든 것들이 너무 섬뜩했다. 세웅은 민혁에게 남은 마지막 생기를 다 빨아들이는 듯했다.

세웅은 레드 와인을 입술 주위에 묻힌 채 추억을 다시 꺼냈다. 세웅은 과거의 민혁이 했던 주장을 꺼냈다. 비즈니스는 검증을 바탕으로 이루어진다. 세웅은 과거의 민혁처럼 당돌하게 이 주장을 현재의 민혁에게 강조했다. 세웅은 현재 민혁이 문학계에서 검증되었다고 단언했다. 세웅은 민혁이 허접한 글을 쓰지 않는 이상, 차기작이 성공하리라 믿었다. 그리고 세웅은 항상 민혁의 곁에 있겠다고 약속했다. 세웅은 이를 입증이라도 하듯 그를 손가락을 가리켰다. 민혁은 억지로 미소를 지었지만, 이 상황은 민혁에게 굴욕적이었다. 민혁이 볼 때 세웅은 겉으로만 도우미를 자처해왔다. 실제로 세웅은 민혁의 자율성을 밟아가며 살아왔다. 세웅은 민혁과 만들어진 우정을 철저히 이용해왔다. 세웅은 민혁을 수단으로 이용하며 명성을 회복해왔다. 세웅이 내민 도움의 손길은 악마의 유혹이었다. 최근 민혁이 공허에 빠진 이유도 세웅의 손길에 있었다. 민혁은 세웅의 손길이 미친 결과에 대해 생각했다. 과거의 모든 정신적 추락이 민혁의 머릿속을 맴돌았다. 민혁은 악랄한 세웅을 바라보며 걷잡을 수 없는 분노를 느꼈다. 몇 년간 터득한 사회적 기민만이 민혁의 일그러진 분노를 잠재웠다. 그런데도 민혁의 마음속은 미친 듯이 들끓었다. 민혁은 폭발적인 에너지를 잠재우기 위해 민준의 얼굴을 바라봤다. 그렇게 민혁은 힘겹게 자신의 분노를 통제했다.

민준은 여전히 민혁을 따스하게 위로했다. 민준은 문학을 잘 모르더라도 항상 민혁의 곁에 있겠다고 약속했다. 민혁은 세웅의 날카로운 부탁보다 민준의 부드러운 위로가 더 좋았다. 민준은 계속 민혁을 따스하게 바라봤다. 민준은 부드러운 표정으로 민혁의 등을 두드렸다. 민혁은 자신을 항상 진심으로 대하는 형이 정말 고마웠다. 민혁은 형의 존재가 정말 감사했다. 민혁은 자신과 똑같이 생긴 형을 바라보며 결단을 내렸다. 민혁은 형의 얼굴을 바라본 뒤, 세웅을 향해 고개를 끄덕였다.

"모두 감사합니다. 이번 일을 계기로 차기작을 천천히 고뇌해 보겠습니다."

세웅과 민준은 민혁의 따스한 말에 감동한 듯 환하게 웃었다. 집주인 세웅은 와인잔을 들고 건배를 제안했다. 셋은 잔을 맞잡고 민혁이 미래에 이룰 업적을 기원하며 건배했다. 셋의 배도 어느덧 불러왔다. 민준은 이 순간을 즐기며 식탁과 거실 등 여러 곳을 바라봤다. 그러다 민준은 음악 스튜디오로 눈길을 돌렸다. 세웅은 민준의 의중을 눈치챘다. 세웅은 두 형제에게 음악 스튜디오를 둘러볼 것을 권했다. 두 형제는 세웅에게 가볍게 웃으며 자리에서 일어났다. 두 형제는 세웅에게 가볍게 눈인사하며 감사한 마음을 전했다. 민준은 허겁지겁 음식을 먹었기에 빨리 소화를 해야 했다. 따라서 민준은 빠르게 식탁을 떴다. 민혁도 형을 따라 발걸음을 옮겼다. 이때 세웅이 민혁의 어깨를 두드렸다. 민혁은 뒤를 돌아 세웅의 진지한 눈빛을 응시했다. 민혁은 세웅이 중요한 말을 꺼낼 것을 직감했다.

"민혁 씨 혹시 까먹었을 것 같아서 얘기합니다. 이 말이 부담 될지도 모르겠습니다. 하지만 그래도 말할 가치가 있어서 하는 겁니다. 전 민혁 씨가 저를 절대로 배신하지 않으리라 믿습니다. 그렇기에 전 민혁 씨의 차기작을 학수고대하는 겁니다."

세웅이 말을 끝내자 민혁은 고개를 끄덕이며 음악 스튜디오로 떠났다. 두 형제가 음악 스튜디오로 들어간 후 그 방의 문은 줄 곧 닿혔다. 그래도 세웅은 그곳에서 울려 퍼지는 노래들을 감지했다. 흥겨운 노랫가락이 세웅의 귀에 희미하게 들렸다. 세웅은 밝은 음악을 들으며 안도했다. 세웅은 오늘 그가 대접을 잘했다고 확신했다. 두 손님은 그의 집에서 잘 놀았다. 그랬기에 세웅의 대접은 꽤 성공적이었다. 30분이 흘러 민준과 민혁은 차례대로 스튜디오에서 나왔다. 둘은 밝은 미소를 지으며 시계를 바라봤다. 벌써 자정이었다. 두 형제는 광란의 밤을 즐기며 세웅의 집에서 나왔다. 이렇게 성공적인 파티가 마무리되었다.

다음 날 오전 민준의 집에서 한 통의 전화가 걸려 왔다. 민준은 파티 유증으로 여전히 고생했다. 오랜 시간 동안 먹고, 마시고, 놀다 보니 삭신이 쑤셨다. 온몸이 녹초가 되었다. 그래도 민준은 있는 힘을 다해 전화를 받았다. 전화를 받자마자, 힘겹게 숨을 내쉬는 불안한 목소리가 민준의 귓가에 들렸다. 그 목소리의 주인은 다름 아닌 세웅이었다. 민준이 전화를 받자마자 세웅은 민혁이 그곳에 있는지 물었다. 민준은 그의 집을 두리번거리며 아니라고 답했다. 민준은 비몽사몽한 목소리로 무슨 일인지 조심스레 물었다. 민준의 웅얼거리는 질문에 세웅은 갑자기 울먹거렸다. 세웅은 눈에서 터져 나오는 눈물을 겨우 참고 말하는 듯했다.

"민혁 씨가, 민혁 씨가 전화를 안 받습니다. 휴대폰도 꺼져 있어요!"

4장: 그날 음악 스튜디오에서

.

사건은 음악 스튜디오 안에서 시작되었다. 그곳은 겉으로만 봤을 때 평범한 곳이었다. 그래도 그 안의 음반을 세세히 살펴보면, 그곳의 특별함을 감지할 수 있었다. 우선 세웅의 나이에 알맞은 옛날 가수의 음반이 많았다. 그리고 CD보다는 LP판이 많았다. 다행히 민혁은 특정한 음악을 가리지 않았다. 민혁은 어렸을 때부터 부모님이 듣던 오래된 노래를 좋아했다. 앨범 커버 속 여러 흑백사진은 어린 민혁의 호기심을 자아내곤 했다. 어린 민혁은 오직 역사책에서 흑백사진들을 봤다. 한 마디로 흑백사진으로 가득했던 앨범 커버는 민혁에게 진귀했다. 민혁은 옛 향수를 불러일으키는 음반을 보며 안도했다. 스튜디오에 들어온 민혁은 이미 세웅에게 압박을 받았다. 민혁은 세웅의 차기작 독촉에 이미 지쳤다. 그랬기에 민혁은 낭만적인 LP판을 바라보며 걱정 없는 어린 시절로 돌아가려 했다. 민혁은 스튜디오 안의 여러 음반을 바라보며 빠르게 곡을 선정했다. 민혁으로서는 그래야 했다. 민혁은 빨리 세웅의 독촉을 머릿속에서 지우고 싶었다. 민혁은 빨리 어린 시절로 되돌아가고 싶었다.

신나는 멜로디가 민혁의 귓가를 맴돌았다. 민혁은 활기찬 멜로디를 온몸으로 느끼는 민준을 바라봤다. 민준은 눈을 지그시 감고 음악의 세계에 몸을 맡겼다. 민혁은 엉거주춤 리듬을 타는 형을 보며 가볍게 웃었다. 민혁은 형의 모습을 바라본 뒤 불현듯이 말이 생각났다. 분명 민준은 민혁이 곤경에 처하면 반드시 도와주겠다고 했다. 당시 민혁은 정말 도움이 필요했다. 민혁은 복잡하게 꼬인 세웅과의 관계를 여전히 못 풀었다. 더불어 민혁은 그 문제를 당사자인 세웅에게 말할 수 없었다. 어차피 둘의 관계에서 지배자는 세웅이었기 때문이다. 세웅은 민혁을 도와주기보다 통제했기 때문이다. 반면 민준은 세웅과 달랐다. 민준은 민혁에게 고민이 있다면 언제든지 달려와 민혁을 도왔다. 민혁은 그런 형을 신뢰했다. 민혁은 형에게 자신의 고통에 대해 말하기로 했다. 민혁은 조심스럽게 자신의 고민을 형에게 털려 했다. 한편 민준은 잠시 음악을 끄려 했다. 그러자 민혁은 LP판으로 다가가는 형을 막아 세웠다. 민혁은 이 상황이 매우 중요한 것을 알았다. 민혁은 이 상황을 비밀스럽게 유지해야 했다. 많은 방음 장치가 스튜디오 안에 있었지만, 세웅이 민혁의 고민을 들으면 안 되었다. 민혁은 그 순간에 자신에게 주어진 의무를 잘 알았다.

민혁은 자연스럽게 아름다운 음악 소리를 살려냈다. 민혁은 추억에 잠긴 척하며 오래된 노래를 계속 듣자고 얘기했다. 민혁은 미소를 지으며 아름다운 멜로디를 즐기는 시늉을 했다. 이에 민준도 고개를 끄덕이며 LP판을 건들지 않았다. 두 형제는 음악 스튜디오 안의 피아노를 향해 걸었다. 피아노 의자가 피아노 주변에 있었다. 그 의자는 두 형제가 마주 보고 앉을 정도로 충분히 컸다. 두 형제는 피아노 의자에 서로의 얼굴을 마주 보며 앉았다. 민혁은 한숨을 크게 쉬었다. 민혁은 자신의 어지러운 과거를 정리하기 위해 오랜 시간이 필요했다. 민혁은 말을 꺼내려던 찰나, 민준의 얼굴을 다시 바라봤다.

민혁은 갑자기 민준의 푸석한 얼굴이 떠올랐다. 민혁은 희생이 가득 묻은 형의 얼굴이 떠올랐다. 순간 민혁은 벙어리가 되었다. 민혁은 자신의 아픈 과거가 형에게 독과 다름없는 것을 알았다. 이유는 두 가지였다. 우선 민준은 공감 능력이 뛰어났다. 만약 민혁이 형에게 자신의 아픈 과거를 얘기한다면, 형은 무너져 내릴지도 몰랐다. 두 번째로 이 말을 하는 순간 형의 희생은 쓸모없게 되었다. 분명 민준은 민혁에게 투자했다. 민준은 민혁의 세계 일주에 돈을 보태기도 했다. 민준은 그 돈이 민혁의 성장을 이끌었다고 철석같이 믿어왔다. 민혁은 그런 형에게 세웅과 복잡 미묘한 관계를 말할 수 없었다. 민혁은 형을 투자 실패자로 만들고 싶지 않았다.

"무슨 생각을 그렇게 해? 하고 싶은 말이 뭔데?"

민혁은 민준에게 말을 해야 했다. 민준이 걱정스러운 눈빛으로 민혁을 바라봤기 때문이다. 민준은 민혁의 고뇌에 집중했다. 동생을 아끼는 민준에게 포근한 멜로디는 들리지 않았다. 민준은 오직 고민에 가득 찬 민혁의 얼굴만 보였다. 민혁은 자신을 걱정하는 형의 모습을 보며 시간을 지체할 수 없었다. 민혁은 자신의 과거를 말하는 대신 그것을 조금 각색하고 검열하기로 했다. 만혁은 설득력 있는 이야기를 구성하며 형에게 자신의 과거를 전했다. 민혁의 요지는 이랬다. 자신과 세웅 간의 관계는 좋다. 세웅과 관계를 유지하면서 자신도 많은 성장을 했다. 그런데 지난 5년 동안 앞만 보고 달렸다. 휴식이 필요한 것 같다. 그런데 세웅은 또 다른 작품을 원한다. 내가 세웅에게 알겠다며 고개를 끄덕이긴 했지만 사실 나는 정말 쉬고 싶다. 휴식하면서 글을 잘 쓰고 싶다. 지금 나는 많이 지쳐서 글이 나오지 않는다. 내가 생각하기에 첫 작품이 성공한 원인은 나의 노력이 아니었다. 그보다 세웅이 문학에 문외한 나를 도왔기 때문이다. 한 페이지 전부를 세웅이 쓴 일도 있었다. 나는 글을 잘 못 쓴다. 적어도 스튜디오 안에 있는 나 김민혁은 작가에 소질이 없다. 다만 나는 더 좋은 작가가 되고 싶다. 그렇기에 지금 나는 세웅을 피해 어딘가 은거하고 싶다. 내가 한 뼘 성장하고 작가로서 성숙해지고 싶다. 이런 식으로 민혁은 거짓말과 진실을 섞으며 자신의 고민을 토로했다.

민준은 진실로 문제를 해결하라고 민혁에게 제안했다. 민준은 민혁이 이런 사실을 세웅에게 토로하기를 원했다. 물론 민혁은 이를 원치 않았다. 그래서 민혁은 형의 순진한 질문에 진심을 담아 답변했다. 민혁은 세웅이 자신에게 여러 번 압박을 줬다고 단도직입적으로 고백했다. 민혁은 은폐된 진실을 꽤 많이 민준에게 폭로했다. 그중 가장 굵직한 폭로는 두 가지였다. 세웅은 민혁과의 관계를 이용하여 그의 명성을 회복했다는 것. 그리고 세웅은 민혁과의 관계를 유지하기 위해 차기작에 목숨을 걸고 있다는 것. 민준은 이 담백한 폭로에 적잖은 충격을 받았다. 민준을 민혁을 안쓰러운 표정으로 바라봤다. 민혁도 그런 형의 표정을 보고 마음이 아팠다. 그래도 민혁은 자신의 폭로를 헛되이 쓰고 싶지 않았다. 민혁은 다시 목을 가다듬으며 휴식을 갈망한다고 강조했다. 분명 민혁은 자신의 상황과 갈망을 침착한 어조로 얘기했다. 하지만 민준은 그 속의 불안한 목소리를 어렴풋이 들었다. 민준은 민혁과 세웅의 관계 속에서 제삼자에 속했다. 그래도 민준은 제삼자라는 불리한 위치 속에서 민혁과 세웅 간의 관계를 파악했다. 민준은 민혁의 폭로 속에서 세웅과 민혁의 생각이 다르다는 것을 알아차렸다. 민준은 세웅은 민혁의 구세주이자 악독한 직장상사라는 것을 감지했다. 민준은 민혁의 침착한 목소리에 숨겨진 애원을 들었다. 민준은 민혁의 행동을 보고 민혁의 진심을 알아차렸다. 민준은 민혁의 말과 행동을 보고 민혁의 고달픈 인생을 알아차렸다. 민준은 민혁의 모습을 보고 쉽게 결단했다. 민준은 그가 원래 하던 일을 해야 했다. 민준은 맏이로서 고통스러운 동생의 모습을 지나치지 않았다.

"정말 많이 힘드니?"

민준은 민혁을 걱정스럽게 바라보며 이렇게 말했었다. 민혁은 순간 어쩔 줄 몰랐다. 민혁의 이성은 마비되었다. 민혁은 진심이 담긴 형의 말투에 가만히 있을 뿐이었다. 민준은 그의 앞에서 벙어리가 된 민혁의 모습을 바라봤다. 민준은 민혁의 꾹 다문 입술을 바라봤다. 민준은 그 순간 굳게 입술을 다물었다. 민준의 앙다문 입술은 그의 강한 의지를 나타내는 듯했다. 민준은 축 처진 민혁의 어깨에 손을 탁 얹었다. 민준은 고개를 숙이고 있는 민혁의 눈을 바라봤다. 민준은 진지한 말투로 민혁에게 약간의 휴식을 권유했다. 사실상 민준은 민혁에게 권유하기보다 명령했다. 그만큼 민준은 쇠약한 민혁을 걱정했다. 민준은 제주도에 그와 제일 친한 친구가 있다고 했다. 그리고 민준은 그 친구에게 민혁의 자초지종을 설명하겠다고 했다. 그 다짐과 함께 민준은 그의 재킷 주머니에서 하얀 종이를 꺼냈다. 그리고 민준은 피아노 악보 옆에 있는 볼펜을 잡았다. 민준은 하얀 종이에 어떤 주소를 빠르게 썼다. 그리고 민준은 민혁의 코트 속 주머니에 하얀 종지를 넣었다. 민혁은 다시 자신을 도와준 형이 고마웠다. 한편 민혁은 불안했다. 항상 세웅이 민혁의 곁에 있었기 때문이다. 세웅의 존재는 항상 민혁의 자유를 억압했다. 과연 제주도로의 탈출이 세웅의 의심 없이 이루어질까? 민혁은 여전히 세웅의 존재를 불안하게 여겼다.

혈연은 핏줄로 이루어진 법이다. 민준은 민혁의 심리를 곧바로 파악했다. 민준은 아무 말 하지 않던 동생의 불안을 감지했다. 민준은 그 누구에게도 민혁의 일탈을 알리지 않겠다고 단언했다. 그래도 민혁의 불안은 여전했다. 원래 민혁은 어린아이처럼 연약한 모습을 보이기를 싫어했다. 하지만 민혁은 그때만큼은 어린아이가 되고 싶었다. 민혁은 자신보다 나이가 많은 형에게 약간의 어리광을 부렸다. 민혁은 조금은 떨리는 목소리로 세웅의 치밀함에 관해 얘기했다. 민혁은 자신이 사라지는 순간, 세웅이 경찰서에 실종 신고를 하리라 확신했다. 민혁은 그 계획이 진행되는 순간, 세웅이 치밀하게 자신을 찾을 것이라 단언했다. 이렇게 민혁은 머릿속에 최악의 시나리오를 구상했다. 민혁은 어쩔 줄 몰랐다. 민혁은 형이 준 하얀 종이를 코트 속에 보관한 채 덜덜 떨었다. 민준은 그런 민혁에게 진지한 눈빛을 보냈다. 그 눈빛은 엄격했고 강렬했다. 그 눈빛은 감정적인 민혁에게 이성의 숨결을 불어넣었다. 민준은 민혁의 등을 오른손으로 툭툭 두드렸다.

민준은 민혁에게 진정할 것을 끊임없이 강조했다. 그때부터 민준은 세웅이 민혁을 한낱 조무래기로 여긴다고 생각했다. 그랬기에 민준은 세웅에게 분노했다. 민준은 세웅을 잊어버리라고 민혁에게 충고했다. 그리고 민준은 세웅이 무슨 일을 하든 걱정하지 말라고 민혁에게 말했다. 그러면서 민준은 그가 사회인이라는 사실을 얘기했다. 그랬다. 분명 민준은 평범한 직장인이었다. 사람은 직장 생활에서 그럴듯한 거짓말에 대한 비법을 배우는 법이다. 그래서 직장인인 민준은 훗날 세웅을 그럴듯하게 속이리라 확신했다. 그렇게 민준은 농담을 섞으며 민혁의 불안을 달랬다. 그 덕에 민혁은 마음을 다잡았다. 민혁은 민준을 항상 신뢰했다. 민혁은 형이 수단과 방법을 가리지 않고 자신을 보호해줄 것이라 확신했다. 민혁은 결의에 찬 눈빛을 지으며 자신의 휴대폰을 껐다. 민혁은 고개를 끄덕이며 자신의 휴대폰을 형에게 넘겼다. 그렇게 민혁은 휴대폰까지 없앤 채로 세웅의 눈에서 사라졌다.

　스튜디오에서의 과거를 뒤로하고 민혁은 비행기를 타고 끊임없이 남쪽으로 내려갔다. 그렇게 민혁은 제주도에 도착했다. 예전에 민혁이 홀로 미래의 발걸음을 내디뎠던 제주도 말이다. 공항에 도착한 민혁은 설레면서 불안했다. 민혁은 예전과 많이 달라졌기 때문이다. 예전에 제주도에 왔을 때 민혁은 일반인이었다. 남들은 민혁을 대단한 사람으로 생각하지 않았었다. 그들은 민혁을 제주도에 있는 한 관광객으로 봤었다. 그러나 지금 민혁은 일반인이 아니었다. 민혁은 작가였다. 그것도 첫 작품에서 큰 인기를 끈 작가였다. 민혁은 공항을 걷는 행인들이 두려웠다. 정확하게는 행인들이 자신에게 보내는 시선이 두려웠다. 분명 몇몇 사람은 자신을 알아보겠지. 그러면 그 사람들이 나를 어떻게 볼까? 왜 이 작가는 작품을 안 쓰고 제주도로 왔냐고 의아해할까? 불안은 이런 식으로 민혁의 마음을 휘감았다.

　하지만 걱정은 기우였다. 공항 안의 어떤 누구도 민혁에게 관심이 없었다. 사람들은 그저 휴대폰만 봤다. 사람들은 이곳에서 게임을 하거나 SNS에서 '좋아요'를 누를 뿐이었다. 누구도 한 소설가에게 관심이 없었다. 민혁은 모두가 소설과 소설가보다 SNS와 그 속의 인물에 열광하는 것에 충격받았다. 민혁은 잠깐 소설가의 존재 위기에 대해 고뇌했다. 물론 이 고뇌는 민혁에게 중요하지 않았다. 민혁은 고민보다 안도감이 앞섰다. 민혁은 무관심을 선호했다. 무관심은 민혁에게 치료제였다. 날씨도 민혁의 바람을 들어주었다. 이곳은 너무 추웠다. 바깥에 있는 모두는 그들의 얼굴을 가렸다. 사람들은 세찬 눈발 속에서 그들의 얼굴을 보호해야 했다. 그들은 당연히 한 소설가를 바라보지 못했다. 운전자는 빙판처럼 미끄러운 도로에 애를 먹었다. 운전자들은 천천히 달리며 도로 상황에만 집중할 뿐이었다. 그들은 당연히 한 소설가에게 관심을 줄 수 없었다. 가장 결정적으로, 사람 자체가 별로 없었다. 사람들은 세찬 추위에 집안에 머물렀기 때문이다. 민혁은 이런 사실에 안도하며 자신의 얼굴을 패딩과 목도리로 꽁꽁 가렸다.

목적지는 공항에서 버스로 20분 거리였다. 민혁은 세찬 바람을 피해 조심스럽게 버스 안으로 들어갔다. 여러 사람이 버스 안에 있었지만, 민혁에게 관심을 가진 사람은 없었다. 어떤 사람은 따스한 버스 안에서 눈을 붙였다. 어떤 사람은 공항의 대다수와 마찬가지로 휴대폰을 봤다. 어떤 사람은 그의 친구들과 다채로운 이야기를 나눴다. 이처럼 사람들은 저마다의 방식으로 겨울의 충격적인 추위를 견뎠다. 결국, 사람들은 한겨울의 추위와 그것의 대처 방안에만 관심이 있었다. 사람들의 어떠한 시선도 민혁을 향하지 않았다. 누구도 외투와 목도리로 얼굴을 가린 한 사내에게 관심이 없었다. 민혁은 이에 안도하며 버스에서 하차했다. 세찬 날씨에 40분이 걸려 목적지에 다다랐지만, 민혁은 현재까지 순조로운 여정에 안도했다. 곧이어 민혁은 눈에 뒤덮인 한 새하얀 건물을 바라봤다. 민혁은 하얀 종이를 들려다 보며 안도했다. 이곳이 민혁의 은신처였다. 민혁이 조심스럽게 현관에 올라가 초인종을 눌렀다. 민혁은 돌도 부숴버릴 세찬 바람에 아무 말도 못했다. 민혁은 외투의 모자를 벗고 목도리를 잠시 풀었다. 민혁은 이렇게 말없이 자신의 존재를 알렸다. 민혁은 부디 자신의 구원자가 자신을 알아차리길 바랐다. 다행히 곧바로 눈처럼 새하얀 앞문이 열렸다.

전부가 하얀색이었다. 민혁은 미친 듯이 내리는 폭설 때문에 모든 배경이 하얘졌다고 생각했다. 그런데 자세히 보니 그 집 자체가 하얬다. 비록 집의 지붕은 회색이었지만 그 외에 모든 것이 하얬다. 민혁의 눈앞에 있는 1층집은 하얀색 벽으로 이루어졌다. 그리고 하얀 석조상이 앞마당에 있었다. 하얀 석조상은 굉장히 이상했다. 아직 완성이 덜 된 듯했다. 석조상의 어떤 부분은 뾰족하고 어떤 부분은 뭉툭했다. 석조상은 말끔하지 않았고 그보다 기괴했다. 마치 칼바람에 정신을 잃은 민혁 자신을 보는 것 같았다. 특히 민혁은 석조상의 뾰족한 부분이 매우 거슬렸다. 이미 뾰족한 가시가 민혁의 마음속에 있었기 때문이다. 이미 민혁은 인생에서 첫 일탈을 감행했다. 민혁은 직장상사를 피해 제주도로 왔다. 모두에게 일탈은 자유의 기쁨을 주지만, 한편으로는 마음을 거슬리게 하는 법이다. 민혁도 예외는 아니었다. 일탈의 죄책감이라는 가시가 민혁이 마음속을 계속 찔렀다. 그랬기에 민혁은 석조상의 뾰족한 부분이 성가셨다. 그래도 이 불편함은 오래가지 않았다. 곧이어 민혁은 이곳이 신기했다. 성가시지만 예술적인 석조상, 하얀 벽돌, 기다란 회색 지붕까지. 모든 것이 신기했다. 또한, 창조자의 손길이 이 집 주변에서 느껴졌다. 이 건물은 공식을 토대로 지어지지 않은 듯했다. 그보다 이곳은 창조자의 느낌으로 지어진 듯했다. 민혁은 예술적인 석조상이 이를 증명한다고 생각했다. 부드러움과 날카로움이 담긴 석조상은 수학 공식처럼 딱딱하게 지어지지 않았다. 새하얀 벽돌과 회색의 지붕은 부드러운 조화를 자아냈다. 이것 또한 예술의 흔적이었다. 이 집에 있는 모든 것은 예술이었다. 민혁은 이 집의 주인이 궁금했다. 이때 민혁은 새하얀 눈길 속에 찍힌 발자국을 발견했다. 민혁이 천천히 고개를 들자 한 사내가 민혁의 눈앞에 나타났다.

5장: 친숙한 미지의 사내와 독특한 인연의 역사

그 사내의 모습은 그의 집의 외경과 비슷했다. 하얀 눈을 살포시 밟는 하얀 운동화, 하얀 눈이 살짝 묻은 회색 청바지, 빛보다 밝은 하얀 재킷, 흰머리와 검은 머리가 조화를 이루는 회색 머리까지. 이 모든 모습은 새하얀 그의 벽돌집만큼 예술적이었다. 민혁은 호기심을 가지며 그의 얼굴을 살펴봤다. 분명 그 남자는 중년 남성이었다. 민혁이 이미 살펴본 그의 회색 머리가 그 증거였다. 그리고 그는 회색 아스팔트처럼 거친 주름이 얼굴에 가득했다. 그는 펑펑 내린 눈만큼 하얀 콧수염을 지녔다. 그렇지만 민혁은 또 다른 사실을 감지했다. 민혁의 앞에 있는 이 사람은 일반적인 중년 남성이 아니었다. 멋진 콧수염과 요즘 유행하는 헐

렁한 청바지, 날카롭고 세련된 눈빛까지. 보통 일반적인 중년 남성은 이렇게 생기지 않았다. 그런데 이 남성의 모습에는 트랜드가 있었다. 게다가 여러 멋이 그의 안에서 세련된 조화를 유지했다. 민혁이 세련미에 호기심과 감탄을 하는 사이에 그 남자는 민혁은 살포시 안았다. 세찬 눈보라를 피해 온 민혁의 고통을 아는 듯 그는 따스하게 민혁을 안았다. 그렇게 둘은 만났다. 둘은 아무 말 없이 추위를 피해 집으로 들어갔다.

이곳은 민혁에게 낯설지만 동시에 익숙했다. 분명 민혁은 이곳에 처음 왔다. 따라서 민혁은 이곳이 낯설 수밖에 없었다. 다만 이곳은 왠지 모르게 민혁에게 익숙했다. 예상보다 호화로웠던 세웅의 집과 다르게 이곳의 모든 것은 충분히 예측되었다. 곁눈질로 보아도 이곳은 예술적이었다. 세련된 집주인처럼 이곳은 세련미가 있었다. 우선 민혁은 안에 들어간 뒤 곧바로 각종 음반을 봤다. 그 집의 음반들은 선반에 각을 세워 꽂혔다. 음반의 종류는 다양했다. 흑백의 오래된 음반부터 다채로운 색깔을 지닌 요즘 음반까지. 많은 것들이 이곳에 나열되었다. 끈적한 재즈부터 통통 튀는 팝까지. 모든 음악 장르가 이곳에 존재감을 과시했다. 남녀노소 누구나 다 아는 노래부터 몇몇 사람들만 아는 희귀한 노래까지. 전부 이곳에 있었다. 그 남자는 분명 예술을 즐기는 사내였다.

"옛날 음악 좋아하세요?"

그 남자는 중후한 저음으로 민혁에게 물었다. 민혁은 그 목소리에 살짝 당황했다. 민혁은 집주인의 세련미에 한 사실을 잊어버렸다. 그는 중후한 목소리만큼 생각보다 나이가 많다는 것을. 동시에 민혁은 이렇게 나이 많은 남자와 민준이 친구 사이라는 사실이 의아했다. 어떻게 민준은 많은 나이 차이를 극복하고 그와 친해졌을까? 민혁은 이런 질문을 멈추지 못했다. 민혁은 오래된 흑백 앨범을 바라보며 부자연스럽게 고개를 끄덕였다. 그는 민혁의 반응이 재밌는 듯 미소를 지었다. 그는 민혁의 등을 툭툭 치며 거실로 민혁을 안내했다. 민혁은 음반의 늪에서 벗어난 뒤, 비로소 집의 풍경을 전반적으로 바라봤다. 한 마디로 이곳은 따스했다. 이곳의 바닥, 문, 벽 등 모든 것이 나무로 둘러싸였다. 옅은 황토색의 목조 인테리어는 집 밖의 하얀 석조상과 다른 분위기를 자아냈다. 그리고 따스한 목조 풍의 색채가 민혁의 눈을 따스하게 했다. 또 이 집의 분위기와 어울리는 목조 책꽂이가 거실 정면에 있었다. 민혁은 자연스럽게 책꽂이로 발걸음을 옮겼다. 누가 뭐라고 해도 민혁은 작가였다. 작가가 책꽂이를 지나치면 안 되었다. 이 목조 책꽂이도 앞서 살펴본 음반처럼 다채로움이 묻어났다. 일반 희곡과 소설부터 철학책과 심리학책까지. 다양한 책들이 민혁의 눈을 즐겁게 했다. 특히 민혁은 한 책을 꺼냈다. 이 집만큼 따스한 글씨체가 그 책 표지에 선명히 보였다. 민혁은 그 책을 그 남자에게 보여줬다. <인형의 집>, 헨리크 입센이라는 글씨가 명확히 그의 눈에 들어왔다. 그는 민혁의 취향에 공감하는 듯 밝은 미소를 지었다. 그는 민혁이 흥미로웠다. 그가 생각하기에 민혁은 일반적인 청년이 아니었다. 민혁은 이 집에 들어올 때부터 오래된 음악 앨범에 눈길을 보냈다. 그리고 민혁은 프랑스 작가, 영국 작가, 한국 작가, 독일 작가의 책이 아닌 노르웨이 작가의 희곡을 꺼냈다. 분명 민혁의 취향은 독특했다.

그 남자는 이 책의 주인공인 노라에 대해 얘기했다. 그는 전통적인 사회 관습에서 벗어나 주체적인 삶을 다짐한 노라에 대해 얘기했다. 그러면서 그는 민혁이 노라와 닮았다고 했다. 민혁은 직장상사의 굴레에서 벗어나 자유로운 일탈을 감행했기 때문이다. 그는 그 점을 근거로 민혁이 노라 만큼 주체적이라고 했다. 민혁은 손에 쥔 헨리크 입센의 희곡을 바라보며 옅은 미소를 지었다. 한편 민혁은 자신의 탈출에 대해 아는 그가 놀라웠다. 물론 민혁은 이 상황을 어느 정도 예상했다. 자신의 옆에 있는 그는 자신의 형 민준의 친구였다. 민준은 분명 그에게 민혁에 대한 정보를 전달했을 것이다. 그래도 민혁은 그가 자신을 잘 아는 것이 신기했다. 그는 민혁과 초면이었다. 그런데도 그는 민혁의 상황을 날카롭게 통찰했다.

"아, 소개가 늦었군요. 전 이성준이라고 합니다. 민혁 씨도 알다시피 김민준의 친구죠."

성준은 손을 민혁에게 내밀며 말했다. 민혁은 민준의 친구가 이 중년 남성이라는 것에 다시 당황했다. 그래도 민혁은 성준이 민준과 친구라는 사실을 당연히 여겼다. 분명 성준은 일반적인 중년 남성과 달랐다. 민혁은 이미 성준의 옷차림과 태도로 그 사실을 알아차렸다. 그랬기에 성준은 젊은 민준의 친구가 되기에 충분했다. 성준과 민준의 연결고리, 그리고 성준의 독특한 모습에 민혁은 성준과 가까워졌다.

성준은 민혁에게 가볍게 인사한 뒤 무언가를 가지러 부엌으로 향했다. 성준은 식탁 앞에서 비스킷 여러 개를 접시에 담았다. 성준이 접대를 준비하는 동안 민혁은 다시 책꽂이를 바라봤다. 이곳은 다시 봐도 다채롭고 방대했다. 이 책꽂이는 도서관 일부분을 구현한 것 같았다. 그 정도로 이곳에 꽂힌 책은 다양했다. 또한, 이곳의 책꽂이는 확고함이 담겼다. 이곳은 인문학, 철학, 심리학의 창고 그 이상을 뛰어넘었다. 민혁이 처음 집은 <인형의 집>을 기반으로 이곳에는 성준의 철학이 담겼다. 우선 실존주의자 사르트르의 소설과 사상이 이곳에 담겼다. 자아의 대부 칼 융의 분석도 이곳에 담겼다. 그리고 시몬 드 보부아르의 자유와 주체성의 가치도 이곳에 담겼다. 민혁은 책꽂이 안에서 성준의 취향을 쉽게 읽었다. 민혁은 성준의 다채로운 책방을 자세히 살핀 뒤, 그의 성격을 조금 파악했다. 민혁은 다시 <인형의 집> 표지를 살펴보며 옅은 미소를 지었다. 민혁은 일생 자신을 찾기 위해 노력했다. 민혁은 자아에 대한 질문을 끊임없이 되물어왔다. 민혁은 항상 주체성을 중요히 여겼다. 그리고 민혁은 자신의 주체성을 빼앗은 세웅을 피해 이곳에 왔다. 민혁은 이런 노력으로 자아실현을 향한 욕구를 증명했다. 게다가 민혁은 주체적인 삶을 영위하는 성준을 만났다. 이는 민혁에게 좋은 기회였다.

"혹시 글 쓴 적 있으세요? 책이 일반인 치고 꽤 많은데요?"

민혁이 성준에게 질문했다. 민혁은 성준과 친해지기 위해 첫입을 뗐다. 성준은 비스킷을 나무 접시에 다 담고 큰 우유 팩 하나를 꺼냈다. 성준은 손님을 위한 접대 행위에 집중했다. 그래서 성준은 민혁에게 곧바로 답하지 못했다. 성준은 하얀 유리잔에 하얀 우유를 따를 뿐이었다. 이것을 끝내고 나서 성준은 민혁의 얼굴을 바라봤다. 민혁은 호기심에 찬 표정으로 성준을 바라봤다. 성준은 그제야 민혁의 질문이 떠올랐다. 성준은 바로 답변하지 못한 것에 대해 민혁에게 사과했다. 민혁은 괜찮다는 듯 성준을 향해 웃었다. 성준도 민혁을 따라 웃으며 글은 그의 취미라고 얘기했다. 다만 성준은 글을 업으로 삼은 적이 없다고 했다. 성준은 글에 대한 열정만으로 재능을 이길 수 없었다며 그의 처지를 한탄했다. 그렇게 성준은 잠시 추억에 빠진 뒤 일에 집중했다. 성준은 나무 접시에 담은 비스킷과 흰 유리잔에 담긴 우유를 차례대로 거실 탁자 위에 올렸다. 민혁은 성준을 향해 웃으며 정성스럽게 놓인 비스킷을 하나 집었다. 성준은 민혁의 행복한 모습에 덩달아 미소 지었다. 성준이 보기에 민혁은 정말 즐거워 보였다. 민혁은 진심으로 구릿빛 비스킷의 행복을 즐겼다. 성준이 보기에 민혁은 강인해 보였다. 성준은 이미 민혁의 확고한 열정을 봤다. 성준은 세찬 눈보라를 헤치고 그의 집에 온 민혁의 강렬한 집념을 느꼈다. 성준은 그를 바라보는 민혁의 강인한 눈빛에 인상을 받았다. 분명 성준은 민혁의 도전이 무모했다고 여겼다. 새로운 삶을 찾기 위해 직장상사 몰래 도망친 것. 성준은 이 행동이 얼마나 무모한지 알았다. 그런데 성준이 보기에 지금 민혁은 아무 걱정이 없었다. 오히려 민혁은 강인하게 자신의 변화에 대처했다. 민혁은 미소를 보이며 이 상황을 즐겼다. 성준은 민혁의 모습이 흥미로웠다.

"용감하네요."

성준은 혼잣말하듯 조용히 민혁을 칭찬했다. 성준은 고개를 끄덕이며 하얀 우유를 들이켰다. 성준은 다시 민혁의 얼굴을 바라봤다. 민혁은 허겁지겁 우유를 먹었다. 민혁은 입안 속 가득 찬 비스킷에 목이 멘 듯했다. 그 순간 성준은 민혁에게서 인간미를 느꼈다. 성준은 민혁의 마음속의 여린 부분을 짐작했다. 성준에게 티 내지 않았지만, 민혁은 꽤 힘들어 보였다. 눈보라를 피한 민혁은 이 따스한 집에 앉아 비스킷 조각으로 몸을 겨우 회복했다. 성준은 시간은 늦어 좋은 음식을 민혁에게 대접하지 못했다. 성준은 그 점이 미안했다. 한편으로 성준은 민혁이 민준만큼 대단하다고 느꼈다. 민준이 동생을 위해 모든 것을 쏟아붓듯, 민혁은 삶의 변화를 위해 모든 것을 쏟아부었다. 민혁은 삶의 변화를 위해 더 강해지기로 마음먹었다. 이런 태도는 일반인에게 찾아보기 힘들었다.

"민준이가 정말 민혁 씨를 많이 아끼더라고요. 우애 깊은 형제를 보니 제가 흐뭇하네요."

성준은 독특한 민혁에게 더 다가가고 싶었다. 그랬기에 성준은 자연스럽게 민준에 관해 얘기했다. 지금 둘의 공통분모는 민준이었기 때문이다. 민혁은 성준이 갑작스럽게 자신의 형을 말해 당황했다. 민혁은 손으로 비스킷을 만지작거리며 가만히 있었다. 곧바로 성준은 민혁에게 사과했다. 성준은 너무 성급하게 화제를 돌렸다. 성준은 민준에 관한 얘기를 꺼내며 민혁에게 너무 사적으로 질문했다. 성준은 지금 상황과 대처법을 잘 알았다. 성준은 민혁의 당혹스러움을 알았다. 성준은 성급한 그의 모습을 알았다. 성준은 다시 조심스럽게 민혁에게 다가가야 했다. 그런데도 성준은 조심스럽게 민준에 관해 얘기했다. 성준은 일반 형제와 다른 두 형제의 우애가 궁금했다. 성준은 그의 호기심을 이기지 못하고 민혁에게 우애의 비결을 물었다. 물론 성준은 민혁에게 침묵할 권한을 줬다. 그렇게 성준은 조심스럽게 호기심과 침착함 사이의 줄다리기를 했다. 성준의 조심스러운 태도에 민혁은 고개를 끄덕였다. 민혁은 대화를 준비하기 위해 남은 우유를 다 마셨다. 그리고 민혁은 천천히 대화를 이어갔다.

민혁은 천천히 어린 시절 이야기를 입 밖으로 꺼냈다. 민혁도 지금 자신을 이해할 수 없었다. 민혁은 지금 방금까지 초면이던 사람에게 자신의 과거 얘기를 꺼내려 했다. 민혁은 지금 상황을 비정상적으로 여겼다. 그런데 민혁은 이 상황이 싫지 않았다. 민혁은 정말 빠른 속도로 성준에게 다가갔다. 민혁은 서서히, 그리고 급진적으로 성준을 신뢰했다. 이 모든 것은 분명 민준 덕분이었다. 민혁은 민준은 분명 신뢰했다. 그랬기에 민혁은 성준을 쉽게 믿었다. 민혁은 민준의 친구 성준을 신뢰했다. 민혁은 현실주의에 사로잡힌 자신의 부모에 관해 얘기했다. 민혁은 이를 통해 민준이 얼마나 놀라운 사람인지를 설명했다. 민혁은 고등학생 시절을 회상했다. 당시 민혁의 부모님은 현실주의자로서 민혁에게 많이 조언했다. 예전부터 민혁은 글쓰기에 관심이 있었다. 민혁의 부모님은 그런 민혁을 약간 싫어하곤 했다. 민혁의 부모님은 고등학생이었던 민혁에게 한 가지를 강조했다. 공부였다. 민혁의 부모님은 민혁에게 글을 그만 쓰라고 명령하곤 했다. 그들은 민혁이 공부로 좋은 대학에 들어가는 것을 원했었다. 그들은 민혁이 미래에 공무원이 되어 안정적인 생활을 영위하기를 바랐었다. 그렇게 민혁의 부모님은 민혁의 몽상가적 기질을 짓밟았다. 그때 오직 한 사람만이 민혁의 모든 것을 지지했다. 오직 민준만이 민혁의 몽상가적 기질을 보듬었다. 오직 민준만이 민혁의 글을 칭찬했고 손뼉 쳤다. 민혁은 이 외에도 민준이 자신에게 했던 선행을 기억했다. 민혁은 분명 민준의 다른 선행을 얘기할 수 있었다. 그런데도 민혁은 왠지 모르게 이 선행을 성준에게 말하고 싶었다. 아마 성준이 문학에 대해 관심이 많았기 때문일 것이다. 그랬기에 민혁은 문학에 관한 성준의 선행을 본능적으로 얘기했을 것이다. 성준은 민혁의 과거사를 듣고 고개를 끄덕였다. 성준은 민혁에게 문학적 씨앗을 뿌렸던 민준을 대단히 여겼다. 성준은 두 형제의 끈끈한 우애와 그 역사에 경의를 표했다.

성준은 민혁의 말을 다 예측했다는 듯 미소를 지었다. 실제로 성준은 민혁의 말을 어느 정도 예측했다. 성준은 민준의 친구였기에 그를 잘 알았다. 성준은 민준이 헌신적이고 예의 바르다는 것을 이미 알았다. 그랬기에 성준은 과거 민준의 선행을 당연히 여겼다.

"민준이는 참 대단하죠. 저도 압니다. 민혁 씨가 관심 있을지는 모르겠지만 제가 민준이와 처음 만났을 때도 그렇게 느꼈습니다."

성준은 옛날을 추억하며 즐겁게 우유를 마셨다. 민혁은 성준의 얼굴을 보며 옅은 미소를 지었다. 민혁은 성준의 얼굴을 흥미롭게 바라봤다. 성준은 민혁이 그에게 집중한다는 것을 알았다. 성준은 그 모습을 보고 그의 개인사를 펼치기로 다짐했다. 이미 민혁이 성준에게 개인사를 얘기했다. 성준은 자연스럽게 암묵적인 의무를 졌다. 성준은 민혁에게 그의 과거사를 얘기해야 했다. 게다가 민혁은 민준을 좋아했다. 민혁은 민준을 신뢰했다. 민혁은 민준에게 의지했다. 그랬기에 성준은 민준에 관해 얘기해야 했다. 성준은 민혁과 친해지기 위해 민준과의 우정을 입 밖으로 꺼냈다.

지금으로부터 정말 오래된 일이었다. 당시 성준은 매우 지쳤다. 성준은 바쁜 일상에 그의 몸과 마음속 모든 생기를 잃었다. 그래서 성준은 바쁜 일상을 잠시 접어 두려 했었다. 당시 성준이 선택한 해결책은 템플 스테이였다. 성준은 그때 템플 스테이에 모인 사람 중, 그를 가장 불행한 사람으로 여겼다. 그런 성준이 그곳에서 민준을 만났다. 당시 민준은 성준을 향해 선한 미소를 지었다. 성준은 그 미소 덕에 민준을 조금씩 알게 됐다. 그 뒤로 민준은 항상 성준에게 진심 어린 관심을 가지며 호의를 베풀어 왔다. 당시 성준은 보잘것없는 그에게 깊은 관심을 가진 민준이 고마웠다. 성준은 민준이 베푼 호의에 점점 그와 가까워졌었다. 그렇게 둘은 운명처럼 친구가 됐다. 성준은 은은한 조명을 올려다보며 민준과 만남을 기쁘게 회상했다. 성준은 민준의 친절을 기억하는 듯 환하게 미소 지었다. 민혁도 형의 미담에 덩달아 기분이 좋아졌다. 민혁과 성준은 따스한 나무 바닥에 앉아 서로를 바라보며 웃었다. 민혁은 눈보라에 의한 살살한 추위를 잊어버렸다. 민혁은 걱정스러운 일탈을 즐겼다. 행복은 시간도 춤추게 하는 것일까? 행복한 분위기 속에 시간은 시원한 춤 선처럼 빠르게 흘러갔다. 뻐꾸기가 목각 벽시계 밖으로 나타났다. 시간은 정확히 자정이었다. 뻐꾸기는 둘에게 잠을 자라고 명령하는 듯했다. 민혁은 성준과 대화하며 피로를 분명 잊었다. 하지만 뻐꾸기가 자정을 가리키자마자 민혁은 다시 피곤했다.

성준은 민혁의 피로를 눈치챈 듯 천천히 자리에서 일어났다. 민혁도 성준을 따라 천천히 자리에서 일어났다. 성준은 민혁의 등을 두드리며 오늘 하루를 위로했다. 성준은 손가락을 가리키며 민혁을 한 방으로 안내했다. 민혁은 피로로 인해 본능적으로 방문을 벌컥 열었다. 방은 평범했다. 거실에서 주로 보던 친숙한 나무 바닥이 이곳에 있었다. 특별한 것 하나 없는 하얀 침대가 이곳에 있었다. 이곳에 이목을 사로잡는 것은 없었다. 성준은 이 방의 옷장 문을 열었다. 성준은 그의 키 높이에 있는 이불 하나를 꺼냈다. 이 이불도 침대처럼 하얀색이었다. 이 하얗고 두꺼운 이불은 일반 가정집에서 흔히 볼법했다. 민혁은 예상치 못한 평범함이 낯설었다. 민혁이 생각하기에 성준은 독특한 사람이었다. 그런데 지금 이곳은 너무나 평범했다. 민혁이 생각하기에 이곳은 성준과 안 어울렸다.

하지만 지금 방의 모습은 민혁에게 중요하지 않았다. 민혁은 고된 하루에 이미 지쳤다. 그랬기에 민혁은 본능적으로 침대에 몸을 던졌다. 신체적 피로는 정신적 피로를 막는 법이다. 민혁은 더 이상 불안하지 않았다. 물론 민혁은 불안한 일을 저질렀다. 민혁은 사직서 한 장 없이, 그리고 말 한마디도 없이 직장을 떠났다. 민혁은 아무 통보 없이 직장상사와 이별했다. 그랬기에 민혁이 오늘 하루 불안에 떨었던 건 당연했다. 분명 민혁은 공항에서, 버스 안에서 여러 불안과 사투했었다. 민혁은 오늘 밤까지도 엄청난 정신적 피로를 느꼈다. 하지만 지금은 그렇지 않았다. 민혁의 몸은 이미 녹초가 되었다. 민혁은 신체적 활기를 잃은 대신 맑은 정신을 되찾았다. 민혁은 아무 생각 없이 잠을 청했다. 성준은 눈 감은 민혁을 살펴보며 안심했다. 성준은 조심스럽게 문을 닫았다. 그렇게 둘의 첫 만남은 저물어갔다.

민혁이 잠에서 깬 것은 닭의 울음소리 때문도, 시계 속 뻐꾸기 소리 때문도 아니었다. 바로 망치 소리 때문이었다. 민혁은 자신의 전신을 가득 덮은 하얀 이불을 조금 내렸다. 민혁은 이불을 걷어내 눈을 약간 드러냈다. 그리고 민혁은 밖을 바라봤다. 햇빛이 하얀 유리창을 비췄다. 유리창 너머로 성준이 망치로 하얀 조각품을 다듬는 모습이 보였다. 성준은 마치 수련을 하는 듯했다. 성준은 어떤 것에도 관심을 가지지 않았다. 성준은 오직 하얀 조각품에 정신을 집중했다. 성준은 이런 반복적인 행위로 몸과 마음을 다듬었다. 민혁은 천천히 이불을 걷어내고 자리에서 일어났다. 민혁은 유리창을 향해 걸었다. 민혁은 조각을 다듬는 성준을 향해 눈빛을 보냈다. 민혁은 성준의 관심을 바랐다. 성준도 이를 눈치챈 듯 곧바로 민혁을 봤다. 성준은 밝은 미소로 바닥에서 뭔가를 집고 안으로 들어왔다. 민혁은 거실로 나와 성준을 바라봤다. 하얀 봉투가 성준의 손에 있었다. 그 안에 든 것은 꽤 두툼해 보였다. 성준은 그것을 손으로 꽉 쥐었다. 회사원이 첫 월급 봉투를 놓지 않는 것처럼 말이다.

성준은 바빠 보였다. 성준은 민혁에게 잘 잤냐고 말하지 못했다. 성준은 그저 미소로 간단한 아침 인사를 대체했다. 곧바로 성준은 민혁에게 한 가지를 부탁했다. 성준은 현관 앞에 택배가 있다고 말했다. 성준은 민혁이 정체 모를 그 택배 상자를 현관으로 들이기를 원했다. 성준은 부탁을 끝나자마자 전화기를 들어 누군가에게 연락하려 했다. 그 정도로 성준은 아주 바빴다. 성준의 긴박한 행동에 민혁은 고개를 끄덕였다. 민혁은 하얀 현관문을 열고 문 앞에 놓인 택배 상자를 찾았다. 민혁은 그 상자를 자세히 살펴봤다. 왠지 모르게 민혁은 그 상자에 친숙했다. 그 상자에 적힌 까만 글자가 친숙했다. 자신의 지인이 그것을 쓴 것 같았다. 민혁에게. 민혁은 그 상자에 있는 글씨의 필기체가 익숙했다. 민혁은 잠깐의 고민 후 눈을 번쩍 떴다. 분명 이것은 민혁을 가장 아끼는 민준의 필기체였다. 민혁은 형이 자신의 안위를 걱정하며 선물을 보냈다고 확신했다. 민혁은 기분 마음으로 이 상자를 들어 올렸다. 민혁은 본능적으로 이 상자를 뜯으려 했다. 민혁은 자신의 앞에 있는 날카로운 조각상을 바라봤다. 민혁은 이 상자를 든 채 조각상으로 걸어갔다. 그리고 민혁은 날카로운 조각상으로 상자를 뜯었다. 민혁은 기쁜 마음으로 상자 안에 든 것을 살펴봤다. 잠시 후 민혁은 털썩 주저앉았다.

6장: 인생이라는 수수께끼

한 사진이 그 택배 상자에 있었다. 한 남자가 그 사진에 있었다. 사진 속 그는 눈을 꼭 감았다. 그는 눈 근육이 덜덜 떨릴 정도로 눈을 꼭 감았다. 그의 손과 발은 갈 곳을 잃었다. 그의 손과 발은 튼튼한 밧줄에 묶였기 때문이다. 그의 입은 가려졌다. 검은 테이프가 그의 입에 붙었다. 한눈에 봐도 사진 속 그는 납치된 듯했다. 그리고 납치된 그는 민혁에게 익숙한 곳에 있었다. 그는 민준의 방에 있었다. 그는 민준의 방에서 몸부림쳤다. 민혁은 인정하기 싫지만 그를 본능적으로 알았다. 그는 분명 자신의 형 민준이었다. 비록 얼굴은 흐릿했지만, 민혁은 그가 입은 하얀색 바지에서 민준의 몸매를 감지했다. 민혁은 그의 흐릿한 이목구비조차 익숙했다. 게다가 그가 납치된 곳은 민준의 방이었다.

민혁은 손으로 문제의 사진을 집었다. 민혁은 평화로운 제주도에서 전운을 느꼈다. 민혁은 형을 따라 벌벌 떨며 자리에 주저앉았다.

"민혁 씨? 여기서 뭐해요?"

성준이 그의 전화기를 들고 민혁에게 걸어왔다. 민혁은 친절한 성준에게 고민을 털어놓고 싶었다. 하지만 민혁은 다시 마음을 굳게 먹었다. 민혁은 다른 사람에게 고통을 주기 싫었다. 특히 민혁은 어제부터 자신을 극진히 대우한 성준에게 고통을 주기 싫었다. 또 민혁은 약간의 희망을 품고 싶었다. 물론 납치된 그 남자는 민준일 가능성이 컸다. 그래도 완전무결한 사실은 아니었다. 불확실한 상황 속에서, 민혁은 성준에게 충격적인 소식을 알리고 싶지 않았다. 민혁은 희망적인 불확실성을 기대하며 성준에게 옅은 웃음을 지었다. 민혁은 우선 성준을 안심시키고 싶었다. 민혁은 성준이 자신을 걱정하는 것을 바라지 않았다. 민혁은 성준에게 별일 없다고 말했다. 민혁은 택배 상자에 익숙한 필기체가 보여 그 상자를 뜯었다고 성준에게 말했다. 민혁은 억지로 웃으며 성준을 바라봤다. 민혁은 자리에 일어서서 성준과 상자 앞을 가로막았다. 그렇게 민혁은 성준을 최대한 안심시키려 했다. 성준은 찢어진 상자를 곁눈질했다. 성준은 약간 경직된 자세로 웃는 민혁을 바라봤다. 성준은 민혁의 웃음에서 의심을 품었다. 성준은 민혁을 노려봤다. 성준은 무언가를 숨기는 민혁이 의심스러웠다. 이때 성준의 휴대폰에서 소리가 들렸다. 알람 소리였다. 성준은 알람을 끄고 그의 앞에 놓인 많은 일정을 확인했다. 성준은 이제는 민혁을 의심할 시간이 없었다. 성준은 오늘 할 일을 다 끝내기에 바빴다. 성준은 곧바로 다음 할 일을 위해 준비했다. 성준은 다시 집으로 발길을 돌렸다. 그 전에 성준은 그의 휴대폰을 민준에게 건넸다. 성준은 누군가가 민혁에게 전화를 걸었다고 말했다. 그 말과 함께 민혁은 다음 할 일을 위해 집으로 달려갔다.

성준의 말이 끝나자마자 민혁은 성준의 휴대폰을 집었다. 민혁은 성준의 휴대폰을 바라봤다. 민혁은 이 휴대폰 속의 통화 기록을 살폈다. 민혁은 오늘 통화 기록을 살피며 유일한 전화번호를 찾았다. 이 순간 민혁은 확신했다. 이 휴대폰 속에 사진에 대한 답이 있다는 것을. 민혁은 침을 삼켰다. 민혁은 그 전화번호를 입력해 누군가에게 전화를 걸었다. 그리고 민혁은 전화기를 조심스럽게 귀에 댔다. 민혁은 진실을 들을 준비를 마쳤다. 곧바로 중후한 목소리가 민혁의 귓가에 울렸다. 친숙한 목소리가 민혁의 귓가에 울렸다. 민혁은 충격에 빠진 사람처럼 눈을 동그랗게 떴다. 민혁은 당황한 사람처럼 입을 살짝 벌렸다. 민혁은 멍한 표정으로 손을 벌벌 떨었다. 민혁은 진실을 알아차린 것을 후회했다. 이제 확실했다. 민준은 납치되었다. 그리고 납치범의 정체는 민준, 민혁 형제와 구면이었다. 납치범은 바로 세웅이었다.

"작가님, 지금 있나요? 아, 이제는 작가님이 아니죠? 날 배반했으니까!"

민혁은 전화기 속에서 세웅의 분노를 느꼈다. 민혁은 세웅의 다부진 체격에서 우러나오는 분노를 상상했다. 세웅의 모습을 상상할수록 민혁은 더 불안해졌다. 세웅이 이성을 잃고 자신의 형을 죽이면 어떡할까? 이렇게 불안한 전율이 민혁의 머릿속에서 흘렀다. 그 전율에 전염된 민혁은 온몸에서 떨림을 느꼈다. 민혁은 아무 말도 못 했다. 민혁은 그저 사시나무 떨듯 벌벌 떨었다. 민혁은 마른 침을 삼켰다. 그렇게 민혁은 겨우 마음을 다잡았다.

"내가 바보인 줄 알아? 나 은근 눈치 빠른 놈이야! 음악 스튜디오에서 너희들이 꾸민 짓 다 알아!"

세웅은 분노를 담아 민혁에게 반말을 쏘아붙였다. 세웅은 이를 부드득 갈면서 당시 그 사건을 회상했다.

사건은 세웅이 민준에게 전화를 걸었을 때부터 시작되었다. 당시 세웅은 민혁의 실종에 불안했다. 그래서 세웅은 민혁의 형인 민준에게 전화를 걸었다. 민준은 아침부터 걸려온 세웅의 전화에 눈이 번쩍 뜨였다. 민준은 세웅의 전화에 정신을 바짝 차렸다. 민준은 그의 동생과 한 약속을 생각했다. 민준은 음악 스튜디오에서 한 맹세를 계속 떠올렸다. 민준은 실종 신고처럼 심각한 상황을 만들면 안 되었다. 이것이 당시 민준의 의무였다. 민준은 최대한 침착하게 세웅은 안심시켰다. 민준은 쓸데없는 걱정은 거두라고 세웅에게 말했다. 그렇게 민준은 몇 가지를 얼버무리며 통화를 끊었다. 민준은 이 상황을 나름 잘 처신했다고 생각했다. 하지만 세웅은 곧바로 민준을 의심했다. 통화가 끊겼을 때 세웅은 민준의 약간 떨리는 목소리를 느꼈다. 세웅은 민준의 다급함을 들었다. 세웅은 민준이 무언가를 숨겼다고 추측했다. 그래서 세웅은 곧바로 코트를 입고 민준의 집으로 향했다. 세웅은 이미 민준의 집이 어디 있는지 확실히 알았다. 민준이 세웅의 집에 왔을 때 세웅은 민준의 거주지에 관해 물은 적이 있었다.

한편 민준은 집에서 커피를 따랐다. 민준은 위기를 탈출한 자신을 보상하기 위해 향긋한 커피를 만들었다. 민준은 나무 테이블에 까만 커피가 담긴 컵을 뒀다. 그때 쿵쾅거리는 소리가 아파트 복도 부근에서 들렸다. 민준은 본능적으로 침을 꿀꺽 삼켰다. 그날 민준의 집에 방문할 손님은 없어야 했다. 민준은 택배 주문조차 안 했다. 오직 민준은 세웅의 전화를 받았을 뿐이었다. 민준은 그것 외에 하루를 평범하게 시작했다. 딩동! 초인종이 울렸다. 민준은 살금살금 거실로 걸어 인터폰을 확인했다. 한 다부진 체격의 사내가 민준의 집 앞에 등장했다. 민준은 한눈에 불청객의 정체를 알아차렸다. 화가 난 세웅이 민준의 집 앞을 서성였다.

민준은 인터폰을 뚫고 나오는 세웅의 분노에 숨죽이며 아무 말도 안 했다. 딩동! 다시 초인종이 울렸다. 세웅은 가볍게 문을 세 번 두드렸다. 민준은 강한 리듬감이 있는 세웅의 노크 소리에 침을 삼켰다. 딩동! 다시 초인종이 울렸다. 민준 씨! 세웅은 크게 소리쳤다. 민준은 단 세 마디 속에서 생명에 위협을 느꼈다. 민준은 식은땀을 흘렸다. 민준은 곰곰이 생각했다. 상황은 최악이었다. 위협적인 불청객이 집 근처에서 고성을 질렀다. 민준은 이성적인 판단을 내려 경찰을 불러야 했다. 하지만 민준은 그러지 못했다. 사람은 일촉즉발의 위기 상황에서 꿀 먹은 벙어리가 되는 법이다. 당시 민준도 그랬다. 이성은 민준의 마음속에 자리 잡지 못했다. 민준은 손을 벌벌 떨면서 판도라의 문을 열었다. 민준은 위기 상황에서 바보 같은 친절함을 발휘했다.

세웅은 민준의 불안을 목격했다. 세웅은 고개를 쭈그리고 있는 민준을 흥미롭게 바라봤다. 곧바로 세웅은 그의 우직한 몸으로 민준을 제압했다. 그리고 세웅은 민준의 방으로 그를 끌고 갔다. 세웅은 그 방에서 검은색 가방을 풀었다. 단단한 흰색 밧줄과 검은색 테이프가 그 가방에 있었다. 곧바로 세웅은 밧줄로 세웅의 팔과 다리를 묶었다. 세웅은 검은색 테이프로 세웅의 입을 막았다. 더불어 세웅은 그의 가방에서 짐 하나를 더 꺼냈다. 세웅은 검은색 망치를 꺼냈다. 그 망치는 토르의 망치처럼 컸다. 세웅은 날카로운 돌멩이 하나를 꺼냈다. 그 돌멩이는 병원의 주삿바늘처럼 날카로웠다.

"그래도 현명하군. 경찰에 신고했으면 바로 너부터 죽였을 텐데."

세웅은 민준의 방에 있는 유리창을 보며 말했다. 세웅은 눈물을 흘리는 민준을 보며 기괴하게 웃었다. 세웅은 한 손으로 날카로운 돌멩이를 쥐고, 다른 한 손으로 검은색 망치를 잡았다. 그렇게 세웅은 민준을 협박했다. 세웅은 민준의 고통을 즐겼다. 세웅은 날카로운 돌멩이를 민준의 얼굴에 가져 댔다. 세웅은 검은색 망치로 세웅의 다리를 천천히 가격했다. 민준은 벌벌 떨며 세웅을 맞이한 순간에도 한 가지를 다짐했다. 세웅으로부터 동생을 지키자. 그렇게 민준은 그의 머릿속을 지탱하고자 노력했다. 하지만 민준은 생명의 위협을 느꼈다. 민준은 본능적으로 그의 안위를 중요히 여겼다. 민준은 이렇게 젊은 나이에 어이없이 죽기 싫었다. 민준은 바닷속을 펄떡거리는 새우처럼 삶은 향해 몸부림쳤다. 세웅은 민준의 몸부림에 깊은 인상을 받았다. 세웅은 민준의 입을 막고 있는 검은색 테이프를 뗐다. 그때부터 민준은 세웅에게 모든 것을 이야기했다. 음악 스튜디오에서의 일과 제주도 등. 민준은 모든 것을 폭로했다. 그러자 세웅은 만족스러운 듯 커다란 미소를 지었다. 곧바로 세웅은 민준의 전화기를 가로챘다. 당시 세웅은 이를 박박 갈며 분노했다. 세웅은 그를 배신한 민혁에게 깊게 분노했다. 그 결과 민혁은 세웅의 분노를 전화기로 듣게 된 것이다.

민혁은 모든 비밀을 다 아는 세웅에 당황했다. 민혁은 입을 꾹 다물어 세웅의 분노를 느낄 뿐이었다. 그래도 민혁은 한 가지 사실을 되새겼다. 세웅이 자신의 형을 노리고 있다는 것을. 분명 납치범인 세웅은 이성을 잃었다. 분명 세웅은 복수심에 불탔다. 민혁은 그 사실을 다 알았다. 민혁은 형의 안위를 위협하고 싶지 않았다. 그랬기에 민혁은 세웅이 원하는 것을 들어줘야 했다. 민혁은 침을 꿀꺽 삼키고 천천히 입을 뗐다.
"원하는 게 뭐죠?"
세웅은 저음으로 깔린 민혁의 목소리가 흥미로운 듯 껄껄 웃었다. 세웅은 민혁의 목소리에서 불안을 느꼈다. 세웅은 모든 것이 일사천리로 간다는 생각에 만족했다. 세웅은 야비하게 웃었다.

세웅은 처음과는 달리 누그러진 목소리로 요구 조건을 말했다. 세웅의 요구 조건은 예전부터 항상 똑같았다. 차기작. 세웅은 오직 그것만 바랐다. 민혁은 세웅의 바뀐 말투에 다시 당황했다. 동시에 민혁은 세웅의 명령에 위협을 느꼈다. 민혁은 아무 말도 못 했다. 민혁은 차기작에 대한 압박에 정신적 고통을 받아왔다. 지금 이 상황도 다르지 않았다. 오히려 민혁은 평상시보다 더 불안했다. 납치, 명령, 차기작. 수많은 요소가 민혁을 압박했기 때문이다. 민혁은 자신의 인생에서 매우 심한 불안을 겪었다. 민혁은 마른 침을 삼켜 이 불안을 겨우 통제했다. 세웅은 아무 말 하지 않는 민혁을 향해 야비하게 웃었다. 그러면서 세웅은 한 가지를 제안했다. 세웅은 1년이라는 시간을 민혁에게 준다고 말했다. 세웅은 그 시간 동안 민혁이 진정한 자아를 찾기를 원했다. 민혁은 세웅의 배려 아닌 배려에 당황하며 여전히 침묵으로 일관했다. 민혁은 이성의 끈을 간신히 잡으며 세웅과 무언의 줄다리기를 했다. 그 뒤 세웅은 그의 제안에 대해 구체적으로 말했다. 그 순간 민혁은 예상치 못한 제안에 당황했다. 민혁이 당황한 것은 당연했다. 세웅은 작가였던 민혁에게 글쓰기만을 요구하지 않았다. 세웅은 민혁에게 연기를 제안했다.

"왜 가만히 있어? 넌 천성이 배우잖아. 안 그래, 트루먼?"

민혁은 트루먼이라는 말에 가슴이 철렁 내려앉았다. 민혁은 자신의 아픈 과거를 회상했다. 바야흐로 민혁이 첫 작품을 세웅과 썼을 때였다. 당시 둘은 볼품없는 영화 한 편을 봤다. 둘은 그 영화가 그들의 인생에서 가장 최악이었다고 품평했었다. 세웅은 이런 맥락에서 민혁에게 질문했었다. 세웅은 인생 영화가 있는지를 민혁에게 물었었다. 민혁은 한순간의 망설임도 없이 트루먼 쇼를 얘기했었다. 민혁은 이상한 세계를 이야기했었다. 민혁은 그 세계에 사는 트루먼을 얘기했었다. 민혁은 힘을 주어 이상한 세계를 벗어난 트루먼에 관해 얘기했었다. 그러면서 민혁은 자신도 트루먼처럼 살겠다고 맹세했었다. 민혁은 사회의 속박과 시선 속에서 벗어나 자유를 갈취하겠다고 맹세했었다. 하지만 지금 민혁은 그러지 못했다. 민혁은 여전히 세웅에게 조종당했다. 민혁은 여전히 세웅의 명성과 부에 조종당했다. 민혁은 지난날을 되돌아보며 자신의 잘못을 반성했다. 민혁은 자신이 트루먼보다 더 심각하다고 여겼다. 민혁은 트루먼과 다르게 더 깊은 시뮬레이션 속으로 빠졌기 때문이다. 민혁은 돈을 얻고 싶어서, 박수 소리를 듣고 싶어서 등등 수많은 핑계를 대왔다. 그 결과 민혁은 세웅이 짠 시뮬레이션 속으로 기꺼이 들어가게 되었다. 민혁은 가슴이 철렁 내려앉았다. 민혁은 지난날의 후회를 되씹으며 무언의 한숨을 내쉬었다.

세웅은 민혁이 지난날 동안 좋은 연기를 했다며 위로 아닌 위로를 했다. 세웅은 과거를 회상하며 민혁과의 관계를 기억했다. 당시 민혁은 세웅의 과장된 우정 연기를 순순히 따랐다. 이런 의미에서 볼 때 민혁은 예전부터 좋은 연기자였다. 세웅은 그 점을 근거로 들어 그의 제안이 헛되지 않았다고 단언했다. 그러면서 세웅은 다시 1년이라는 시간을 강조했다. 세웅은 1년이라는 시간은 충분히 긴 시간이라며 민혁을 압박했다. 민혁은 여전히 아무 말도 못 했다. 다만 민혁은 머릿속으로 형의 모습을 그렸다. 민혁은 머릿속으로 형의 고통을 느꼈다. 민혁은 머릿속으로 형의 끈질긴 끈기를 느꼈다. 민혁은 이를 통해 마음을 다잡았다. 민혁은 세웅에게 약한 모습을 보이고 싶지 않았다. 민혁은 대놓고 세웅에게 항복하고 싶지 않았다.

"어디서 연기를 하라는 거야?"

민혁은 눈에는 눈 이에는 이 전략으로 반말에는 반말로 대응했다. 민혁의 뜻밖의 모습에 세웅은 흥미로운 듯 웃었다. 그 뒤 세웅은 민혁을 돕지 않겠다고 말했다. 세웅은 민혁에게 자아는 스스로 찾는 것이라고 일깨웠다. 세웅은 인생이라는 수수께끼 속에 민혁을 내던졌다. 세웅은 민혁이 그 수수께끼를 잘 헤쳐나가길 바란다고 덕담 아닌 덕담을 했다. 전화기 속 불길한 정적이 들렸다. 잠시 후 민혁은 전화기 속에서 거친 숨소리를 들었다. 곧이어 민혁은 전화기 속에서 세웅의 웃음소리를 들었다. 세웅은 악랄하게 웃으며 대화를 이어 나갔다. 세웅은 민혁이 이 사실을 비밀로 간직하기를 바랐다. 세웅은 그를 경찰에 신고하면 큰일이 날 것이라고 경고했다. 민혁이 성준에게 도움을 요청하는 순간, 세웅은 무형의 방아쇠를 당기겠다고 단언했다. 세웅은 불길한 불확실성을 민혁에게 강조했다. 세웅은 그의 목숨과 운명 따위를 신경 쓰지 않았다. 세웅은 감옥에 구금되는 것을 개의치 않았다. 그랬기에 세웅은 악랄한 범죄를 충분히 저지를 만했다. 세웅은 그의 대범함을 보이며 민혁의 이성적 판단을 방해했다. 세웅은 형제간의 우애를 이용하여 민혁의 이성을 산산조각냈다.

세웅이 전화를 끊으려던 순간 민혁은 민준의 몸부림을 들었다. 쿵쿵거리는 소리가 민혁의 귓가를 떠나지 않았다. 민준의 웅얼거리는 소리가 민혁의 마음을 떠나지 않았다. 민준의 전체적인 고통은 민혁의 식은땀이 되었다. 민혁은 한겨울에 미친 듯이 식은땀을 흘렸다. 이제 두 사람이 민혁 앞에 놓여 있었다. 미친 곽세웅과 형 김민준. 그 외에는 누구도 없었다. 민혁은 스스로 이 위기를 처리해야 했다. 민혁은 꾸겨진 택배 상자를 들고 성준의 집으로 향했다. 민혁은 하얀 유리창을 통해 성준의 모습을 얼핏 봤다. 성준은 집 마당을 꾸밀 석고 반죽을 만졌다. 성준은 예술 작품을 만들 생각에 바빠 보였다. 민혁은 성준이 바쁜 틈을 타 살짝 열린 흰 현관문에 천천히 다가갔다. 민혁은 조심스럽게 성준의 집 안으로 들어왔다. 민혁은 도도한 고양이처럼 사뿐사뿐 거실로 걸어갔다. 성준은 여전히 석고 반죽에 정신이 팔렸다. 성준은 아름다운 석고상을 만들 생각에 민혁의 존재를 잊은 듯했다. 민혁은 이에 안도하며 찢어진 종이 상자를 꽉 잡았다. 그리고 민혁은 조용히 침실로 들어갔다.

　민혁은 곧바로 막막했다. 여전히 이 방은 어제와 같았다. 하얀 침대와 나무 바닥이 민혁을 반길 뿐이었다. 민혁은 하얀 옷장을 천천히 열었다. 옷장은 무수히 많은 옷과 이불로 가득했다. 민혁은 판도라의 상자 같은 이 종이 상자를 어디에 둘지 막막했다. 민혁은 식은땀을 홍수 나듯 흘렸다. 민혁은 바닥에 엎드렸다. 민혁은 납작 엎드려서 침대 밑 공간을 살폈다. 다행히 침대 높이는 적당했다. 민혁은 천천히 침대 밑으로 판도라의 상자를 밀어 넣었다. 민혁은 불안한 눈빛으로 침대 밑에 있는 이 상자를 살폈다. 민혁은 모든 것을 운명에 맡긴 듯, 두 손 모아 기도했다. 잠시 후 민혁은 조심스럽게 방을 빠져나왔다. 아기를 재운 엄마가 조심스럽게 아기방에서 나오는 것처럼 말이다.

성준은 석고 반죽을 준비하는 작업을 마쳤다. 성준은 바깥으로 나갈 채비를 했다. 그 순간 성준은 민혁의 얼굴을 바라봤다. 민혁은 한겨울에 땀을 미친 듯이 흘렸다. 민혁의 두 눈은 초점을 잃은 듯했다. 성준은 석고 반죽을 내려놓고 민혁에게 다가갔다. 민혁은 두 눈을 번쩍 뜨며 성준을 바라봤다. 성준은 걱정스러운 눈빛으로 민혁의 안부를 물었다. 민혁은 성준의 걱정에 애써 웃었다. 동시에 민혁은 성준의 걱정스러운 눈빛 외의 무언가를 느꼈다. 민혁은 성준의 의심스러운 눈빛을 느꼈다. 민혁은 무슨 말이라도 해야 했다. 민혁은 최대한 창의적으로 이 식은땀을 해명해야 했다. 이때 민혁은 거실에서 무언가를 보았다. 난방 히터가 거실에 가동되었다. 민혁은 22도라고 표시된 그 숫자에 희망을 봤다. 민혁은 히터를 바라보며 히터가 센 것 같다고 말했다.

성준은 여전히 한겨울에 땀을 흘리는 민혁이 놀라웠다. 성준은 놀란 마음을 뒤로하고 손가락을 가리키며 화장실의 위치를 알렸다. 성준은 의심스러운 눈빛을 거두고 석고 반죽을 잡았다. 성준은 다시 예술가로서 본분을 다했다. 성준은 반죽을 든 채 바깥으로 나갔다. 성준은 다시 석고상을 만들기 시작했다. 민혁은 땀을 씻기 위해 재빨리 화장실로 향했다. 민혁은 성준의 의심스러운 눈빛을 잊지 못했다. 모든 것이 의심이라는 폭탄으로 붕괴될 뻔했다. 민혁은 불안을 지우기 위해 화장실로 향했다. 민혁은 새로 입을 겉옷을 챙기지도 않고 무작정 화장실로 향했다. 민혁은 허물 벗는 벌레처럼 재빨리 옷을 벗었다. 민혁은 옷을 화장실 바닥에 툭툭 던졌다. 곧바로 민혁은 샤워부스 안으로 들어갔다. 민혁은 전장의 안식처로 복귀하는 병사처럼 샤워부스 안을 갈망했다. 민혁은 샤워기를 조금 차갑게 틀었다. 샤워기의 시원한 물줄기로 민혁은 자신의 뜨거운 몸을 씻었다.

샤워하는 도중 민혁은 우연히 거울을 바라봤다. 샤워기의 물줄기가 민혁의 얼굴을 타고 흘렀다. 샤워기의 물줄기는 민혁의 얼굴 위에서 아래로 천천히 떨어졌다. 민혁은 물에 젖은 자신의 검은 머리카락을 바라봤다. 검은 머리카락은 민혁이 품고 있는 어두운 생각 같았다. 어두운 생각들이 어두운 밤처럼 민혁의 불안을 키웠다. 민혁은 샴푸를 손으로 비비며 검은 머리카락을 씻었다. 동시에 민혁은 마음속의 어두운 생각이 씻기길 바랐다. 민혁은 물에 젖은 자신의 눈을 바라봤다. 불안이 민혁의 눈동자를 가득 채웠다. 민혁의 눈동자는 갈 곳을 잃은 듯 흔들렸다. 하지만 동시에 이 눈동자는 날카로웠다. 민혁은 날카로운 눈동자가 불안을 베어내길 바랐다. 민혁은 물에 젖은 자신의 입술을 바라봤다. 민혁의 입술은 한치의 물도 허용하지 않았다. 민혁은 입술을 앙다물었다. 동시에 민혁은 이 꾹 다문 입술에서 강한 의지를 느꼈다. 민혁은 입술 속에서 생겨난 강한 의지가 미래의 발판이 되기를 바랐다. 민혁은 거울에 비친 자신의 얼굴을 다시 바라봤다. 이 얼굴은 흔들리는 갈대 같았다. 분명 민혁은 앞서 일어난 일들에 대해 불안했다. 하지만 동시에 민혁은 자신의 얼굴에서 강인함을 봤다. 갈대는 바람 속에 흔들리지만, 항상 꼿꼿하게 돌아오는 법이다. 민혁도 마찬가지였다. 민혁은 흐르는 물에 땀을 씻었다. 민혁은 수많은 걱정을 물줄기와 함께 털어버렸다. 민혁을 옥죄던 걱정은 물줄기를 따라 배수구로 빨려 들어갔다. 이제 민혁은 수건으로 몸을 닦으며 한 가지 사실을 되새겼다. 지금 민혁은 빗물 속을 터벅터벅 걸어가던 그 사내와 다르다는 것을. 민혁은 큰 용기를 내어 자신을 찾고자 이곳에 왔다. 과거의 민혁은 이를 하지 못했다. 민혁은 용기가 헛된 희망으로 바뀌는 것을 원치 않았다. 민혁은 마음을 강하게 먹었다. 민혁은 형을 구하기 위해 마음을 다잡았다.

수건으로 물기를 다 닦은 민혁은 침실로 들어가 침대 밑의 판도라 상자를 꺼냈다. 문제의 사진 외에 하나의 노트도 이 상자에 있었다. 빨간색 노트가 이 상자 속에서 존재감을 과시했다. 민혁은 본능적으로 빨간색 노트를 꺼냈다. 민혁은 이 안에 해답이 있다고 확신했다. 하지만 빨간색 노트는 실망의 연속이었다. 여섯 가지의 쓸데없는 글이 이 안에 있었기 때문이다. 가령 이런 것이었다.

1. 명상은 우리를 평온하게 한다. 명상은 앞만 보고 달려온 우리에게 휴식을 준다. 명상은 쳇바퀴를 돌리는 현대인에게 필수적이다. 명상을 통해 우리는 우리 자신과 가까워진다.

민혁은 실망스러운 표정을 지었다. 민혁은 손으로 빨간색 노트를 휙 넘겼다. 그때 민혁의 눈을 사로잡는 것이 있었다. 민혁은 본능적으로 엄지손가락을 꽉 쥐었다. 사진 한 장이 이 노트 안에 있었다. 그리고 여러 건물의 모습이 이 사진 속에 보였다. 민혁은 자연스럽게 한 건물에 눈길을 보냈다. 한 건물이 미운 오리 새끼의 주인공처럼 눈에 튀었다. 이 사진 속 건물들은 대부분 검은색이었다. 한 건물을 제외하고. 민혁은 하얀색 건물에 시선을 집중했다. 민혁은 오밀조밀한 건물 숲에서 한 건물에 신경을 곤두세웠다. 민혁은 하얀색 건물에 해답이 있다고 생각했다. 하지만 민혁은 아무것도 못 했다. 민혁은 휴대폰도 없었고 제주도에 대해 잘 몰랐다. 그런 민혁이 그 건물의 위치를 알아내기는 어려웠다. 민혁은 자신의 한계를 한탄했다. 그때 현관문 소리가 들렸다.

성준이 석고 작업을 잠시 중단하고 집으로 왔다. 민혁은 성준의 등장에 안도했다. 성준은 제주도민이었다. 민혁은 성준이 사진 속 흰 건물을 안다고 믿었다. 혹시 성준이 그 건물을 모르더라도 상관없었다. 성준에게는 휴대폰이 있었다. 당연하게도 다양한 검색 기능이 휴대폰에 있었다. 그랬기에 민혁은 문제를 해결하리라 믿었다. 민혁은 성준에게 흰 건물을 물어보려 했다. 그 순간 민혁은 주의 사항을 떠올렸다. 경찰과 성준에게 민준의 납치 사실을 알리면 안 되는 것. 민혁은 그것을 머릿속에 되새겼다. 민혁은 이를 인지하고 자연스럽게 성준에게 다가갔다. 민혁은 성준의 의심을 사지 않고 흰 건물의 정체를 알기 위해 노력했다.

"오, 민혁 씨. 깔끔하게 씻었군요."

성준은 말끔한 민혁의 모습에 미소 지었다. 성준은 민혁의 수려한 모습에 안도했다. 민혁은 이제 성준이 자신에 대한 의심을 거뒀다고 믿었다. 민혁은 당당하게 어깨를 펴고 자신의 계획을 실행했다. 민혁은 한 가지를 성준에게 물었다. 그리고 민혁은 문제의 사진을 성준에게 보여줬다. 민혁은 검지로 흰 건물을 가리켰다. 민혁은 성준의 확실한 답변을 기다렸다. 성준은 잠시 생각에 잠겼다. 그러더니 성준은 천천히 입을 뗐다. 성준은 그 건물의 위치를 아는 듯했다.

성준은 뭔가 떠오른 듯 신나게 얘기했다. 성준의 이곳이 서점이라고 말했다. 성준이 이 서점이 그의 집과 가깝다고 얘기했다. 더불어 성준은 이 서점이 최근에 지어져서 시설이 꽤 좋다고 얘기했다. 성준은 조금 있다가 이곳에 같이 가자고 민혁에게 제안했다. 문학에 관심이 많은 성준은 서점을 갈 생각에 잔뜩 기대했다. 민혁은 겉으로는 성준의 제안에 웃음 지었지만, 속으로는 그 제안이 싫었다. 민혁은 성준 몰래 그곳에 가야 했다. 이것이 그의 의무였다.

민혁은 빠르게 변명 거리를 생각하며 성준의 제안을 거절했다. 민혁은 오늘 아침 동안 성준이 했던 작업을 생각했다. 민혁은 고되게 일했던 성준의 모습을 기억했다. 민혁은 쉴 때는 쉬라고 성준에게 권유했다. 민혁은 성준에게 권유 같은 강요를 하며 성준에게서 잠시 멀어지려 했다. 민혁의 예의 바른 거부에 성준은 의아해했다. 성준은 이른 아침부터 민혁을 의심해왔다. 그것을 증명이라도 하듯 성준은 날카로운 눈빛으로 민혁을 바라봤다. 성준은 민혁이 탈출자라는 사실을 강조했다. 성준은 이곳이 민혁에게 완전히 안전하지 않다고 여겼다. 그랬기에 성준은 민혁의 단독 행위를 걱정했다. 민혁은 성준이 자신을 걱정해주는 것이 고마웠다. 하지만 동시에 민혁은 성준의 날카로운 눈빛이 부담스러웠다. 민혁은 여전히 자신의 의무를 잘 알았다. 민혁은 변명을 대며 성준의 의심을 반드시 피해야 했다. 이 상황에서 민혁은 공항에서 있었던 일을 성준에게 얘기했다. 분명 민혁은 그곳에서 사실상 투명인간 취급을 당했었다. 사람들은 인기 작가 민혁을 알아차리지 못했었다. 민혁은 자신이 받았던 무관심을 성준에게 강조했다. 민혁은 사람들이 소설가에게 관심이 없다고 성준에게 주장했다. 성준은 오늘 하루 계속 민혁이 의심했지만, 그 대목에 고개를 끄덕였다. 성준은 문학을 사랑했다. 그랬기에 성준도 현재 소설가의 지위를 알았다. 소설은 짧고 빠른 것을 좋아하는 현대인에게 골칫덩이일 뿐이었다. 성준은 안타까운 현실을 한탄하며 한숨을 내쉬었다. 한편 성준은 그 한숨 속에 피로를 드러냈다. 성준은 더 이상 민혁을 의심할 시간도 없었다. 고된 작업을 마친 성준은 침대에 눕고 싶었다.

"그럼 한 가지만 알아 둬요. 이 서점은 밤 10시에 문을 닫아요. 그러니 서둘러야 해요."

이 말과 함께 성준은 그의 휴대폰으로 한 경로를 검색했다. 곧이어 성준은 검색한 경로를 민혁에게 보여줬다. 성준은 기지개를 켰다. 성준은 피곤한 몸을 이끌고 그의 방에 들어갔다. 한편 민혁은 성준이 얘기한 주의 사항을 숙지했다. 민혁은 10시 되기 전 서점에 도착해야 했다. 민혁은 간단한 경로를 다 파악했다. 목적지는 이곳에서 단 10분 거리였다. 민혁은 쉬운 경로에 안도했다. 곧이어 민혁은 자신의 침실에 들어가 판도라의 상자 속 물건을 다시 살폈다. 민혁은 빨간색 노트 속의 사진을 챙겼다. 민혁은 흰 건물의 모습이 담긴 이 사진으로 목적지를 찾아야 했다. 민혁은 모든 준비를 마쳤다고 생각했다. 그런데 왠지 모르게 민혁은 발걸음을 쉽게 떼지 못했다. 빨간색 노트가 민혁의 눈에 아른거렸다. 분명 빨간색 노트는 쓸모없었다. 이상한 여러 문장이 낙서처럼 노트에 난잡하게 자리 잡았다. 더구나 민혁은 이 노트의 색깔이 불길했다. 민혁은 빨간 피 같은 노트 색깔이 불길했다. 다만 이 노트는 세웅의 불길한 선물 중 하나였다. 바꿔 말하면, 이 빨간색 노트는 민혁을 목적지로 안내할 힌트가 될지도 몰랐다. 민혁은 이 노트 속에서 숨겨진 의미를 발견하리라 짐작했다. 결국, 민혁은 흰 건물이 찍힌 사진을 빨간색 노트에 끼웠다. 민혁은 하얀색 침대 위에 빨간색 노트를 뒀다. 이제 민혁은 성준이 완전히 곯아떨어지기를 기다렸다. 민혁은 빨간색 노트를 고이 간직한 채 자신의 침실에 있었다.

드르릉! 바깥에서 코 고는 소리가 들렸다. 민혁은 지금이 기회라고 확신했다. 민혁은 빨간색 노트를 손으로 꽉 쥐었다. 민혁은 살금살금 현관문을 향해 걸었다. 그렇게 민혁은 성준 몰래 집을 빠져나왔다. 집을 완전히 벗어나기 전 민혁은 어렴풋이 시계를 봤다. 시간은 9시 정각이었다. 민혁은 밤 10시라는 시간을 명심하고 재빨리 거리를 나섰다. 민혁은 5분 동안 가로등이 비친 도로를 거닐었다. 잠시 후 민혁은 한 골목길을 발견했다. 이 골목길은 민혁에게 친숙했다. 민혁은 흰 건물이 있는 사진을 통해 이 골목길을 본 적이 있었다. 분명 서점이 이곳 근처에 있었다. 다만 한 가지 걸리는 것이 있었다. 민혁이 손에 쥔 사진 속 배경은 낮이었다. 하지만 지금은 깜깜한 밤이었다. 민혁은 어두운 불빛 때문에 건물을 구별할 수 없었다. 모든 것이 칠흑 같은 어둠에 휩싸였다. 더구나 목적지 근처에 놓인 건물은 모두 검은색이었다. 민혁은 머릿속이 착잡했다. 그래도 민혁은 조심스럽게 골목길을 걸었다. 10시라는 폐장 시간을 명심하면서 민혁은 거리를 걸었다. 민혁은 다섯 건물을 지나친 후 고개를 옆으로 돌렸다. 민혁은 한 명상센터에 시선이 갔다. 민혁은 빨간색 노트에 써진 한 글을 떠올렸다. 1. 명상은 우리를 평온하게 한다. 민혁은 곧이어 명상센터 옆의 건물을 바라봤다. 이 건물은 어둠 속에서 순백을 과시했다. 그랬다. 명상센터 옆 건물이 바로 민혁의 목적지였다. 민혁은 흰 서점 속 밝은 불빛을 확인했다. 민혁은 안도하며 빨간색 노트를 꽉 쥐었다. 빨간색 노트는 쓸모없는 것이 아니었다. 그것은 하나의 수수께끼였다. 이제 민혁은 인생 속에서 이 수수께끼를 풀어야 했다.

민혁은 서점 안을 들어가 시계를 바라봤다. 9시 30분이었다. 민혁은 골목길을 오랫동안 서성인 듯했다. 민혁은 10분 만에 도착할 거리를 30분에 도착했다. 그래도 민혁은 빨간색 노트를 쥐며 안도의 한숨을 쉬었다. 민혁은 결전의 장소에 도착했다. 민혁은 수많은 사람 속에서 빈 의자를 찾았다. 서점의 한 의자에 앉은 민혁은 소중한 노트를 펼쳤다. 2번째 내용은 이렇게 흘러갔다.

2. 인간은 사회적 동물이다. 인간은 타인과 어울려 살아간다. 하지만 현대인은 뭔가 이상하다. 현대인은 너무 많은 타인과 어울려 살아간다. SNS, 각종 모임, 이상한 종교 단체. 현대인은 많은 타인을 만난다. 하지만 그 만남은 아무 목적도, 아무 의미도 없다. 그런 현대인에게 혼자 있는 시간을 제안한다. 타인의 홍수에 휩쓸려온 우리는 우리 자신을 바라보지 못했다. 우리는 우리를 알아야 한다. 우리는 우리와 손을 잡아야 한다. 우리는 진정한 우리가 되어야 한다.

민준은 빨간색 노트에 적힌 내용을 따랐다. 민혁은 서점 속 많은 사람에게 시선을 주지 않았다. 민혁은 오로지 자신에게 집중했다. 민혁은 조금 전까지 촉박한 시간에 압박받았다. 민혁은 조금 전까지 불안한 마음으로 골목길을 서성였다. 그랬기에 민혁은 명상하는 사람처럼 깊게 숨을 들이쉬고 내쉬었다. 민혁은 들숨과 날숨으로 자신에게 집중했다. 민혁은 마음을 다잡고 다음 내용을 읽었다.

3. 성경에서는 뱀을 부정적인 동물로 본다. 뱀은 하와를 꾀어

인간을 에덴동산에서 내쫓았다. 그렇게 인간은 고통스러운 현실을 맞이했다. 그러나 나는 뱀을 긍정적인 동물로 본다. 뱀이 하와를 꾀지 않았다면, 인간은 선악을 몰랐을 것이다. 선과 악에 기초한 도덕적 딜레마는 인간을 인간답게 만든다. 우리 인간은 불완전하다. 동시에 우리는 도덕적 딜레마를 선택하는 과정에서 우리 자신을 깨닫는다. 우리는 선악의 가치를 알아야 한다. 우리는 뱀의 가치를 알아야 한다.

민혁은 빨간색 노트에서 뱀에 대한 숭배를 느끼며 자리에서 일어났다. 민혁은 빨간색 노트를 덮었다. 그리고 민혁은 종교 서적 코너를 향해 걸어갔다. 민혁은 종교 서적에서 성경 속 뱀을 찾으려 했다. 다만 이곳의 책더미는 용의 꼬리보다 더 거대했다. 이곳의 책 개수는 성경 속의 적힌 글자 수보다 많은 듯했다. 민혁은 이곳에서 인간의 한계를 느꼈다. 민혁은 천천히 종교 코너를 빠져나왔다. 민혁은 도서검색대로 이동해 성경을 검색했다. 150개의 검색 결과가 민혁의 눈앞에 펼쳐졌다. 민혁은 사탄 같은 성경에 분개하며 스크롤을 내렸다. 이때 누군가 민혁의 어깨를 건드렸다.

"손님. 이제 서점 문 닫습니다."

민혁은 이 말을 듣고 서점에 있는 시계를 살폈다. 9시 55분이었다. 민혁은 쏜살같이 서점을 빠져나가는 사람을 봤다. 민혁은 서점 직원에게 가볍게 고개를 끄덕이고, 서점 대탈출 행렬에 가담했다. 민혁으로서는 다른 선택지가 없었다. 민혁은 서점을 나가는 수많은 사람 중 한 명이었다. 그뿐이었다. 하지만 민혁은 끊임없이 어떤 생각을 했다. 홀로 있는 시간을 제안한다. 민혁은 홍수처럼 떠밀리는 사람들에게 휩쓸렸다. 수많은 사람은 서점 입구를 지나 복도로 향했다. 그들은 서점을 둘러싼 건물 입구를 향해 빗방울처럼 쏟아졌다. 민혁은 이 상황을 원치 않았다. 민혁은 홀로 있고 싶었다. 민혁은 옆을 둘러보며 인적이 드문 곳을 찾았다. 민혁은 화장실을 가리키는 화살표를 발견했다. 민혁은 그 화살표 너머 어두운 화장실을 발견했다. 민혁은 타인의 홍수를 벗어났다. 민혁은 홀로 어둠 속을 걸어갔다.

민혁은 남자 화장실과 여자 화장실이 표시된 갈림길에 도착했다. 민혁은 본능적으로 남자 화장실을 향했다. 그때 민혁은 발걸음을 멈췄다. 민혁은 다시 어두운 화장실을 자세히 살폈다. 민혁은 확신에 찬 표정으로 발걸음을 옮겼다. 민혁은 여자 화장실로 걸어갔다. 민혁은 하와로의 변장을 즐겼다. 민혁은 뱀이 자신을 꾀기를 기다렸다. 민혁은 하와의 화장실 입구에 도착했다. 하얀색 벽이 이곳에 있었다. 그리고 검은색 뱀 한 마리가 그 벽에 새겨졌다. 뱀은 동그랗게 똬리를 틀었다. 민혁은 뱀의 꼬임에 넘어갔다. 민혁은 행복하게 뱀에게 다가갔다. 민혁은 빨간색 노트를 다시 꺼냈다. 하지만 민혁은 바로 실망했다. 민혁은 화장실 창문을 뚫는 도시의 불빛 덕에 희미한 뱀의 모습을 확인했다. 하지만 도시의 불빛은 빨간색 노트를 비추기에 부족했다. 민혁은 털썩 주저앉았다. 그때 빛이 들어왔다. 민혁의 확실한 움직임에 센서가 답했다. 하얀 불빛은 한 변기를 비췄다. 민혁은 하얀 불빛의 자태에 환하게 미소 지었다. 곧바로 민혁은 노트를 펼쳐 다음 내용을 확인했다.

4. 동양 종교에서 주로 볼 수 있는 만다라. 만다라에는 둥근 원과 똑바른 사각형이 있다. 원과 사각형은 서로 조화를 이루며 존재한다. 그 조화 덕분에 사람들은 만다라를 우주의 중심으로 여긴다. 만다라는 우리의 중심이다.

둥근 원이라는 글을 보자마자 민혁은 뱀의 자태에 눈길을 보냈다. 뱀은 여전히 동그랗게 똬리를 틀고 있었다. 그리고 뱀이 만든 원의 중심에는 한 타일이 있었다. 사각형의 흰색 타일이 민혁의 눈에 들어왔다. 민혁은 이 사각 타일을 향해 시선을 집중했다. 특히 민혁은 이 사각 타일의 중심을 자세히 살폈다. 네 개의 변. 또 다른 작은 사각형이 이 사각 타일에 있었다. 일반인은 보기 힘든 사각형이었다. 화장실의 평범한 사각 타일과 그 안의 사각형은 색깔이 똑같았다. 모든 사각형이 하얀색이었다. 다만 작은 사각형과 큰 사각형을 가르는 홈이 있었다. 정확히 네 변이 큰 사각형의 중심 속에 있었다. 그리고 그 네 홈이 작은 사각형을 만들었다. 민혁은 엄지손가락으로 작은 사각형을 눌렀다. 버튼을 누르는 것처럼 민혁은 작은 사각형을 눌렀다.

경이로운 마법이 펼쳐졌다. 민혁을 가로막고 있던 화장실 벽은 사라졌다. 화장실 벽은 미닫이문처럼 왼쪽으로 드르륵 소리를 내며 열렸다. 이제 칠흑 같은 어둠이 민혁 앞에 나타났다. 민혁은 다시 몸을 움직여 불빛을 켰다. 화장실 속 불빛은 민혁의 눈이 되었다. 민혁은 화장실 벽 너머의 공간을 자세히 관찰했다. 민혁은 모든 것을 볼 수 없었다. 다만 민혁은 어렴풋이 계단을 봤다. 그 계단은 밑을 향해 나선형으로 펼쳐졌다. 민혁은 고개를 끄덕이고 이곳으로 향했다. 그때 민혁은 갑자기 걸음을 멈췄다. 민혁은 머릿속으로 앞으로 닥칠 일들을 예상했다. 이제 민혁은 어둠의 심연과 마주해야 했다. 사람은 어둠 속에서 시각장애인이 되는 법이다. 민혁은 어둠 속에서 할 수 있는 일이 별로 없다는 것을 알았다. 그래서 민혁은 화장실을 희미하게 비추는 하얀 불빛에 소중함을 느꼈다. 민혁은 곧바로 빨간 노트에 적힌 다음 내용을 확인했다. 민혁은 밝은 불빛의 가치를 활용했다.

5. 왜 인간은 어둠을 두려워할까? 어둠은 빛의 증거다. 인생은 이질적인 것의 조화로 구성된다. 그렇다면 어둠이 있다면, 빛이 있다는 것 아닐까? 터널을 생각해보라. 터널 속은 깜깜하다. 하지만 그것도 한순간일 뿐이다. 우리는 터널을 빠져나온다. 우리는 짧은 시간 동안 일시적 어둠을 볼 뿐이다. 우리는 빨리 터널의 입구를 나온다. 우리는 터널 바깥에서 빛을 본다. 그러니 어둠을 두려워 말라. 어둠 속 빛을 찾아라.

민혁은 화장실의 남은 불빛을 확인하고 앞으로 나아갔다. 민혁은 더 이상 빨간 노트를 보지 않았다. 민혁은 다섯 번째 내용을 믿었다. 어둠 속에 빛이 있다. 민혁은 어둠의 심연 속 빛을 찾는 순간 모든 것이 해결되리라 믿었다. 민혁은 심연 속 밝은 오아시스 속에서 빨간 노트를 보려 했다. 민혁은 자신의 앞에 있는 어둠의 심연이 아무렇지 않았다. 민혁은 이곳에서 손을 더듬거리며 천천히 계단 난간을 찾았다. 민혁은 조심스럽게 한 발을 아래로 내디뎠다. 민혁은 이곳에서 나타날 빛의 존재를 확신했다. 민혁은 위태로운 계단 난간을 걷는 순간에도 미래의 빛을 믿었다. 민혁은 빨간 노트의 지시대로 어둠 속의 빛을 찾았다. 민혁은 빛의 희망과 함께 적극적으로 어둠에 대항했다.

오랜 시간 동안 민혁은 어둠과 사투했다. 민혁은 손으로 계단 난간과 교감하며 계속 나아갔다. 그 결과 민혁은 한 줄기의 빛을 찾았다. 건조한 사막의 오아시스처럼 어둠 속 하얀 빛줄기가 민혁의 앞에 있었다. 민혁은 즐거운 마음으로 빛을 바라봤다. 민혁은 가벼운 발걸음으로 빛을 따라갔다. 빛을 넘어 광활한 복도가 민혁의 앞에 펼쳐졌다. 그 복도는 장대만큼 길게 뻗었다. 그 복도의 양옆에는 몽글몽글한 알전구가 있었다. 민혁은 꿈을 꾸는 것 같았다. 대략 10시부터 시작한 이 모험은 장기간 지속하였다. 민혁은 지금이 몇 시인지 몰랐다. 다만 민혁은 지금이 깊은 밤이라고 직감했다. 민혁은 꽤 오랜 시간 동안 인생이라는 수수께끼를 풀었다. 민혁의 발걸음에는 이미 피곤함이 묻어났다. 이 상황에서 민혁은 분위기 있는 알전구를 바라봤다. 그 알전구는 잠자기 전 침대 머리맡에 켜는 은은한 불빛 같았다. 게다가 다양한 나무들도 알전구 사이에 있었다. 푸른 이파리가 민혁을 반겼다. 무지개보다 다채로운 단풍나무가 민혁을 위로했다. 푹신한 눈에

덮인 하얀 나무가 민혁의 피로를 덜어줬다. 모든 것이 마법이었다. 민혁은 어둠의 오아시스 속에서 꿈 같은 나날을 보냈다. 하지만 그 기분 좋은 몽환은 오래가지 않았다.

　복도 속 불빛은 갑자기 자취를 감췄다. 이제 6개의 시계가 민혁의 앞에 나타났다. 민혁이 볼 수 있는 건 오직 그뿐이었다. 시계는 자체적으로 발광했다. 민혁은 이 낯선 공간에서 아무것도 못 했다. 민혁은 여러 시계를 바라볼 뿐이었다. 민혁은 빨간 노트를 읽을 수 없었다. 불빛은 6개의 시계만이 가진 특권이었다. 민혁은 노트를 다 읽지 않은 자신을 자책했다. 하지만 민혁은 곧바로 마음을 다잡았다. 민혁은 여섯 시계에 대한 해법을 찾아야 했다. 각 시계는 가리키는 시각이 달랐다. 1시에서 6시까지. 오른쪽에서 왼쪽으로 갈수록 시간이 1시간 더해졌다. 확률은 6분의 1이었다. 민혁은 마음이 가는 대로 운명을 시험해야 했다. 민혁은 여섯 시계를 번갈아 살펴보며 고민했다. 민혁은 6시를 가리키는 시계를 바라봤다. 민혁은 처음부터 6이라는 숫자에 마음이 갔다. 우선 여섯 가지의 주요 내용이 빨간 노트에 적혔다. 그리고 민혁은 여섯 살의 자신을 떠올렸다. 물론 민혁은 유년 시절의 추억과 이 시계 간의 상관관계가 없다는 것을 알았다. 하지만 민혁은 불안한 불확실성에 대항할 몽글몽글한 환상이 필요했다. 그랬기에 민혁은 아무 근심 걱정이 없었던 그 유년 시절을 떠올렸다. 민혁은 6살 때 형과의 우애를 떠올렸다. 민혁은 민준과 함께 뛰놀았던 잔디의 냄새를 끄집어냈다. 민혁은 6살 때 형과 함께 웃었던 행복한 소리를 들었다. 민혁은 행복한 추억을 가슴에 새긴 채 6시 시계를 향해 직진했다. 민혁은 두 눈을 질끈 감고 모든 것을 운명에 맡겼다. 모든 것을 6이라는 추억에 맡겼다. 민혁은 시계 밑을 향한 숫자 6처럼 추락했다. 민혁은 그렇게 더 깊은 심연 속으로 추락했다.

쿵! 민혁은 자신의 몸이 바닥에 닿은 것을 느꼈다. 그것은 벼락같았다. 추락의 고통은 짧고 강렬했다. 너무 강렬한 나머지 민혁은 정신을 잃었다. 민혁은 한동안 눈을 뜨지 못했다. 민혁은 한동안 몸을 움직이지 못했다. 민혁은 아무 감각이 없었다. 민혁은 어둠 속에 누웠다. 민혁은 역사의 뒤안길에 사라진 시체처럼 누웠다.

2부: 심연의 세계

1장: 미지의 심연 속으로 들어간 나

내 이름은 페니 나르시스가 되었다. 나는 정신을 차리고 내 모습을 확인했다. 나는 처음 보는 노란 티셔츠를 입었다. 그 티셔츠는 황금처럼 매우 밝은 노란색을 띠었다. 그리고 황금색 명찰이 그 티셔츠 왼쪽 위 주머니에서 존재감을 드러냈다. 페니 나르시스라는 이름이 그 명찰에 명확히 적혔다. 분명 나는 죽었다. 나는 시계의 맨 아래에 있는 6이라는 숫자처럼 아래로 떨어졌다. 나는 아주 높은 위치에서 떨어졌다. 그 높이는 추락사하기에 적당했다. 이곳은 사후세계인가? 이곳은 책이나 대중매체를 통해 본 사후세계와 너무 달랐다. 이곳은 악마들이 뜨거운 화염을 뿜는 지옥도 아니었다. 이곳은 천사들이 사람의 마음을 어루만지는 천국도 아니었다. 가장 유력한 가정은 내가 김민혁에서 페니 나르시스라는 청년으로 환생한 가설이었다. 하지만 이 가설도 불완전했다. 페니 나르시스라는 이름을 제외하고 모든 것이 이전과 같았기 때문이다. 나는 여전히 김민혁의 육체와 정신세계를 지녔다. 나는 도대체 어디에 있다는 말인가? 나는 하얀 침대에 누워 천장을 혼란스럽게 바라봤다. 나는 혼란한 마음을 뒤로하고 천천히 침대 위에서 일어났다. 그때 내 배에서 고통이 느껴졌다.

배의 고통은 생각보다 심하지 않았다. 나는 천천히 노란색 티셔츠를 살짝 벗었다. 나는 티셔츠를 걷어내고 내 속살을 살펴봤다. 내 배는 하얀 붕대로 칭칭 감겼다. 그리고 옅게 묻은 핏자국이 붕대에 남았다. 오랜 시간 동안 붕대가 배에 묶인 듯했다. 충격적인 추락에도 생각보다 적은 피만 배 위에 남았다. 하지만 더 신기한 것은 따로 있었다. 나는 이곳에서 고통을 느꼈다. 그리고 새빨간 피가 배에 선명하게 묻었다. 이곳이 정말 사후세계인가? 이곳은 내가 간접적으로 본 사후세계와 너무 달랐다. 보통 사람은 사후세계에서 고통을 못 느끼는 법이다. 그렇다면 피는 사후세계에 있으면 안 되었다. 그런데 나는 약간의 고통과 함께 피를 직시했다. 나는 이곳의 정체가 혼란스러웠다. 이곳은 나에게 사후세계이자 현세였다.

티셔츠 위에 있는 페니 나르시스라는 이름은 이 혼란을 더 키웠다. 만약 내가 페니 나르시스로 환생한 것이 아니라면, 페니 나르시스는 누구인가? 나는 곰곰이 생각한 후 한 가지 가설을 생각했다. 이것은 이름하여 트루먼 가설이었다. 나는 여전히 곽세웅의 명령을 떠올렸다. 그 미친 납치범은 분명 이렇게 명령했다. 1년간 연기 활동을 해라. 곽세웅은 엉뚱하지만 그럴듯한 명령을 내렸었다. 그 사실만 본다면 페니 나르시스는 나만의 트루먼 쇼를 위한 분장에 불과했다. 나는 페니 나르시스라는 허물을 쓰고 이곳에서 가짜 인생을 살아야 했다. 미친 납치범의 요구를 들어주기 위해.

이 가설을 뒷받침할 또 다른 증거가 있었다. 바로 탁자 위에 있는 연필과 노트였다. 나는 이것을 보자마자 미친 납치범의 명령을 떠올렸다. 1년간 연기 활동을 하면서 차기작을 준비하라. 탁자 위에 놓인 연필과 노트는 차기작을 위한 도구일지도 몰랐다. 연필과 노트. 나는 이 물건을 통해 그 녀석의 세세한 계획을 느꼈다. 왜 노트북이 아닌 연필과 노트였을까? 그 이유는 간단했다. 그 미치광이 납치범은 노트북보다 불편한 연장을 나에게 주고 싶었을 것이다. 그렇다면 연필과 노트는 이에 적합했다. 그 녀석은 하찮은 연필과 노트로 나를 위한 고문을 설계했을 것이다. 오랜 시간 동안 연필을 꽉 잡으며 오는 육체적 고통. 그 녀석은 나의 육체적 한계를 이용한 고문을 생각했을 것이다. 이 생각대로라면 이곳은 현세가 확실했다. 나는 단순한 두 연장을 통해 고약한 곽세웅의 악랄함을 느꼈다. 현재 내 형을 납치한 그 녀석의 악랄함을!

하지만 탁자 위에 놓인 물건은 나만의 사후세계에서도 어울렸다. 좋든 싫든 나는 작가로 일했다. 글쓰기는 오랜 시간 동안 내 머리에 박혀왔다. 이를 통해 내린 결론은 이랬다. 강렬한 추락 이후 분명 나는 모든 몸에서 충격을 받았다. 그 충격은 분명 뇌에도 갔을 것이다. 그 충격은 나를 코마 상태로 만들기에 충분했을 것이다. 그렇다면 아마 내 뇌는 폭주 기관차처럼 마구잡이로 기억을 끄집어냈을 것이다. 그 결과 나는 낯설면서도 친숙한 상황을 마주하게 된 것이다. 빈 하얀 종이는 뇌의 공허 상태이며, 익숙한 연필은 내 뇌의 과거와 같았다. 그리고 이 방 자체는 내 뇌에 담긴 안락한 순간들을 재현했다. 평범한 하얀 침대, 은은한 나무 바닥. 이것들은 내가 최근에 묵은 성준의 집에도 있었다. 이 방을 비추는 은은한 불빛은 내가 심연의 오아시스 속에서 본 알전구의 불빛과 같았다. 이곳은 내 뇌가 창조한 사후세계였다. 나는 지금 코마의 세계에 있다. 이 결론은 꽤 합리적이었다.

하지만 나는 여전히 이곳이 현세라는 점을 배제할 수 없었다. 사실 나는 이곳이 현세라고 믿고 싶었다. 내세에 있는 나는 현세에 있는 형을 구할 수 없었기 때문이다. 현재 일어나는 일들은 현실 세계에서 해결하는 법이다. 나는 현세에 있어야 했다. 나는 형을 구출하고 싶었다. 그것이 내 의무였다. 나는 형을 생각하며 모든 혼란을 털어버렸다. 나는 날카로운 연필심처럼 확고하게 다짐했다. 나는 현세에서 페니 나르시스라는 중성적인 인물을 확실히 연기할 것이다. 나는 페니라는 활발한 이름처럼 항상 희망을 놓지 않는 발랄한 소녀가 될 것이다. 나는 나르시스라는 진취적인 성처럼 목표 성취를 위해 나아가는 멋진 남자가 될 것이다. 그리고 지금 내 목표는 단 하나였다. 내 형을 구출하는 것.

우선 나는 혼란스러운 방을 나가기로 했다. 나는 밖으로 나가 이곳의 정체를 더 탐색하고 싶었다. 나는 조심스럽게 목재 문을 열고 밖으로 나갔다. 바깥 풍경은 낯설지 않았다. 이곳은 내가 가본 제주도의 골목길 같았다. 우선 어둠을 은은히 비추는 노란 가로등이 이곳에 있었다. 또 검은 건물이 숲속의 나무처럼 이곳에 들어섰다. 나는 검은 건물의 향연에 당황했다. 물론 이곳은 흰 서점이 있던 그 골목길과 조금 달랐다. 그렇지만 이곳은 내가 가본 그 골목길과 너무 비슷했다. 시간이 도돌이표를 그리는 것 같았다. 급기야 나는 본능적으로 하얀색 건물을 찾으려 했다. 무거운 혼돈은 내 고통을 가중시켰다. 나는 끔찍한 복통을 겪었다. 이 복통은 물리적 상처보다 혼란스러운 내 마음에서 비롯되었다. 나는 더 이상 앞으로 나가고 싶지 않았다. 나는 혼란스러운 방안으로 돌아왔다. 나는 힘겹게 몸을 이끌고 천천히 침대에 앉았다. 나는 침대에 앉은 채 나무 책상 위를 응시했다. 여전히 노트와 연필이 이곳에 있었다. 이 방의 환경은 내 창의력을 발산하기에 충분했다. 원래 순간적인 인상에서 영감이 떠오르는 법이다. 나는 조금 호전된 몸을 이끌고 책상 위의 연필을 잡았다. 나는 연필 속에 내 마음을 담았다. 나는 연필 속에 의지를 담았다. 나는 연필 속에 목표를 담았다. 연필로 쓴 글씨는 차기작을 위한 첫걸음이 될 것이다. 그 글씨는 그렇게 모여 내 형을 구출할 구원자가 될 것이다. 그렇게 나는 흰 노트의 공백에 결의를 가득 채웠다.

　나는 내 글에 미소를 지었다. 이런 미소는 내 인생에서 흔치 않았다. 나는 작가였지만 글쓰기를 혐오해왔다. 나는 머릿속으로 여러 가지 가능성과 여러 가지 플롯을 설정하는 능력이 탁월했다. 하지만 그뿐이었다. 글쓰기를 하는 순간, 내가 열심히 쌓아 올린 플롯은 하찮은 먼지만큼 더러운 쓰레기가 되었다. 그 순간, 나는 이상과 현실의 괴리를 자기혐오로 채우곤 했다. 그 순간, 내 머릿속에 있던 가능성은 먼지처럼 미세한 입자를 형성하며 부서지곤 했다. 글쓰기를 하는 동안 이런 패턴이 계속 반복되어 왔다. 예전부터 글쓰기는 내 자신감을 부수고 내 영혼을 갉아먹는 존재였다. 그런 내가 이곳에서 내 글에 미소를 지었다. 나는 이 미소가 낯설면서도 좋았다. 그 미소는 나에게 많은 변화를 가져왔다. 나는 분명 흰 노트에 부정적인 감정을 많이 적었다. 혼돈과 혼란이 글씨가 되어 흰 노트에 담겼다. 그런데도 나는 혼돈의 글씨를 보며 살아있음을 느꼈다. 나는 내 인생에서 흔치 않은 미소를 지었다. 나는 혼돈의 글씨 속에 담긴 진정성에 반가움을 표했다. 나는 처음으로 내 진심에서 우러나온 글을 목격했다. 나는 오래 봐도 질리지 않는 그 진정성을 내 영혼 속에 담았다. 나는 미소 지으며 하얀 침대에 누웠다. 나는 내 영혼 속의 진정성이 내 배에 남은 고통을 치유하기를 간절히 바랐다. 그렇게 나는 진정성의 가치를 느끼며 눈을 감았다.

나는 이곳에서 피로를 잊었다. 나는 깨어남과 동시에 살아있음을 느꼈다. 어제 나에게 나타난 진정성은 내 마음 안에서 굳건한 성이 되었다. 나는 용맹한 성주처럼 힘차게 침대에서 일어났다. 다행히 내 배는 많이 호전되었다. 정신이 맑으면 몸도 건강해지는 법이다. 내 배가 그 말을 증명했다. 하지만 내 배는 다른 의미로 온전하지 않았다. 배꼽시계가 내 뱃속을 강타했기 때문이다. 나는 이제 빈 배 속을 채워야 했다. 나는 먹을거리를 찾기 위해 바깥으로 나왔다. 이제 바깥 풍경은 나에게 낯설었다. 여전히 이곳은 어두웠기 때문이다. 나는 분명 상큼하게 기상했지만 내 앞에는 어둠만이 보였다. 나는 이곳에서 밝은 햇살을 볼 수 없었다. 내 앞에 보이는 빛은 노란 가로등의 희미한 불빛이 전부였다. 게다가 건물도 낯설었다. 이제 이곳의 건물은 친숙하지 않았다. 내가 제주도의 골목길에서 본 건물과 이곳의 건물은 색깔 외에 많은 것이 달랐다. 우선 명상센터가 이곳에 없었다. 그리고 이곳의 건물은 모두 예술적이었다. 대표적으로 출판사가 여러 건물 사이에 있었다. 나는 출판사 건물에 난 창 너머로 열심히 출판 작업을 하는 사람들을 희미하게 봤다. 나는 작가의 진정성을 담는 그들의 모습을 존경하며 출판사를 향해 미소 지었다. 미술관도 여러 건물 사이로 존재감을 드러냈다. 나는 기쁜 마음으로 미술관에 들어가 명화를 감상했다. 뭉크, 고흐 등 유명화가의 작품들이 이곳에 있었다. 모든 작품이 아름다웠다. 뭉크의 <절규> 속의 요동치는 빨간 배경조차도 붉은 불꽃놀이처럼 보였다. 수많은 음반 가게도 이곳에 있었다. 나는 상점의 창 너머로 다채로운 음반을 바라봤다. 나는 상점에서 나오는 기분 좋은 요란함을 들었다. 그때 한 상점이 눈앞에 들어왔다.

그 상점은 외관부터 오랜 세월이 담긴 듯했다. 레코드라고 써진 복고풍의 간판이 이를 증명했다. 이 간판을 보며 나는 내 부모님 세대의 시간을 간접 체험했다. 손때 묻은 유리창은 이곳과 어울렸다. 유리창 속 묻은 먼지는 더러웠다. 하지만 사람들의 대화와 사람들의 열정과 사람들의 음악이 이 속에 담겼다. 그리고 그 유리창 너머로 오래된 음반이 나열되어 있었다. 이곳의 몇몇 음반은 친숙했다. 예를 들면 The Carpenters나 ABBA라고 써진 음반이 눈앞에 있었다. 내 부모님은 항상 이런 시대의 음악을 소비하곤 했다. 부모님은 그 시대의 음악을 이렇게 표현하곤 했다. 잔잔한 목소리에 강하게 울리는 사랑. 부모님은 그 시절 음악에 담긴 사랑을 좋아하곤 했다. 부모님은 그 시대의 음악과 함께 연애하곤 했다. 사랑 속에서 지저귈 때, 사랑 속에서 분노의 폭포를 만났을 때, 사랑 속에서 새로움을 느끼지 못할 때. 부모님은 그 음반과 함께 사랑의 역사를 겪어왔다. 그리고 그 사랑의 역사는 우리 형제에게 전승되곤 했다. 부모님은 그 음반을 우리 형제와 같이 듣곤 했다. 내가 친구와 싸웠을 때, 내가 낯선 환경에 던져졌을 때, 내가 내 한계를 뛰어넘을 때. 나는 그 음반을 부모님과 자주 듣곤 했다. 그리고 나는 그 음반 속에 담긴 부모님의 사랑을 회상했다. 나는 추억에 잠긴 채 복고풍 상점 안의 오래된 음반을 바라봤다. 나는 단박에 그 음반에 담긴 가족애를 알아차렸다. 나는 세월이 담긴 유리창 위로 손바닥을 댔다. 나는 확 펼친 손바닥 안으로 아름다운 가족애를 저장하고 싶었다.

  나는 허기를 참고 자연스럽게 이 상점 안으로 들어갔다. 한 젊은 여자가 이 안에 있었다. 나는 이상한 기분으로 그녀를 응시했다. 분명 그녀는 외관상으로 젊었다. 그녀는 나와 또래인 것 같았다. 젊은 그녀는 이토록 오래된 상점에서 자리를 지켰다. 그녀는 오래된 음반을 관리했다. 그녀는 일반적인 젊은 여자와 달랐다. 나는 독특한 그녀를 계속 응시했다. 그녀도 신기하다는 표정으로 나를 쳐다봤다.

"뭐, 찾으시는 거 있으세요?"

그녀의 질문에 나는 빈 바지 주머니에 손을 넣었다. 나는 이곳에 묻은 추억 때문에 한 가지 사실을 간과했다. 이곳은 상점이었다. 상점 안의 물건을 사기 위해서는 돈이 필요했다. 그런데, 내주머니는 텅텅 비었다. 나는 빈털터리였다. 나는 쭈뼛쭈뼛 뒤로물러나 천천히 밖으로 발걸음을 돌렸다.

"손님 잠깐만요! 혹시 여기 처음 오셨어요?"

그녀는 약간 다급하게 나를 불렀다. 나는 그녀의 질문에 천천히 고개를 끄덕였다. 그녀는 내가 빈털터리라는 것을 바로 알아차린 듯했다. 그녀는 여기에 있는 모든 음반은 공짜라고 친절히 얘기했다. 나는 이곳에서 마음대로 물건을 집을 수 있었다. 나는 아무 죄책감 없이 추억이 가득 묻은 음반을 살 수 있었다. 돈 없이 모든 것을 살 수 있는 세상. 나는 꿈 같은 세상에 있었다. 나는 이곳에 흐르는 유토피아적 시간을 허비하고 싶지 않았다. 나는 옅은 미소를 지으며 본능적으로 오래된 음반 하나를 집었다. 나는 그녀에게 미소를 지으며 카운터로 다가갔다. 나는 카운터에 음반을 내려놓았다. 그녀는 카운터에 놓여 있는 음반을 바라봤다. 그리고 그녀는 천천히 나를 바라보기 시작했다. 그녀는 자기의 새로운 고객인 나를 흥미롭게 여기는 듯했다. 그녀는 내 얼굴과 카운터 위에 있는 음반을 번갈아 쳐다봤다. 잠시 후 그녀의 시선이 한곳에 고정되었다. 그녀는 내 명함을 바라봤다. 페니 나르시스라고 써진 그 명함을. 그리고 그녀는 반가운 마음을 담아 나에게 미소 지었다.

"페니! 당신이 페니에요?"

2장: 미지의 인물들과 심연의 세계의 역사

이상한 일이 계속 이곳에서 일어났다. 수상한 연필과 공책, 자본이 아닌 추억으로 운영되는 상점, 그리고 그 상점 주인의 질문까지. 모든 것이 이해되지 않았다. 분명 카운터 앞의 그녀와 나는 초면이었다. 나는 그녀의 음악 취향과 이목구비 등 모든 것이 낯설었다. 그런데 이상하게도 그녀는 나를 반가워했다. 그녀는 나를 오래전부터 알고 지낸 친구처럼 여겼다. 나는 이런 그녀의 미소를 의심했다. 나는 의심과 놀라움을 담아 그녀의 모습을 응시했다.

"절 아시나요? 저희 구면이었나요?"

나는 의심과 놀라움을 담아 그녀에게 되물었다. 그녀는 카운터 앞에서 환하게 웃으며 고개를 저었다.

"하하. 아뇨. 초면이죠. 그래도 페니 씨가 이곳에서 유명하니까요. 누구나 페니 씨를 알죠."

"제가 유명하다고요? 전 여기에 최근에 왔을 뿐이에요."

유명하여지라는 단어는 내 인생에서 어울리지 않았다. 물론 나는 첫 소설을 통해 사람들의 입소문에 오르곤 했다. 하지만 이것은 진정한 유명세가 아니었다. 실질적으로 그 유명세는 미치광이 출판사 편집장의 것이었다. 당시 나는 그 녀석의 종이었다. 그랬기에 나는 실제로 유명한 적이 없었다. 내 대부분의 인생은 평범했다. 나는 평범한 몸무게로 태어났고 일반적인 교육을 받았고 학교에서의 시험을 혐오했다. 나는 정말 평범한 사람이었다. 그런 내가 어떻게 유명하단 말인가? 이 세계의 이방인이 어떻게 유명하단 말인가?

카운터에 있는 그녀는 내가 방금 한 말에 손뼉을 가볍게 한 번 쳤다. 그녀는 내가 한 말에 핵심이 있다고 했다. 그녀의 말에 따르면, 이 낯선 세계에는 1년 동안 새로운 사람이 오지 않았다고 했다. 즉, 나는 정말 오랜만에 이 세계에 등장한 이방인이던 것이다. 이곳 사람들은 1년이라는 긴 시간 끝에 등장한 새로운 이방인을 흥미롭게 여겼다. 그랬기에 이곳의 모든 사람은 내 이름을 알았다. 심지어 그녀의 말에 따르면, 한 출판사 편집장님도 처음부터 나를 반겼다고 했다. 그 말을 들은 순간 나는 의아했다. 출판사라는 말이 내 머릿속을 맴돌았다. 출판사 편집장이 왜 흥분했다는 걸까? 새로운 이방인의 등장과 출판사 편집장의 흥분은 엉뚱한 조합이었다. 나는 출판사를 책을 출판하는 곳으로 알았다. 그런데 왜 출판사 편집장이 책과 관계없는 일에 흥분했다는 걸까? 소비자가 늘었기 때문일까? 하지만 이곳은 돈이 쓸모없는 세계였다. 소비자가 몇 명이 늘든 이곳의 자본가들은 자본을 축적할 수 없었다. 사실상 이곳은 부자도 없고 돈을 신으로 여기는 사람도 없었다. 그런 면에서 나의 등장은 지극히 평범했다. 적어도 흥분은 출판사보다 방송사에서 해야 했다. 나는 여전히 출판사라는 말이 혼란스러웠다. 카운터의 그녀는 내 혼란스러운 표정을 감지한 듯했다. 그녀는 내 마음속을 꿰뚫는 것 같았다. 그녀는 자연스럽게 그 출판사 편집장에 관해 얘기했다. 그녀는 여기의 모든 사람이 그 출판사 편집장에게 마음의 빚을 졌다고 주장했다. 그녀는 그 출판사 편집장이 이 세계 모든 이를 관리했다며 주장의 근거를 제시했다. 잠시 후 그녀는 목을 가다듬었다. 그녀는 혼란스러운 나를 위해 독특한 출판사 편집장을 좀 더 소개했다. 그녀가 입을 떼는 찰나 상점의 유리창을 통해 은은한 불빛을 들어왔다. 은은한 불빛 덕에 환상적인 분위기가 배가되었다. 그녀는 이 순간 한 연극배우 같았다. 그녀는 신비로운 연극배우처럼 은은한 조명 아래에서 신비로운 이야기를 꺼냈다.

<혼란스러운 페니 씨를 위해 이 세계의 역사와 같은 출판사 편집장님을 소개할게요. 그리고 저는 편집장님께 들은 이 세계의 역사를 페니 씨에게 잘 전달할게요. 이 출판사 편집장님은 일반적인 출판사 편집장들과 달라요. 편집장님은 이 세계에 처음 온 이방인이었거든요. 아득히 먼 옛날 지구에 첫발을 내디딘 최초의

인류처럼 말이에요. 편집장님은 공허로 가득 찼던 이곳에서 무력감을 느끼곤 했어요. 이곳은 너무도 깊고 어두운 심연 그 자체였어요. 그래서 우리는 모두 이 세계를 심연의 세계라고 부르곤 해요. 아무튼, 편집장님은 깊은 심연 속에서 한 가지 가능성을 발견했어요. 바로 자유였어요. 당시 이곳에는 편집장님밖에 없었어요. 타인의 간섭은 이곳에 없었고 당연히 남 눈치 볼 필요도 없었어요. 그리고 예전부터 우열관계 따위는 이곳에 존재하지 않았어요. 돈이나 지위가 전혀 중요하지 않으니까요. 아무튼, 편집장님은 이곳에서 무엇이든 할 수 있었던 거예요. 그것을 깨달은 뒤로 편집장님은 열심히 건물을 지었어요. 그렇게 편집장님은 오랜 시간 끝에 출판사 건물을 스스로 완공했어요. 정말 편집장님의 열정이나 재주는 아무도 못 따라가요. 아무튼, 편집장님은 출판사를 차리고 열심히 창작활동을 했어요. 편집장님 시 솜씨는 정말 기가 막혔어요. 물론 이 출판사가 마냥 좋았던 건 아니에요. 애초에 당시 이곳에는 편집장님 혼자밖에 없었잖아요. 그때는 편집장님 작품에 손뼉 칠 사람도, 소비할 사람도 없었어요. 그런데도 편집장님은 꿋꿋이 이 출판사를 운영했어요. 이 출판사는 편집장님에게 행복의 근원이었고 창의력의 발상지였으니까요.

그러던 어느 날 출판사 가까이에서 쿵 하는 소리가 들렸어요. 편집장님은 깜짝 놀라 그 소리의 근원지를 향해 달려갔어요. 그리고 편집장님은 어린 소녀가 쓰러진 것을 봤어요. 그 소녀가 누구였을까요? 네, 그 소녀는 바로 저였어요. 편집장님은 곧바로 쓰러진 저를 출판사 안으로 데리고 갔어요. 그리고 편집장님은 그의 옷을 찢어서 하나의 붕대를 만들었어요. 그 덕에 저는 천천히 이곳에서 제 몸을 회복할 수 있었어요. 제가 천천히 걷기를 시작할 때쯤 편집장님은 뜻밖의 일을 했어요. 바로 작명이었어요. 여기 팔뚝에 적힌 이름 보여요? MEDDY라는 글씨요? 편집장님은 새로운 이름을 저에게 부여해줬어요. 편집장님이 왜 이런 이름을 지었는지는 모르겠어요. 아무튼, 저는 새로운 이름과 함께 이곳에서 새로운 인생을 시작하게 됐어요. 이 메디라는 이름 덕분에 저는 과거의 아픈 상처를 지울 수 있었어요. 그리고 저는 마음이 가는 대로 많은 것들을 해왔죠. 가장 대표적인 것이 건축이었어요. 제가 이곳에 온 이후로 꽤 많은 사람이 이곳에 우연히 나타났어요. 페니 씨처럼요. 그래서 저는 편집장님과 같이 새로운 사람들을 수용할 거처를 지었어요. 저는 편집장님과 함께 이곳에서 다시 태어났어요. 그리고 저 말고도 많은 사람들이 이곳에서 다시 태어났어요. 아마 페니 씨도 예외는 아닐 거예요. 편집장님은 페니 씨가 이곳에 오자마자 페니 씨를 간호했으니까요. 제가 이곳에 처음 왔을 때처럼요. 게다가 편집장님은 페니 씨에게 이 아름다운 이름을 부여했고요. 그러니 페니 씨도 이곳에 잘 정착한다면 새로운 인생을 시작할 수 있을 거예요.>

메디는 생동감 있게 심연의 세계의 역사를 설명했다. 메디는 연극배우의 독백만큼 맛깔나게 한 출판사 편집장님을 소개했다. 나는 한 편의 연극 무대를 본 것 같았다. 나는 갑자기 이곳에서 연극적인 분위기를 느꼈다. 나는 이 상황이 다소 당황스러웠지만, 한편으로 신기했다. 이곳은 정말 신비로웠다. 메디의 말에 따르면 나는 이미 편집장님께 마음의 빚을 졌다. 그 편집장님은 나를 간호했다. 만약 그 출판사 편집장님이 없었다면 나는 죽었을지도 몰랐다. 나는 내 배에 감긴 붕대를 다시 바라봤다. 내 배는 편집장님 덕에 많이 호전되었다. 나는 호전된 상처를 바라보며 마음의 빚을 뼈저리게 느꼈다. 그리고 나는 메디의 얼굴을 바라봤다. 메디는 은은하게 미소 지었다. 나는 수수한 메디의 미소를 바라보며 그녀를 신뢰했다. 나는 메디와 좋은 친구가 되겠다고 다짐했다. 나는 메디와 이곳에서 다시 태어나리라 결심했다. 메디도 그런 내 마음을 이해하는 듯 내 얼굴을 응시했다. 메디와 나는 서로의 얼굴을 마주 보고 고개를 끄덕였다. 그 행동은 일종의 증표였다. 그 고갯짓은 상호 신뢰의 몸짓이었다.

나는 당장 내 생명의 은인에게 고마움을 표하고 싶었다. 나는 나와 메디를 살린 그 출판사 편집장님을 찾아뵙고 싶었다. 나는 내가 산 음반을 손에 쥐었다. 그리고 나는 출판사 건물을 향해 발걸음을 옮기려 했다. 그러던 찰나 메디는 어디로 가는지 나에게 물었다. 나는 발걸음을 카운터로 돌렸다. 메디는 친절한 미소와 당당한 눈빛을 나에게 보냈다. 나는 메디의 친절한 미소와 함께 친절하게 내 계획을 설명했다.

"이 앨범을 사고 바로 편집장님께 가야겠어요. 감사 인사라도 드려야겠어요. 제 영어 실력이 충분하길 바라야죠."

"영어 실력이라고요?"

메디는 이상하다는 듯이 나를 쳐다봤다. 그리고 나는 의아한 표정을 짓는 메디가 이상했다. 메디나 페니라는 이름은 영미권 국가에서 흔히 볼 수 있었다. 출판사 편집장님은 우리에게 이런 이름을 부여했다. 그렇다면 출판사 편집장님은 영미권 문화에 친숙할 가능성이 컸다. 어쩌면 출판사 편집장님은 외국인일지도 몰랐다. 어쨌든 나는 이 추측에 확신이 있었다. 나는 분명 이성적인 사고를 통해 이런 결론을 도출했다. 그랬기에 나는 진지한 눈빛을 메디에게 보냈다. 반면에 메디는 내 추측이 어이없다는 듯이 크게 웃었다. 메디는 요상한 추측 때문에 몸을 겨누지 못할 정도로 크게 웃었다. 나는 이상한 눈빛으로 메디를 쳐다봤다. 나는 혼란한 마음으로 메디가 진정하기를 기다렸다.

메디는 힘겹게 그녀의 웃음소리를 멈췄다. 그리고 천천히 심연의 세계에 대한 또 다른 정보를 나에게 말했다. 메디는 출판사 편집장님이 토종 한국인이라고 말했다. 메디는 출판사 편집장님이 이국적인 이름을 우리에게 부여한 이유를 설명했다. 메디는 이국적인 이름이 심연의 세계에서 잘 어울린다고 주장했다. 심연의 세계는 이국적이기 때문이다. 나는 이 주장이 어느 정도 타당하다고 생각했다. 이곳은 돈 대신 추억이 가득했다. 이곳은 어떠한 권위가 존재하지 않았다. 그리고 이곳은 가끔 극적이었다. 메디의 극적인 독백처럼 말이다. 나는 내가 살았던 현실 세계에서 이러한 특징을 본 적이 없었다. 어쩌면 이곳은 외국보다 훨씬 이국적일지도 몰랐다. 그래서 우리의 새 이름은 이국적인 이곳에 잘 어울렸다. 나는 이제 우리의 이국적인 이름을 이해했다.

메디는 내 추측이 머릿속에 맴도는 듯 다시 박장대소했다. 나도 메디를 따라 미소 지었다. 한편, 나는 섣불리 한국인인 편집 장님을 외국인으로 만든 내가 부끄러웠다. 그렇게 몇 분 동안 메디는 정신을 못차렸다. 메디는 내 추측을 되새기는 듯했다. 메디는 카운터 바닥에 주저앉아 미친 듯이 웃었다. 잠시 후 메디는 정신을 부여잡고 내가 산 음반을 나에게 줬다. 메디와 나는 좋은 친구가 될 것 같았다. 초면이었지만 우리는 오랜 친구처럼 대화했다. 심지어 메디는 허기진 나를 위해 카운터 뒤에 있는 간식까지 나에게 줬다. 우리는 이때부터 손님과 주인의 관계를 뛰어넘었다. 나는 음반을 사 들고 이곳을 떠나지 않았다. 그보다 나는 메디와 함께 간식을 먹으며 서로의 음악 취향을 공유했다. 이 시간 동안 나는 메디의 흥미로운 음악 얘기에 즐거웠다. 팝, 록, 슈게이징, 월드뮤직까지. 메디는 다양한 음악 지식을 드러내며 나와 친밀도를 쌓았다. 나는 음악을 진심으로 즐기는 메디가 좋았다. 메디도 나를 좋게 본 듯했다. 메디는 미소를 지으며 내 얼굴을 바라봤다. 메디의 미소는 젊고 풋풋했다. 나는 그 순수한 미소에 화답하며 미소를 보냈다.

"오늘 참 즐겁네요. 오랜만에 새로운 사람을 보니 반가운걸요! 페니 씨, 저 질문 하나만 드려도 될까요?"

메디는 발걸음을 바깥으로 돌리라는 나를 말로 다시 붙잡았다. 나는 나를 계속 돌려세우는 메디가 싫지 않았다. 이미 나는 메디를 신뢰했다. 나는 메디의 환한 얼굴을 바라보고 그녀의 뒤에 있는 여러 음악 앨범을 응시했다. 나는 메디가 또 다른 음악 얘기를 하리라고 짐작했다. 메디는 내 추측에 화답이라도 하듯 한 포스터를 꺼냈다. 열정적으로 노래를 연주하는 여러 음악가가 포스터 속에 보였다. 나는 메디가 할 새로운 음악 얘기를 기대했다. 메디와 나는 이미 음악으로 연결됐다.

나는 메디가 꺼낸 포스터를 자세히 살펴봤다. 나는 이 포스터를 분명 처음 봤지만, 왠지 모르게 익숙했다. 나는 흥미로운 표정을 지으며 포스터 안의 인물들을 바라봤다. 곧이어 나는 한 사람에게 시선을 고정했다. 나는 그 사람이 얼굴이 익숙했다. 그랬다. 메디가 포스터 한가운데에 버젓이 있었다. 나는 손가락으로 포스터에 있는 메디의 얼굴을 가리켰다. 메디는 포스터에 버젓이 있는 그녀의 모습이 자랑스러운 듯 활짝 웃었다. 알고 보니 메디는 한 밴드의 리더였다. 나는 이제야 메디의 독특한 취향을 이해했다. 메디는 정말 타고 난 음악광이었다. 메디는 지금까지도 밴드에서 즐거운 듯했다. 그런데도 메디는 한 가지가 마음에 걸린다고 말했다. 메디는 단 두 마디의 말로 그녀의 걱정을 얘기했다. 보컬. 그랬다. 이 밴드에는 전문적인 보컬이 없었다. 메디는 지금까지 열심히 타고난 보컬리스트를 수소문했다고 말했다. 그렇지만 이 노력은 현재까지 빛을 발하지 못했다. 이 상황에서 메디가 나의 얼굴을 애처롭게 바라봤다. 나는 메디의 표정을 본 순간 그녀의 말을 예측했다. 아니나 다를까 메디는 보컬 자리를 내게 제안했다. 그리고 메디는 예전부터 내가 타고난 보컬이라는 것을 안다고 덧붙였다.

"예전부터요? 제가 노래를 잘 부른다는 것을 알았다고요?"

나는 살짝 놀라며 메디에게 물었다. 처음에 나는 메디가 립서 비스를 한 줄 알았다. 자신의 상점에서 물건을 산 고객에게 칭찬하는 것. 이 행동은 흔했다. 그런 의미에서 메디가 나를 타고난 보컬로 칭하는 것은 자연스러웠다. 그런데 메디는 진지한 눈빛으로 나를 바라봤다. 메디는 내가 노래 부르길 진심으로 원하는 듯했다. 그리고 어디에서 들었는지 모르겠지만, 메디는 나에 대한 모든 것을 예전부터 아는 듯했다. 메디는 예전부터라는 말을 강조하며 내 음악적 역량을 높게 평가했다. 물론 나는 나에 대한 메디의 관심이 마냥 싫지 않았다. 그래도 나는 나에 대해 많은 것을 아는 메디가 살짝 소름 끼쳤다. 메디는 환한 얼굴 뒤에 주술사의 영험한 기운을 감춘 듯했다.

메디는 내 질문에 곧바로 대답하지 않고 카운터의 한 서랍을 열었다. 메디는 여러 신문 뭉치를 뒤적거렸다. 곧이어 메디는 한 신문을 찾아 나에게 보여줬다. 그리고 나는 이 신문 속에서 많은 것을 알 수 있었다. 분명 메디는 이 신문을 통해 나에 대한 정보를 터득했을 것이다. 내 사적인 정보가 이 신문에 가득했기 때문이다. 나는 나에 대한 소식이 담긴 흥미로운 신문을 천천히 읽어봤다.

<새로운 이웃의 등장, 그는 누구인가?>

총인구가 다섯 손가락에 들 만큼 작은 이곳. 새로운 이웃이 이곳에 등장했다. 이름은 페니 나르시스. 출판사 편집장이자 이곳의 정착 도우미 성 편집장이 그에게 이 이름을 지어줬다. 나는

성 편집장과 함께 페니 나르시스 씨를 둘러업고 빈방으로 향했다. 나는 성 편집장과 함께 페니 나르시스 씨를 침대에 눕혔다. 우리 둘은 페니 나르시스 씨에게 응급처치했다. 나르시스 군은 앳되어 보였다. 그리고 그는 고통스러워 보였다. 새빨간 피가 그의 복부 주위에 철철 흘렀기 때문이다. 다행스럽게도 우리의 응급처치 덕에 나르시스 군은 죽음을 피했다. 하지만 그의 상처에서 짐작할 때 흉터는 그의 복부에 남을 것 같다. 그렇게 나르시스 군은 오른쪽 어깨에 있는 흉터와 함께 또 하나의 영광스러운 흉터를 남길 것이다.

나르시스 군에 대한 정보는 쉽게 얻지 못할 것 같다. 그는 현재 의식 불명의 상태이다. 말 못 하는 사람에게 새 정보를 습득할 수 없는 법이다. 다만 성 편집장은 나르시스 군을 위해 수단과 방법을 가리지 않겠다는 다짐을 했다.

성00 편집장: 제가 할 일은 항상 똑같습니다. 새로운 손님을 반갑게 맞이하고 보살피는 겁니다. 그러니 저는 페니 나르시스 씨가 이곳에 잘 정착할 수 있도록 최선을 다할 겁니다. 페니 씨가 깨어나게 되면, 페니 씨가 어떤 사람인지 추후에 파악할 예정입니다. 그런 뒤 저는 페니 씨의 가치를 꽃피울 수 있는 활동을 찾아볼 겁니다. 페니 씨가 이곳을 집처럼 여기기 위해 제가 노력해야 해요. 우선 지금은 페니 씨의 상태가 호전되기를 기도하겠습니다.

성 편집장과 진행한 인터뷰에 따르면, 성 편집장은 나르시스 군의 잠재력을 파악하고 싶은 것 같다. 성 편집장은 나르시스 군을 위한 활동을 만들리라는 의지가 있다. 나는 이곳에 사는 한 주민으로서 성 편집장님께 조언을 감히 드리겠다. 나는 나르시스 군의 잠재력을 확인했다. 여기 밑의 사진을 보라. 내가 나르시스 군의 방에서 작업하는 순간 나르시스 군은 이 행동을 했다. 당시 사건을 설명하겠다. 나는 업무의 효율을 높이기 위해 빠른 비트의 음악을 들었다. 그 순간 아무 미동도 없던 나르시스 군의 손가락에서 반응이 일어났다. 그는 눈을 감은 채 그의 손가락을 구부렸다. 그의 손가락은 침대 매트리스를 툭툭 튕겼다. 분명 그는 음악에 리듬을 탔다. 분명 그는 음악을 좋아한다. 분명 그는 노래를 잘 부를 것이다. 그는 음악가가 될 자질이 있다. 추후에 성 편집장은 나르시스 군을 위해 음악 활동을 조직해야 할 것으로 보인다. 독특한 성 편집장이 나르시스 군을 위해 할 일을 기원하며!

정보 줌인, 민OO 기자.

나는 이 기사를 읽고 분노를 참을 수 없었다. 나는 헐거운 신문뭉치를 손으로 꽉 쥐었다. 나는 이 거지 같은 신문을 찢어 갈기고 싶었다. 하지만 메디가 내 앞에 있었다. 메디는 내 열렬한 분노에 몸을 떨었다. 메디는 내 분노를 예상하지 못한 듯했다. 메디는 겁에 질린 채로 화난 나를 바라봤다. 나는 천천히 분노를 삭이고 카운터 위로 구겨진 신문을 펼쳤다. 나는 한숨을 내시며 차분하게 감정을 내뱉었다.

"참 저질스러운 민담을 신문 기사로 포장하는 기자들이 많군요."

"민담이라고요?"

메디는 꾸겨진 신문지를 쳐다보며 질문했다. 나는 메디의 물음에 손가락으로 한 사진을 가리켰다. 나는 바로 이 사진 때문에 분노했다. 나는 그 외의 다른 것을 신경 쓰지 않았다. 물론 나는 가독성이 떨어지는 문체와 통일되지 않은 표현 등을 무의식적으로 감지했다. 하지만 나는 신문의 글자를 지적하기 싫었다. 애초에 나도 글을 잘 못 쓰는 작가였다. 나는 아마추어 작가로서 문장력을 지적할 깜냥이 안 되었다. 다만 나는 이 기사 밑에 놓인 사진에 대해 분노할 자격이 있었다. 사진 속의 나는 침대에 누운 채 눈을 감았다. 즉, 내 사진이 찍혔을 당시 나는 의식이 없었다. 한 마디로 그 기자는 내 허락도 없이 상처가 가득한 내 모습을 담았다. 그 기자는 내 허락도 없이 나에 대한 평가를 했다. 손가락을 튕긴 내 모습과 음악적 역량은 말도 안 되는 인과관계였다. 나는 그 기자가 내린 독단적인 평가를 혐오했다. 나는 여전히 분노를 참지 못하고 침을 튀겨가며 이 기사의 부당함을 알렸다. 나는 신문 속 그 기자의 오만하고 독단적인 태도를 비난했다. 모든 것이 최악이었다. 덕분에 메디는 예전부터 나를 알았지만, 동시에 예전부터 나를 잘못 알았다. 나는 음악광이지만 뛰어난 음악가는 아니었다. 하지만 이 기사는 순진한 메디에게 거짓된 내 모습을 보여줬다. 그 기사는 평범한 나를 뛰어난 음악가로 만들었다. 나는 그 기사의 악영향에 분노했다. 한편 나는 분노하는 나에 대해 낯선 감정을 느꼈다. 나는 대부분 화를 참아왔다. 나는 형을 납치한 놈에게도 분노를 직접 표출하지 못했었다. 나는 그 녀석의 광기에 속으로 벌벌 떨었었다. 나는 그 녀석과 대처하며 겨우 침착함을 유지했었다. 그런 내가 한낱 작은 신문뭉치에 분노했다. 나는 지금 내 모습이 이상했다. 과연 이것은 김민혁의 분노일까 아니면 페니 나르시스의 분노일까? 나는 지금 내가 혼란스러웠다. 그래도 동시에 나는 마음속에서 우러나온 희열감을 느꼈다. 나는 부당함에 당당하게 맞서는 내가 자랑스러웠다. 나는 페니 나르시스라는 황금빛 명찰에 고마움을 느꼈다. 하지만 메디는 여전히 내 분노에 당혹스러운 듯했다.

그래도 메디는 용기 내어 천천히 나에게 다가왔다. 그리고 메디는 부드럽게 내 등을 두드려줬다. 메디는 내가 진정하기를 원했다. 나는 메디의 부드러운 손길 덕분에 분노를 해소했다. 메디는 가짜뉴스로 스트레스를 받으면 안 된다고 말했다. 메디는 가짜뉴스는 이미 우리에게 흔한 것이라고 했다. 메디는 이 주장과 함께 그녀의 부모님이 한 말을 인용했다. 가짜뉴스를 마구 써대는 기자 때문에 소설이 망한 것이다. 나는 익살스러운 논평을 듣고 살짝 웃었다.

메디는 분노한 나를 진정시키기 위해 노력했다. 메디는 좋은 친구였다. 한편 나는 가슴 아픈 진실을 향해 멋쩍은 웃음을 지었다. 여전히 가짜뉴스는 이곳에서 판을 쳤다. 낯선 이곳은 갑자기 친숙함을 드러냈다. 나는 갑작스럽게 침투한 현실감에 어이없었다. 그래도 나는 최대한 메디를 향해 미소를 지었다. 나는 더 이상 메디를 당혹스럽게 하고 싶지 않았다. 다행스럽게도 메디도 당혹감을 지우고 나를 향해 웃었다. 메디는 그녀가 던진 회심의 농담에 만족한 듯했다. 메디는 성공적으로 공연을 마친 음악가처럼 밝게 웃었다. 메디는 마음을 가라앉히고 내 손을 붙잡았다.

메디는 내 손과 그 안에 있는 음반을 어루만졌다. 그리고 메디는 내 눈을 바라봤다. 메디는 나를 향해 한 가지를 강력히 주장했다. 메디는 내가 음악가의 자질을 타고났다고 봤다. 메디는 적어도 내가 음악을 좋아한다고 생각했다. 메디는 이를 근거로 다시 밴드 참여를 나에게 권유했다. 곧이어 메디는 괴상한 그 신문 기사의 한 글자를 가리켰다. 다섯. 메디는 그 작은 숫자를 손가락으로 가리켰다. 메디는 사람이 이곳에선 귀하다고 암시하는 듯했다. 메디는 적은 사람들 속에서 훌륭한 보컬을 찾기 어려웠다고 말하는 것 같았다. 메디는 이 밴드 활동이 나에게 좋을 것이라고 장담했다. 메디는 내가 이곳에 적응하는데 밴드 활동이 도움을 주리라 확신했다. 메디는 내가 이 밴드의 적합한 보컬이라고 믿는 듯했다.

나는 메디의 모든 말투에서 그녀의 진심을 느꼈다. 나는 메디의 눈빛에서 그녀의 열정을 느꼈다. 나는 그녀의 열정에 이끌려 마지못해 고개를 대강 끄덕였다. 메디에겐 미안했지만 나는 그녀의 밴드를 생각할 틈이 없었다. 나는 해야 할 일이 있었다. 나는 친절한 메디를 뒤로 하고 밖으로 나왔다. 내가 가야 할 곳을 향해 나아갔다. 곧이어 출판사라는 간판이 내 시선에 들어왔다. 나는 출판사 건물에서 나오는 노란 불빛을 봤다. 나는 쾌활한 노란 불빛을 봤다. 이곳은 내가 갈망하는 종착지였다. 나는 기쁜 마음으로 출판사 건물을 바라봤다. 그리고 나는 감사한 마음을 안고 이 건물 안으로 들어갔다.

타닥타닥. 출판사 안의 키보드가 요란하게 움직였다. 출판사의 직원들은 키보드를 통해 그들의 열정을 과시했다. 그들은 내가 침입한 줄도 모르고 컴퓨터에 집중했다. 나는 엄숙한 분위기에 압도당했다. 나는 아무 말도 하지 못했다. 나는 그저 출판사의 모퉁이에 붙은 여러 시를 바라봤다. 이 시들은 출판사 편집장님의 손에서 탄생했을 것이다. 나는 메디가 한 말을 아직도 기억했다. 분명 메디는 출판사 편집장님의 시 솜씨가 뛰어나다고 말했다. 그리고 내가 읽는 모든 시는 하나 같이 훌륭했다. 시의 내용은 다채로웠고 진심이 묻어났다. 이곳의 시들은 한 마디로 예술 그 자체였다. 나는 아름다운 시에 몰두한 채 출판사의 한 모퉁이를 계속 거닐었다. 그러다 나는 한 곳에서 발걸음을 멈췄다. 나는 출판사의 벽 한가운데에서 멍하니 섰다. 내 시선과 발걸음을 고정시킨 것은 다름 아닌 그림 한 점이었다. 벽 가운데에 자리 잡은 거대한 그림. 나는 그 그림의 매혹감과 웅장한 크기에 압도되었다. 나는 그저 이 그림 앞에 작은 티끌처럼 섰을 뿐이었다.

나는 이 매력적인 그림을 천천히 두 눈으로 담았다. 한 사내가 이 그림 속에 있었다. 그 사내는 한 출입구를 빠져나온 듯했다. 그는 출입구에서 빠져나와 어두운 거리를 거닐었다. 나는 그 거리에 담긴 칠흑 같은 어둠을 느꼈다. 석탄만큼 진한 검은색 페인트가 이 그림에 휘갈겨졌기 때문이다. 나는 그 사내가 부닥쳤을 어둠의 농도를 짐작했다. 그의 두 손은 바빠 보였다. 그는 한 손으로 삽과 볼트 등을 쥐었다. 그는 다른 손으로 이마를 닦았다. 땀이 그의 얼굴에 흥건했다. 나는 칠흑 같은 어둠 속에서도 그가 흘리는 땀을 볼 수 있었다. 그는 땀과 피로와 어둠을 상대했다. 그래도 희망이 그에게 있는 듯했다. 그는 옅은 미소를 띠며 당당하게 앞을 향해 걸었다. 그리고 은은한 불빛이 그의 앞에서 매혹적인 자태를 드러냈다. 나는 그림 속 아름다운 불빛을 계속 응시했다. 튼튼한 나무 밑동이 불빛 아래로 모습을 드러냈다. 그 나무 밑동의 윗면은 은은한 불빛만큼 부드럽고 편안해 보였다. 그리고 하얀색 페인트가 그 나무 밑동 옆에 있었다. 페인트의 하얀 빛은 수수한 하얀 불빛만큼 밝았다. 그리고 그 페인트 너머로 한 건물 형체가 보였다. 그림 속 그 건물은 완성되지 않은 듯했다. 그림 속 목제 건물의 지붕이 뻥 뚫렸기 때문이다. 그 밖에도 그 목제 건물은 모든 것이 조금 앙상했다. 한편 나는 그 목제 건물이 친숙했다. 그림 속 하얀색 페인트와 이 그림이 위치한 하얀색 건물. 분명했다. 그림 속 그 앙상한 목제 건물은 바로 이 출판사 건물이었다. 분명 출판사 편집장님은 이 건물의 역사를 그림을 통해 기록했을 것이다. 출판사 편집장님은 이 건물의 역사를 극적으로 표현하고 싶었을 것이다. 그랬기에 출판사 편집장님은 이 그림을 출판사 건물 벽 한가운데에 뒀을 것이다.

극적인 그림을 보자 나는 극적인 상상을 떠올렸다. 출판사 벽

한가운데의 이 그림은 한 편의 연극 무대 같았다. 그림 속 반듯한 나무 밑동은 하나의 스테이지 같았다. 나무 밑동 위의 불빛은 스테이지를 비추는 조명 같았다. 그리고 연극 무대를 향해 한 사내가 걸어왔다. 그는 당당한 표정을 지으며 무대에 올라가기를 고대했다. 그가 쥔 삽과 볼트는 연극의 소품 같았다. 삽과 볼트는 심성이 올곧고 굳센 듯한 그에게 잘 어울렸다. 그런 상상을 하는 순간 나는 더 이상 그의 땀이 고통스러워 보이지 않았다. 땀은 그의 주체성과 열정을 충실히 드러냈다. 그리고 나는 더 이상 그의 뒤편에 있는 어둠이 불길해 보이지 않았다. 어둠은 그를 깊고 포근하게 안는 듯했다. 그가 밝은 무대로 도약하기 전, 어둠은 그에게 따스하게 조언하는 듯했다. 그는 어둠 속에서 성장했다. 그는 연극 무대 뒤에 있는 배우처럼 도약을 위해 준비했다. 나는 이런저런 극적인 상상을 하며 이 그림을 넋 놓고 바라봤다.

"누구시죠?"

이 말과 함께 나는 더 이상 그림에 몰입하지 않았다. 나는 출판사 직원을 향해 고개를 돌렸다. 출판사 안 노란 불빛은 내 노란 명함을 비췄다. 출판사 직원은 자연스럽게 명함을 바라봤다. 페니 나르시스라는 글자가 이 공간을 비췄다. 이제서야 출판사 직원은 밝은 미소를 보였다. 출판사 직원도 메디처럼 나를 알았다. 다행히 출판사의 모든 직원은 나를 소중히 생각했다. 나는 화기애애한 분위기 속에 방문목적을 밝혔다. 내 방문목적은 명확하고 간단했다. 출판사 편집장님께 감사의 말씀을 전하는 것. 그

것이 전부였다. 다만 그 목적은 이뤄지지 못했다. 나는 출판사 편집장님이 여러 일을 한다는 것을 기억해야 했다. 출판사 직원들은 편집장님이 요즘 엄청 바쁘다고 말했다. 직원들은 편집장님이 내 집을 위한 물건들을 찾는다고 얘기했다. 과자와 같은 사소한 간식부터 각종 옷과 옷장까지. 직원들은 편집장님이 찾는 대부분 품목을 얘기했다. 그뿐만 아니라 편집장님은 출판사를 위해서도 일해야 했다. 편집장님은 지금 많은 작품을 편집해야 했고 앞으로도 그래야 한다. 이 상황에서 나는 편집장님을 만날 수 없었다. 나는 어쩔 수 없이 발걸음을 돌려야 했다. 나는 애써 안타까움 마음을 숨기고 직원들에게 미소를 보냈다. 나는 다시 출판사 한가운데 있는 그림을 봤다. 나는 그림 속 당당한 그 사내를 다시 봤다. 그 사내는 여전히 밝게 빛났다. 비록 출판사 편집장님을 만나지 못했지만 나는 슬프지 않았다. 나는 왠지 모르게 기쁘고 당당했다. 나는 저 사내만큼 이곳에서 당당하게 지낼 자신이 있었다. 그렇게 나는 천천히 심연의 세계에 적응해 갔다.

　나는 기쁜 마음으로 출판사 건물에서 나왔다. 나는 홀가분한 마음으로 내 집을 향해 발걸음을 옮겼다. 얼마 지나지 않아 나는 발걸음을 멈췄다. 내 시선을 사로잡은 것은 다름 아닌 칙칙한 검은색 건물이었다. 나는 밝은 출판사 건물과 상반된 그 건물의 오묘함에 이끌렸다. 이곳은 아무도 없는 듯 모든 불이 꺼졌다. 검은색 건물 외벽이 칙칙한 분위기를 더 도드라지게 만들었다. 나는 깜깜한 건물 내부를 볼 수 없었다. 오직 신문사라는 까만 글씨가 눈에 들어올 뿐이었다. 까만 글씨로 써진 신문사 간판. 그랬다. 분명 이곳은 한 신문사의 건물이었다. 물론 이 신문사 건물은 일반적이지 않았다. 나는 그 간판에 써진 정보 줌인이라는 글자에 분노했다. 그랬다. 이 신문사는 신문이 아닌 저질스러운 민담을 만드는 곳이었다. 나는 주먹을 꽉 쥐며 신문사 중앙에 있는 현관문으로 시선을 돌렸다. 현장취재 중. 다섯 글자가 적힌 종이만 현관문에 나부꼈다. 내가 현실 세계에 사는 김민혁이라면 나는 어떻게 했을까? 분명 나는 신발을 질질 끌며 가던 길을 갔을 것이다. 하지만 지금의 나, 페니 나르시스는 이곳에 굳건히 섰다. 나는 그 기자를 만나 한소리를 하고 싶었다. 나는 그 기자에게 내 모든 분노를 표출하고 싶었다.

하지만 문제의 그 사람은 오지 않았다. 나는 이미 오래전부터 바닥에 주저앉았다. 너무 오랜 시간이 흐른 나머지, 내 두 다리는 시간의 무게를 견디지 못했다. 그런데도 나는 후들거리는 다리를 붙잡고 바닥에 앉아 끝까지 그 사람을 기다렸다. 하지만 모든 것이 헛수고였다. 나는 피로했고 다시 배가 고팠다. 나는 내 고집을 꺾어야 했다. 나는 아사하고 싶지 않았다. 따라서 나는 예전의 나처럼 터벅터벅 발걸음을 돌렸다. 그런데 이 발걸음은 예전의 발걸음과 조금 달랐다. 나는 이 발걸음 속에 의지를 담았다. 출판사에 방문한 이후로 나는 그곳에 있던 그림을 계속 생각했다. 나는 어둠을 뚫고 무대를 향해 전진하는 그 사내를 기억했다. 어쩌면 나도 그 사내처럼 할 수 있을지도 모른다. 나도 그 사내처럼 주체적으로 역경을 뚫을지도 모른다. 나도 그 사내처럼 어둠 속에서 도약을 준비할지도 모른다. 그렇게 나는 당당한 표정을 지으며 나 자신을 믿었다.

나는 다시 집으로 복귀했다. 나는 하얀 침대와 나무 탁자가 있는 이곳으로 복귀했다. 나는 친숙한 방으로 돌아왔다. 그런데 나는 왠지 모르게 이곳이 낯설었다. 우선 여러 간식이 이곳에 나타났다. 방금 구운 빵이 이곳에 차려졌다. 그리고 깨끗한 턴테이블이 이곳에 자리 잡았다. 내가 원하던 모든 것이 이곳에 있었다. 내가 이곳에 점점 익숙해질수록 내 방안은 점점 다채로워졌다. 내 방 안 다채로운 물건들은 성숙해지는 나에 대한 보상 같았다. 나는 분명 이곳에서 조금씩 성장했다. 나는 그 그림 속의 사내처럼 되어 갔다. 나는 그 사내처럼 당당했고 행복했다. 그리고 나는 앞으로도 그림 속 그 사내처럼 살아가리라 확신했다. 그리고 나는 그 성장의 끝에서 내 형을 반드시 구출할 것이다. 나는 기쁜 마음을 담아 내가 산 음반을 손에 꽉 쥐었다. 나는 조심스럽게 음반을 턴테이블에 넣었다. 턴테이블은 말끔한 모습만큼이나 잘 작동되었다. 턴테이블은 천천히 돌아가며 기분 좋은 멜로디를 끄집어냈다. 나는 그 멜로디 속에서 다사다난한 오늘 하루를 떠올렸다. 정말 오늘 하루는 복잡했다. 낯섦, 반가움, 즐거움, 당혹스러움, 아쉬움, 분노. 모든 감정이 오늘 하루를 가득 채웠다. 나는 복잡한 감정을 정리하는 데 애를 먹었다. 이제 나는 그것을 해소해야 했다. 나는 감정 교통정리를 위해 추억이 가득 찬 멜로디에 집중했다. 턴테이블에는 수수한 과거와 추억이 울려 퍼졌다. 나는 행복한 과거를 힘차게 불렀다. 나는 오늘의 걱정을 털어버리기 위해 노래를 불렀다. 나는 요즘 그래오던 것처럼 오늘의 감정을 하얀 노트에 담았다. 나는 진심을 담아 노래 부르며 연필을 꾹꾹 눌러썼다. 그렇게 나는 밝은 미소로 오늘 하루를 매듭지으려 했다.

똑똑. 그때 인기척이 내 집 뒤편에서 들렸다.

3장: 도전을 위한 과정

나는 노크 소리에 조심스럽게 문을 열었다. 한 사람의 선명한 팔뚝이 문 뒤편에 보였다. 나는 그 팔뚝에서 선명한 글자를 봤다. 메디라는 글자가 선명히 보였다. 나는 메디를 향해 복잡한 미소를 지었다. 반가움과 당혹스러움이 내 미소에 담겼다. 왜 메디가 여기에 있는 것일까? 그리고 메디는 왜 늦은 시간에 이곳에 왔을까? 나는 메디가 내 앞에 있는 것이 의아했다. 메디는 최대한 자연스러운 표정을 하며 내 앞에 있었다. 나는 메디의 자연스러운 표정에 대응하며 당혹감을 감췄다. 나는 메디를 향해 옅은 미소를 지었다. 메디는 모락모락 김이 피어나는 빵을 들었다. 메디는 빵에서 피어나는 김 사이로 나를 바라봤다. 나는 아름답게 부푼 빵을 하나씩 살폈다. 내가 좋은 반응을 보이자 메디는 방 바구니를 나에게 건넸다. 가까이 보니 그 빵이 꽤 먹음직 스러웠다. 나는 옅은 미소를 지으며 빵 바구니를 받았다. 메디는 조심스럽게 한 걸음씩 뒤로 물러났다. 그러나 메디의 입은 조금 씩 앞을 향해 움직였다. 그 순간 메디의 자연스러운 표정은 사라 졌다. 메디는 할 말을 망설였다. 분명 메디는 하고 싶은 말이 있 는 듯했다.

"일부로 들으려던 건 아니었어요. 그런데 노래가 좋던데요."

메디는 내 노래에 대한 평을 남겼다. 메디는 암묵적으로 보컬 활동을 다시 나에게 권유했다. 메디는 여전히 나를 원했다. 무언 의 압박을 남긴 뒤 메디는 뒤돌아서서 벌걸음을 옮겼다. 어떤 의 미에서 메디는 정말 끈질겼다. 물론 메디는 보컬과 관련된 말을 쉽게 꺼내지 못했다. 분명 친절한 메디는 지금 나와 수다 떨기를 주저했을 것이다. 시간은 늦었고, 메디는 내가 저질스러운 민담 에 분노했다는 것을 알았다. 그런데도 메디는 그녀의 감정과 열 정을 얘기했다. 메디는 내가 그녀의 밴드에 합류하기를 열렬하게 원했다. 메디는 나를 위해 삼고초려는 물론이고 사고초려 내지 오고초려도 할 것 같았다. 나는 메디의 집착 아닌 집착에 약간 싫증이 났다. 하지만 동시에 나는 특별함을 느꼈다. 이제 나는 더 이상 김민혁이 아니었다. 이제 나는 더 이상 평범한 사람이 아니었다. 나는 내 가슴팍에 박힌 황금색 명찰을 보며 자신감을 가졌다. 적어도 나 페니 나르시스는 메디에게 특별했다. 예전의 김민혁은 이런 감정을 느껴 본 적이 없었다. 나를 향한 메디의 집착 또는 정성은 나에게 특별했다. 메디가 나에게 준 먹음직스러운 빵은 이 새로운 감정을 극대화했다. 나는 가만히 문 뒤편에 섰지만, 내 입술은 계속 앞으로 쭈뼛쭈뼛 나아갔다.

"메디 씨, 잠깐만요."

내 목소리에 메디는 고개를 돌렸다. 나는 메디의 얼굴을 살핀 뒤 내 방안을 살짝 훑었다. 턴테이블은 여전히 돌아갔다. 아름다운 멜로디가 턴테이블을 따라 맴돌았다. 그 멜로디는 돌고 돌아 내 귓가에 들어갔다. 그 멜로디는 돌고 돌아 내 마음속으로 들어갔다. 그 멜로디는 곧 내가 되었다. 생각해보면 이 모든 일은 음악으로부터 시작되었다. 분명했다. 내가 미치광이 출판사 편집장을 피하겠다는 결심을 한 곳. 바로 음악 스튜디오였다. 나는 턴테이블 속 멜로디를 들으며 그 중요한 장소를 떠올렸다. 그리고 나는 이 멜로디에 담긴 내 초심을 바라봤다. 나는 피아노 의자에 앉아 형과 나눈 그 대화를 기억했다. 그 피아노 의자, 성준의 집에 있는 흑백 음반, 그리고 지금 턴테이블을 유영하는 음반까지. 나는 인생에서 울려 퍼진 중요한 음악을 기억했다. 나는 짧은 시간 동안 한 가지 사실을 깨우쳤다. 어쩌면 음악은 페니의 새로운 운명일지도 모른다. 김민혁이라는 남자는 어떠한 운명도 짊어지지 못했다. 그는 삶의 의미를 모른 채 무기력 속에 살아갔다. 하지만 페니는 음악의 운명을 타고났다. 지금까지의 삶을 비추어봤을 때, 페니는 음악과 함께 태어났기 때문이다. 분명 음악은 나를 페니 나르시스로 만드는 데 크게 기여했다.

"메디 씨가 하는 밴드 한번 보고 싶어요. 가능할까요?"

메디는 내 제안에 잠깐의 정적을 보였다. 메디는 내 답변을 예상하지 못한 것 같았다. 잠시 후 그녀는 커다란 미소를 지었다. 그 순간 메디는 이 세상에서 가장 행복한 여자가 된 듯했다. 메디는 나에게 악수를 건넸다. 메디는 그녀의 밴드에 나를 받아들였다. 나는 메디와 함께 음악 여정을 시작했다. 나는 우리에게 특별한 장소에 도착했다. 오래된 간판은 여전히 나를 반갑게 맞이했다. 메디의 상점은 친숙하고 낯설었다. 메디의 상점은 여전히 많은 음반이 있었다. 나는 추억이 묻은 음반을 친숙하게 바라봤다. 그런데 지금 메디가 나에게 보여주는 것은 음반이 아니었다. 메디는 나를 상점의 뒷문으로 데려갔다. 그랬다. 숨겨진 뒷문이 이곳에 있었다. 나는 낯선 뒷문에 시선을 고정하며 발걸음을 멈췄다. 뮤직클럽이라는 글자가 뒷문 중앙에 새겨졌다. 흰 뒷문에 적힌 네 개의 까만 글자가 내 시선을 사로잡았다. 메디는 당당하게 뮤직클럽의 세계로 나아갔다. 나는 문 너머로 잘 정돈된 계단을 봤다. 나는 메디와 함께 반듯한 계단에 조심스럽게 발을 내딛었다. 잠시 후 거대한 지하실이 나를 반겼다.

뮤직클럽의 세계가 펼쳐졌다. 무수히 많은 악기가 나를 반겼다. 우선 피아노가 지하실 한가운데에 있었다. 나는 피아노 의자에서 변화를 다짐했던 그때를 떠올렸다. 그리고 나는 그 다짐의 결실로 등장한 페니 나르시스라는 영혼을 느꼈다. 한 마디로 지금 나는 이 피아노로 페니의 시초를 느꼈다. 통기타도 이곳에 있었다. 나는 이 통기타에서 따스함과 강인함을 봤다. 통기타의 부드러운 갈색은 내 눈에 따스함을 선사했다. 나는 통기타의 단단한 현에서 강인함을 엿봤다. 드럼도 이곳에 있었다. 나는 이 드럼에서 자유분방함을 봤다. 나는 이 드럼과 드럼 스틱이 선사할 다양한 음악적 방향을 상상했다. 나는 드럼에서 자유의 기운을 느꼈다. 이 외에도 여러 악기가 이곳에 있었다. 캐스터네츠, 트라이앵글, 마라카스까지. 나는 그 악기들의 숨겨진 힘을 느꼈다. 일반인은 대체로 이 악기들에 관심을 가지지 않는 법이다. 그럼에도 불구하고 이 악기들은 그들만의 소리를 꿋꿋이 보여줬다. 이 이가기들은 묵묵히 다른 악기를 보조해왔다. 이 악기들은 드라마의 명품 조연 같았다. 나는 무수히 많은 악기에서 다채로움의 가치를 인정했다.

이곳에는 나와 메디 이외의 두 사람이 있었다. 밴드의 멤버로 보이는 남녀가 내 눈앞에 있었다. 우선 몸매가 다부진 한 남자가 있었다. 그 남자는 군인처럼 머리를 빡빡 깎았다. 하지만 그의 첫인상은 일반적인 군인과 달랐다. 나는 그의 짧은 머리 사이로 강렬한 이마를 봤다. 그리고 이마보다 더 강렬한 그의 눈빛이 존재감을 드러냈다. 나는 그의 살짝 올라간 눈꼬리에서 맹수 같은 강렬함을 느꼈다. 또 그가 입은 붉은 티셔츠는 그의 강렬함을 더 극대화했다. 그는 한 마리의 맹수처럼 야만적이었다. 그의 붉은 티셔츠 위에는 욕설이 담긴 검은 글자가 새겨졌다. 그는 반항적인 로커 같았다. 그는 로커처럼 딱 붙는 검은 바지를 입었다.

한편 무표정의 한 여자도 이곳에 있었다. 그녀는 만사가 귀찮은 회사원처럼 무표정을 유지했다. 그래도 그녀는 그녀의 감정을 적나라하게 드러냈다. 나는 그 무표정 속에서 긴장감을 읽었다. 그리고 나는 어깨까지 내려오는 그녀의 긴 머리카락을 봤다. 그녀는 그 긴 머리카락으로 그녀의 이마 전부를 가렸다. 나는 그녀의 이마를 덮은 머리카락에서 신비로움을 느꼈다. 또 그녀가 입은 보라색 티는 그녀의 신비로움을 더 극대화했다. 그녀는 보라색 밤하늘을 이리저리 떠돌아다니는 이름 없는 별 같았다. 그녀는 어두운 지하실에 숨어 그녀의 매력을 조금씩 드러냈다.

"페니 씨, 이쪽은 베드로예요. 우리 밴드에서 드럼을 담당하고 있죠."

메디의 소개가 끝나자 반항기 가득한 베드로는 나를 바라봤다. 그리고 베드로는 붉은색 상의를 시원하게 벗었다. 나는 갑작스러운 베드로의 상의 탈의에 조금 뒤로 물러섰다. 나는 베드로의 상체를 바라보며 한 가지 사실을 알았다. 베드로의 몸은 하나의 팔레트였다. 베드로의 몸매가 아름답다는 것은 아니었다. 그보다 여러 문신이 베드로의 몸에 있었다. 이 문신들은 팔레트를 가득 채운 물감 같았다. 나는 베드로의 구릿빛 속살을 가리는 까만 문신을 바라봤다. 너무 많은 문신이 내 시선에 들어왔다. 나는 이로 인해 혼란스러웠다. 베드로는 혼란스러운 나를 향해 가까이 다가왔다. 나는 정신을 차리고 베드로의 얼굴과 그의 문신을 번갈아 바라봤다. 베드로가 나에게 악수를 청할 때, 나는 그의 가슴 정중앙에 새겨진 문신을 읽었다. 베드로. 나는 그의 문신에서 강렬한 그 이름을 기억했다. 베드로는 내 가슴팍에 있는 황금색 명찰을 바라봤다. 베드로는 페니라는 말을 웅얼거렸다. 나는 베드로의 부담스러운 접근에 본능적으로 뒷걸음질 쳤다. 베드로는 그런 내 모습을 재밌다는 듯이 살짝 웃으며 나에게 악수를 청했다. 베드로는 내 손을 꽉 잡으며 그의 힘을 과시했다. 나는 베드로에게 야성미를 느꼈다. 나는 압도적인 분위기를 느꼈다. 이때 베드로가 나에게 조금 더 가까이 다가왔다.

"페니, 담배 피워요? 술은 좀 마시나요?"

나는 이상한 질문에 당황했다. 그리고 베드로는 나에게 너무 가까이 다가왔다. 베드로는 상체를 깨끗이 벗은 채 나에게 돌진했다. 나는 그 밀착된 거리에 더 당황했다. 나는 베드로에 입에서 뿜어져 나오는 입김을 느꼈다. 이 입김은 뿌얀 담배 연기 같았다. 나는 베드로의 몸 전체에서 뿜어져 나오는 충동성을 느꼈다. 베드로는 알코올 중독자 같았다. 나는 당혹스러운 질문에 고개를 재빨리 흔들었다. 나는 이상한 사람을 보듯이 당혹스럽게 베드로를 쳐다봤다. 베드로는 내 재빠른 고갯짓과 당혹감이 묻은 눈빛에 천천히 뒤로 물러났다. 직진남의 대명사 베드로는 나에게 흥미를 잃은 듯했다.

"이 새끼 그냥 루저네."

베드로는 허공에 가운뎃손가락을 치켜들었다. 그리고 베드로는 분노를 담아 바깥으로 발걸음을 옮겼다. 그렇게 베드로는 지하실을 떠났다. 한 마디로 베드로는 반전 그 자체였다. 그는 정말 베드로가 맞는가? 그는 정말 성경 속 인물 베드로다운 행동을 하는가? 그는 신성한 사람인가? 내 생각에 이 베드로는 전혀 신성하지 않았다. 그보다는 그는 브레이크가 고장 난 자동차 같았다. 우선 그는 갑자기 웃옷을 벗을 정도로 충동성에 찌들었다. 그리고 그는 술과 담배와 같은 쾌락만 생각했다. 그는 신성한 이름

속에 타락을 숨겼다. 그는 종교라는 신성한 가면을 쓴 채 타락 행위를 벌이는 사이비 신도 같았다. 나는 종잡을 수 없는 그의 태도에 어이없었고 당혹스러웠다.

그런 나보다 더 당혹감을 느낀 사람이 있었다. 바로 보라색 티셔츠를 입은 신비로운 그 여자였다. 그녀는 예측할 수 없는 베드로의 분노에 몸을 떨었다. 마침 그녀는 손으로 마라카스를 쥐었다. 그 때문인지 그녀는 마라카스 안에 있는 알갱이처럼 이리저리 몸을 떠는 것처럼 보였다. 메디는 그녀를 진정시키기 위해 최선을 다했다. 메디는 그녀의 등을 부드럽게 토닥였다. 하지만 이 노력은 소용없었다. 그녀는 긴 머리카락 속으로 눈물을 훔치며 울먹거렸다. 곧이어 그녀는 울음을 터뜨리며 바깥으로 도망쳤다.

"오로라 씨! 아이고."

메디는 오로라로 불리는 것 같은 그녀를 애타게 쫓았다. 하지만 메디는 한탄만을 내뱉을 뿐이었다. 나는 지금 아무것도 할 수 없었다. 나는 그저 메디의 멍한 눈빛을 바라보고 허공을 응시할 뿐이었다. 그렇게 나는 밴드 활동에 대한 매듭을 짓지 못하고 다시 밖으로 나왔다. 나는 이 밴드의 실체를 깨닫고 충격 받았다. 이 밴드에서 정상인은 메디밖에 없었다. 한 명은 너무 야생마 같았고 다른 한 명은 등딱지 속에 숨은 거북이 같았다. 오직 메디만 주체적으로 밴드를 운영했다. 오직 메디만 밴드를 운영할 자질을 갖췄다. 사실상, 이 밴드는 메디가 혼자 짊어진 짐이었다. 그랬기에 메디는 나를 원했을지도 모른다. 나는 정상인이며 음악에 관심이 많았다. 고독한 싸움을 하던 메디가 나를 원하는 건 당연했다. 나는 바깥으로 나가기 전 메디에게 역제안을 했다. 나와 메디 둘만을 위한 밴드를 만드는 것. 이 제안은 합리적이었다. 나는 노래를 부를 수 있었고 피아노를 그럭저럭 쳤다. 메디는 폼나게 통기타를 잡고 통기타의 현들을 자유자재로 다룰 수 있었다. 이 제안은 우리 둘에게 유일한 해결책이었다.

하지만 메디는 어떠한 배제도 원치 않았다. 당연히 메디는 베드로의 충동성을 인지했다. 하지만 메디는 베드로의 드럼 실력을 높이 평가했다. 메디는 베드로가 가진 폭발력을 포기하고 싶지 않았다. 당연히 메디는 오로라의 거대한 불안을 인지했다. 하지만 메디는 음악 활동을 통해 오로라의 행복을 키우고 싶어 했다. 메디는 부적응자 오로라를 이곳에 정착시키고 싶어 했다. 메디는 포용적 태도로 인해 그녀의 동료를 배제하지 못했다. 결국, 메디는 내 제안을 거절했다. 그렇다면 나도 밴드 가입을 거절할 수밖에 없었다. 물론 나는 메디에게 대놓고 거절하지 않았다. 나는 직설적인 말로 메디에게 상처를 주고 싶지 않았다. 메디를 피하는 것. 나는 이런 식으로 문제를 해결하고자 했다. 나는 밴드에 대해 적극적으로 검토하겠다고 메디에게 말했다. 하지만 실질적으로 나는 밴드 활동을 검토하지 않았다. 겉과 속이 다른 정치인처럼 나는 날카로운 진실을 던지지 않았다. 나는 그저 메디를 피할 뿐이었다.

그 외에 모든 것이 예전과 같았다. 나는 내 방에 돌아와 이곳에서 생활했다. 이곳은 점점 더 많은 물건으로 채워졌고 나는 다채로워진 방에 절로 미소가 났다. 나는 이 방을 가득 채운 것들로 먹고, 활동하고, 마시고, 적었다. 내 활동은 점점 더 단조로워졌다. 오직 가끔 들리는 노크 소리가 그 단조로움을 일시적으로 깼다. 물론 그 노크 소리의 주인은 메디였다. 나는 메디의 방문마다 억지로 미소를 짓고 천천히 그녀를 돌려보냈다. 메디는 이에 아랑곳하지 않고 이따금 내 집 문을 두드렸다. 그때마다 메디는 내 건강과 안위를 살폈다. 물론 나는 그 속에 숨겨진 메디의 의도를 인지했다. 메디는 여전히 나를 원했다. 하지만 나는 여전히 밴드 활동을 원치 않았다. 그래서 나는 메디를 돌려보내며 새로운 도전을 간접적으로 거부했다. 그 덕에 나는 편안했다. 새로운 도전은 항상 긴장감을 불러오는 법이다. 즉, 새로운 도전을 선택하지 않은 나는 편히 지낼 수 있었다. 하지만 도전을 회피한 삶은 너무 단조로웠다. 그리고 나는 그 단조로움 속에서 공허감을 느꼈다. 그 공허는 내 걸림돌이 되었다. 초반에 나는 흰 노트에 진실한 이야기를 쓰곤 했다. 내 마음속에서 우러난 진심으로 말이다. 하지만 시간이 갈수록 하얀 배경만 이 노트에 남을 뿐이었다. 내 커다란 공허감만큼 노트 속 하얀 배경이 켜졌다. 나는 하얀 빈칸 속에서 기분 나쁜 따분함을 느꼈다.

그러던 어느 날 나는 큰 결심을 했다. 나는 공허감을 떨치기 위해 무언가를 하려 했다. 나는 심연의 세계에 와서 항상 이 말을 가슴 깊이 새겨왔다. 나는 김민혁이 아니라 페니 나르시스다. 공허감은 페니 나르시스에게 어울리지 않았다. 내가 페니 나르시스임을 상기하고 나는 탁자 위의 노트를 들었다. 나는 하얀 노트와 함께 밖으로 나갔다. 나는 출판사로 향했다. 나는 처음 이 출판사를 방문했던 날을 생생히 기억했다. 나는 이곳에 묻은 따스한 감정을 좋아했다. 그래서 나는 출판사에서 일하고 싶었다. 또 내 글쓰기 실력을 증명할 노트도 내 손에 있었다. 이 노트라면 모든 게 충분할 것 같았다. 출판사 직원이 내 노트를 본다면, 그들이 조그마한 자리라도 나에게 주지 않을까? 나는 이런저런 희망을 품었다. 만약 내가 그 출판사에서 일하게 된다면, 나는 삶의 단조로움을 지울지도 몰랐다. 나는 이를 통해 공허한 일상을 고 다채로운 세계로 나아가고 싶었다. 그렇게 형 구출 작전은 희망찬 신호와 함께 다시 출발하겠지!

하지만 희망찬 생각은 순식간에 사라졌다. 나는 본능적으로 내 몸을 가로등 뒤로 숨겼다. 여러 사람이 이 거리에 있었다. 그 인파 중에 메디가 있었다. 나는 메디를 피해야 했다. 나는 메디와 어색했기 때문이다. 그 밴드의 실체를 안 이후로 나는 메디와 자연스러운 관계를 맺지 못했다. 메디는 방금 헤어진 전 여자친구 같은 존재였다. 메디가 이곳에 있는 이상 나는 몸을 숨겨야 했다. 사소한 위험이 심연의 세계 곳곳에 도사렸다. 나는 내 신세를 한탄하며 메디가 시선에서 사라지기를 기다렸다. 그리고 나는 조심스럽게 발걸음을 옮겼다. 나는 다시 집으로 돌아왔다. 나는 출판사에 한 발자국도 못 들였다. 나는 다시 후퇴했다. 나는 놀란 마음을 가라앉히고 여러 방법을 생각했다. 나는 방을 둘러보며 메디를 피할 방법을 고뇌했다. 그때 내 시야에 보라색 티셔츠가 들어왔다. 그 티셔츠는 어제 갓 들어온 신상이었다. 나는 신비로운 보랏빛 티셔츠에 오로라를 떠올렸다. 나는 보라색 티셔츠를 입은 신비로운 그녀를 떠올렸다. 곧이어 나는 본능적으로 어떤 작업을 시작했다. 나는 최근에 받은 커터 칼로 그 티셔츠를 조각조각 잘랐다. 이 보라색 조각은 복면을 만들기에 충분했다. 나는 커터 칼로 그 티셔츠 조각에 세 개의 구멍을 뚫었다. 그렇게 나는 눈구멍과 입구멍이 있는 허술한 보라색 복면을 만들었다. 나는 보라색 티셔츠를 입은 오로라처럼 보라색 복면을 썼다. 나는 방 안 거울에 있는 내 모습을 보고 미소를 지었다. 정말 감쪽같았다. 긴 머리카락으로 그녀의 얼굴을 가린 오로라처럼, 나는 복면으로 내 얼굴을 가렸다. 나는 복면을 통해 새롭게 변신했다. 나는 부디 메디가 나를 못 알아보길 기도했다. 혹시 메디가 나를 알아봐도 큰 상관은 없었다. 나는 빠른 발을 활용해 위험으로부터 도망칠 수 있었다. 보라색 티셔츠를 입은 채 달렸던 오로라처럼, 나는 보라색 복면을 쓰고 달리면 되었다. 나는 다시 내 노트를 꽉 잡았다. 나는 복면 아이디어를 떠올리게 해준 오로라에게 고마움을 느끼며 길을 나섰다.

밖에 나가자마자 저 멀리서 메디가 걸어왔다. 다행히 메디는 나를 알아보지 못했다. 나는 침을 꿀꺽 삼키고 조심스럽게 메디를 향해 걸었다. 복면의 효과는 좋았다. 메디는 그저 보라색 복면을 신기한 눈빛으로 쳐다볼 뿐이었다. 나는 거대한 위험을 넘어 목적지를 향해 걸었다. 출판사 안에 들어서자 나는 보라색 복면을 벗었다. 나는 새로운 일자리를 기대하며 출판사 직원을 향해 다가갔다. 다행히 출판사 직원은 나를 환대했다. 여전히 그들은 나를 소중히 대했다. 나는 긍정적인 분위기 속에서 용건을 밝했다. 나는 당당하게 이곳에서 일하고 싶은 욕구를 드러냈다. 곧바로 나는 내 진솔한 감정이 담긴 노트를 직원에게 공유했다. 모든 것이 알맞은 톱니바퀴처럼 잘 돌아갔다. 하지만 나는 한 가지 사실을 간과했다. 이미 충분한 직원이 출판사에 있었다. 빈자리는 출판사에 하나도 없었다. 나는 여전히 빈손으로 이곳을 떠나야 했다. 나는 허탈하고 쓸쓸한 뒷모습을 보이며 이곳을 벗어났다.

항상 이런 식이었다. 나는 보라색 복면을 쓰고 밖을 나섰다. 나는 복면을 쓴 채로 새로운 도전 거리를 찾아 나섰다. 하지만 나는 뜻깊은 일을 하지 못했다. 나는 그저 공허한 뒷모습을 보이며 방으로 돌아갈 뿐이었다. 나는 복면을 통해 메디를 피한 것을 위안으로 삼았다. 하지만 나는 공허했고, 우울했다. 나는 더 이상 행복하지 않았다. 하루하루가 불행했다. 그날도 나는 구직활동에 실패하고 보라색 복면을 쓴 채 집으로 향했다. 그날 한 통의 편지와 CD가 집 문 앞에 있었다. 나는 출판사 편집장이 나에게 물건을 보냈다고 생각했다. 이것은 흔한 일이었다. 나는 그 물건을 대수롭지 않게 여겼다. 나는 초점을 잃은 눈동자와 함께 편지를 가볍게 뜯었다. 잠시 후 내 눈은 고양이만큼 동그래졌다.

페니 씨에게

페니 씨, 잘 지내세요? 저 메디예요. 그동안 제가 페니 씨에게 성가시게 굴었죠? 이해해요. 아무런 사전 통보도 없이 페니 씨

집 문을 두드렸으니까요. 그런데 이제는 상황이 바뀌었어요. 물론 전 페니 씨에게 확답을 듣진 못했지만, 적어도 한 가지는 확실히 알았죠. 페니 씨가 밴드 활동에 관심이 없다는 것을요. 몇 달간 제가 페니 씨를 방문했지만, 페니 씨는 답이 없었어요. 이 상황에서 저는 페니 씨가 우리 계획에 무관심하다고 결론 지을 수밖에 없었어요. 결국, 저는 리더로서 밴드를 다시 이끌기로 했답니다. 그 말은 즉, 페니 씨는 저의 간섭에서 자유로운 몸이 되었다는 거죠! 이게 서로를 위해 맞는 일 같아요. 대신 페니 씨, 저희 음악은 꼭 들어주셔야 해요! 비록 페니 씨가 밴드 활동을 못하더라도, 페니 씨가 음악광이라는 사실은 변치 않으니까요. 여기 제 자작곡이 있어요. 관심이 있으면 들어보세요! 그동안 고마웠어요! 공연장에서 봐요!

페니 씨의 미래를 기원하며 메디가

나는 편지를 침대 위에 올리고 메디가 준 CD를 집었다. 때마침 최근에 받은 CD 플레이어가 나에게 있었다. 노란 CD 플레이어는 턴테이블 옆에서 존재감을 과시했다. 나는 조심스럽게 메디의 창의성이 들어간 CD를 손으로 집었다. 그리고 나는 그것을 CD를 플레이어 안에 넣었다. 나는 명랑한 멜로디 속에서 강인함을 느꼈다. 나는 활기찬 멜로디 속에서 메디의 열정을 봤다. 내 귀는 자동으로 메디의 음악에 반응했다. 한편 내 두 눈은 비참하게 공허감을 감지했다. 너덜너덜한 보라색 복면과 침대 위에 올려진 메디의 편지가 힘없이 모습을 드러냈다. 나는 이에 극심한 혼란을 느꼈다.

나는 지금 무엇을 하고 있는가? 나는 계속 한탄했다. 분명 나는 이곳에서 페니 나르시스라는 인물로 새 출발을 했다. 페니는 잘못된 일에 화를 내기도 했다. 페니는 당당한 발걸음으로 인생을 개척하기도 했다. 페니는 한평생 공허 속에 살던 김민혁과 달랐다. 그러나 지금 페니는 김민혁과 같았다. 페니는 메디의 방문과 집착에 겁을 먹었다. 페니는 겁을 먹은 채 보라색 복면을 통해 자신을 숨겼다. 페니는 집에 틀어박혀 단조로운 생활을 살았다. 매사 수동적인 김민혁처럼 말이다. 나는 당당한 페니의 모습으로 돌아가고 싶었다. 이제 나는 메디의 집착이 성가시지 않았다. 메디의 집착은 내 새 출발을 위한 디딤판이 되어왔다. 메디는 집착이 아닌 진심을 나에게 전해왔다. 나는 이런 메디를 몰라봤다. 나는 내 과거의 행적을 후회했다. 나는 후회를 뒤로하고 메디를 다시 만나고 싶었다. 나는 다시 밴드에 들어가고 싶었다. 하지만 나는 내 눈앞에 편지를 보며 주저했다. 나는 편지에서 메디의 단호한 태도를 읽었다. 메디는 단호하게 그녀의 선택지에서 나를 지운 듯했다.

그리고 베드로와 오로라가 여전히 그 밴드에 있었다. 나는 여전히 베드로의 야성을 길들일 자신이 없었다. 과연 나는 베드로와 함께 음악을 만들 수 있을까? 과연 나는 베드로의 충동성을 통제할 수 있을까? 나는 베드로와 대화하고 싶지 않았다. 나는 그럴 자신이 없었다. 한편 잔잔한 강물처럼 조용한 오로라도 밴드에 있었다. 나는 오로라의 입을 열 자신이 없었다. 과연 나는 오로라와 함께 음악을 얘기할 수 있을까? 과연 나는 오로라와 웃고 떠들 수 있을까? 나는 오로라와 대화하고 싶었다. 하지만 나는 그녀의 입을 열 자신이 없었다. 1시간이 1분처럼 흘렀다. 나는 김민혁처럼 새로운 도전을 앞에 두고 주저했다. 나는 침대에 앉아 우물쭈물할 뿐이었다. 하지만 나는 가만히 있을 수 없었다. 나는 무엇이라도 결단을 내려야 했다. 나는 메디의 단호함이 확신으로 굳어지기 전에 결정을 내려야 했다. 나는 일상생활의 아늑함과 새로운 도전 중 한 가지를 버려야 했다. 나는 세세하게 모든 것을 검토할 시간이 없었다. 결국, 나는 본능을 믿어야 했다. 나는 본능을 흘러가는 대로 내버려 뒀다. 나는 두 눈을 질끈 감고 한숨을 깊게 내쉬었다. 잠시 후 나는 인생을 위한 결단을 내렸다.

4장: 우리를 위한 이름

나는 본능이 이끄는 대로 발걸음을 옮겼다. 여러 건물이 눈앞에 보였다. 하지만 오직 한 건물만이 내 머릿속을 사로잡았다. 나는 이 친숙한 상점을 향해 돌진했다. 아무도 이 상점 카운터 앞에 없었다. 그것은 중요하지 않았다. 중요한 것은 상점의 하얀 뒷문이었다. 하얀 뒷문은 닫혔다. 나는 본능적으로 문고리에 손을 가져다 댔다. 나는 손으로 문고리를 돌리며 문이 완전히 닫혔는지 확인했다. 다행히 문은 조심스럽게 열렸다. 나는 활짝 열린 문 너머로 계단을 바라봤다. 나는 활짝 열린 문처럼 내 기회도 활짝 열리기를 바랐다. 그렇게 나는 약간의 기대를 안고 밑을 향해 이동했다. 지하실은 여전히 그대로였다. 다양한 악기들이 이곳에서 존재감을 뽐냈다. 다양한 악기들이 아름다운 멜로디로 서로 소통했다. 그리고 세 사람이 이곳에 있었다. 세 사람은 여러 멜로디를 맞춰가며 희열을 느꼈다. 세 사람은 내 등장도 모른 채 악기만 바라봤다. 세 사람은 연주의 마지막 음이 울린 뒤에 주변을 바라봤다. 이제서야 세 사람은 내 모습을 뚫어져라 봤다.

"페니 씨? 여긴 무슨 일로 왔어요?"

어색한 침묵을 깬 장본인은 메디였다. 메디가 나에게 질문하자마자 나는 천천히 그녀에게 다가갔다. 그런 뒤 나는 메디에게 진심으로 사과했다. 나는 메디의 정성스러운 목소리를 몰라왔다. 나는 그 점을 사과했다. 그리고 나는 내 진심을 메디에게 전했다. 나는 메디의 밴드에 가입하기를 원했다. 나는 진정한 나 자신을 찾고 싶다고 말했다. 내 말이 끝나자 메디는 몇 초 동안 나를 지켜봤다. 단 몇 초가 한 시간 같았다. 이 짧은 침묵은 장례식장에서 울려 퍼지는 긴 애도의 침묵 같았다. 나는 지금 침묵에 대해 복잡하게 생각했다. 그러면서도 나는 내 흥미를 일찍부터 알아본 메디의 안목을 기대했다. 나는 메디가 내 잠재력을 여전히 주시한다고 봤다. 하지만 나는 동시에 불안했다. 메디가 나에게 보인 확신만큼 나도 메디를 확실하게 거절해왔다. 과연 메디는 여전히 나에게 마음을 열었을까?

"뭐해요? 빨리 앉아요."

메디는 키보드를 가리키며 나에게 말했다. 나는 감사의 마음을 담아 메디는 껴안았다. 그렇게 나는 밴드의 일원이 되었다. 나는 이곳에 정착하게 되었다. 우리는 몸풀기 겸, 새로운 멤버인 나를 환영할 겸, 다양한 곡을 연주했다. 우리는 익숙하고 강렬한

록을 연주했다. 세 사람은 강한 음악을 통해 나를 격하게 환영했다. 우리는 몽환적이고 느린 발라드를 연주했다. 세 사람은 황홀한 음색을 통해 꿈 같은 내 현실을 축하했다. 우리는 끈적끈적한 재즈풍의 블루스를 연주했다. 우리는 끈끈한 멜로디를 통해 앞으로 만들어갈 끈끈한 우정을 예고했다. 우리는 진심을 담아 성실히 연주했다. 모든 것이 다 평화로웠다. 모든 것이 다 좋았다. 내가 한 가지 질문을 하기 전까지는.

"모두 고마웠어요. 아, 혹시 밴드 이름이 뭐죠?"

내 질문에 메디는 약간 당황한 듯했다. 메디는 아직 밴드 이름을 정하지 못했다고 고백했다. 메디는 이 질문 속에서 새 계획을 수립했다. 오늘까지 밴드 이름을 정하는 것. 갑작스럽게 우리의 새 목표가 생겼다. 우리는 연주가 끝나고도 지하실에 있었다. 우리는 어두운 이곳에 앉아 밴드의 정체성에 대해 고민했다. 우리는 밴드의 정체성이 담긴 이름을 찾기 위해 노력했다. 하지만 이 작업은 쉽지 않았다. 밴드 이름은 곧 밴드의 정체성이고 우리의 독특한 결속의 상징이었다. 밴드 이름은 곧 밴드의 미래를 제시할지도 몰랐다. 이런 상황에서 밴드 이름 후보군을 마구 남발하면 안 되었다. 밴드 이름을 고르는 것은 그만큼 부담스러웠다. 그 부담의 짐을 깬 인물은 다름 아닌 베드로였다.

"뭘 그리 고민하고 있어요. 쉽잖아요. 섹스 앤 드러그로 하죠."

베드로는 섹스와 드러그라는 단어를 강조하며 말했다. 베드로를 제외한 우리는 그의 이상한 제안을 암묵적으로 거절했다. 우리는 베드로를 이상한 사람 보듯 뚫어져라 쳐다봤다. 베드로는 우리의 의아한 태도와 눈빛에 의아한 듯했다. 베드로는 어이가 없다는 듯이 허탈하게 웃었다. 베드로는 정말 그 두 단어의 위력을 높게 평가하는 듯했다. 베드로는 대다수 사람이 섹스와 드러그에 환장한다고 얘기했다. 심지어 베드로는 일부 종교인들도 두 단어 앞에서 신앙심을 버린다고 주장했다. 한 마디로 베드로는 논점을 흐리는 이야기를 계속했다. 섹스와 드러그는 우리 밴드와 관련이 없었다. 그리고 일부 종교인의 타락도 지금 이 상황에서 중요하지 않았다. 나는 멍한 표정으로 베드로의 설교를 대충 들었다.

"거기까지만 듣죠. 페니 씨와 오로라 씨는 다른 의견 있어요?"

밴드의 리더인 메디는 이상한 설교에 잘 대처했다. 메디는 리더답게 이상한 소리를 막고 화제를 돌렸다. 나는 메디의 훌륭한 리더십에 감탄했다. 베드로는 여전히 메디와 나를 이상하다는 듯이 바라봤다. 베드로는 마지막으로 한 사람에게 희망을 걸었다. 바로 아직 의견을 내지 않은 오로라였다. 오로라는 베드로가 보내는 부담스러운 눈빛에 조심스레 입을 뗐다. 오로라는 베드로의 의견에 대해 멋지다고 말했다. 물론 그 말은 사탕발림 소리에 불과했다. 오로라는 조심스럽게 나와 메디의 의견을 원했다. 오로라는 우리 모두가 동의하는 밴드 이름을 원했다. 그렇게 오로라는 베드로의 의견을 암묵적으로 거절했다.

베드로는 불편함을 드러내며 오로라를 향해 콧방귀를 꼈다.

베드로는 곧바로 그의 가슴팍을 손가락으로 가리켰다. 나는 베드로가 가리키는 곳이 어딘지 알았다. 분명 베드로는 그의 가슴팍에 적힌 베드로라는 이름을 가리켰다. 즉, 베드로는 그의 권위를 성스러운 이름으로 강조했다. 이 순간만큼 그는 초대 교황 베드로가 되려 했다. 베드로는 그의 가슴 속에 초대 교황의 영혼이 숨겨져 있다고 했다. 베드로는 날카로운 두 눈을 뜨고 그의 주장은 전지전능하다고 주장했다. 오로라는 그녀를 째려보는 베드로의 주장에 위압감을 느낀 듯했다. 오로라는 베드로의 옆에서 고개를 숙였다. 이 모든 말다툼은 내가 꺼낸 한 질문에서 비롯되었다. 밴드 이름이 뭐죠? 이 짧은 질문이 이렇게 험악한 분위기를 조성했다. 나는 이에 책임을 져야 했다. 나는 싸움이 험악해지기 전에 강력히 입을 뗐다.

"우선 오늘은 여기까지 해요. 일단 천천히 우리를 드러내는 이름을 생각해봐요."

나의 제지에 메디는 고개를 끄덕였다. 메디의 승인으로 밴드 안에서 벌어진 말다툼은 종료되었다. 메디는 밴드 이름을 찾기 위해 우리 자신부터 되돌아보자고 제안했다. 결국, 우리의 정체성이 곧 밴드 이름이기 때문이다. 더불어 메디는 일주일의 기한을 우리에게 줬다. 메디는 그 기한 동안 우리를 나타낼 수 있는 곡을 만들자고 했다. 메디는 작곡을 통해 밴드의 정체성을 찾고 싶은 듯했다. 그렇게 메디는 밴드 이름을 정하고 싶은 듯했다. 우리는 간단명료한 메디의 제안에 수긍하며 고개를 끄덕였다. 메디는 조금 전까지 위압적이던 베드로에게 한 명령을 내렸다. 오로라에게 사과하는 것. 베드로도 그의 과도한 충동성을 인지한 듯했다. 메디의 지시가 끝나자마자 베드로는 오로라에게 깔끔히 사과했다. 그렇게 우리는 기분 마음으로 지하실을 떠났다. 그렇게 밴드에서의 첫날이 성공적으로 마무리되었다.

나는 역사적인 이날을 마음속 깊이 새겼다. 나는 저절로 환한 미소를 지었다. 첫 밴드 활동이라는 영광이 그 미소에 가득 담겼다. 나는 기쁜 마음으로 길거리를 나섰다. 오늘따라 평범한 이 거리가 새롭게 보였다. 길거리를 나서자마자 나는 내가 가장 좋아하는 건물을 바라봤다. 출판사는 여전히 밝게 빛났다. 출판사의 환한 불빛은 환한 내 미소를 만나 그 가치를 더 키웠다. 그 덕분에 모든 길은 희망이 가득했다. 그 덕분에 모든 것이 아름다워 보였다. 하지만 이 분위기는 오래가지 못했다. 내 앞에 미지의 인물이 있었기 때문이다. 그는 내 앞에서 길을 걸었다. 그리고 나는 그를 심상치 않게 여겼다. 그는 희망찬 이 거리에 어울리지 않았다. 나는 본능적으로 그를 쫓았다.

그는 계속 뒤돌아보며 쫓아오는 나를 곁눈질했다. 나는 그의 이상한 행적에도 아랑곳하지 않았다. 나는 형사처럼 날카로운 내 직감을 믿었다. 어느 순간 그는 곁눈질을 멈췄다. 그는 헛기침하며 주변을 두리번거렸다. 잠시 후 그는 뒤도 돌아보지 않고 달렸다. 나는 재빠르게 그의 경로를 주시했다. 신문사였다. 그는 신문사를 향해 달려갔다. 나에게 적잖은 망신을 줬던 그 신문사로. 나는 달아나는 그를 보고 분노했다. 나는 그 모습을 보고 이성을 망각했다. 나는 메디의 제안을 생각하지 않았다. 나는 오직 신문사만 생각했다. 나는 오직 신문사를 향해 달리는 그 녀석에 대해 생각했다. 나는 오직 달릴 뿐이었다.

나는 이 순간 강력한 힘을 느꼈다. 육체적인 힘이 내 안에서 뿜어져 나왔다. 분명 나는 육체적 우월성과는 거리가 멀었다. 그런데 그런 내가 전력으로 달렸다. 폭발력이 내 두 다리에 느껴졌다. 나와 그 녀석의 거리는 조금씩 가까워졌다. 나는 그 녀석의 숨소리가 들렸다. 그 녀석의 거친 숨소리는 내 육체적 우월성을 증명했다. 나는 그 녀석의 헐떡임을 듣고 희열을 느꼈다. 나는 그 녀석의 헐떡임을 듣고 더 빨리 움직였다. 탁탁탁. 나는 그 녀석의 애타는 달음질을 들었다. 그 녀석은 이제 위기 상황에 봉착했다. 이제 거의 다 왔다. 난 반드시 그 녀석의 얼굴을 보고 말 것이다. 나는 반드시 그 녀석에게 내 분노를 전할 것이다. 나는 반드시 그 녀석을 정의로 응징할 것이다. 곧 그 녀석은 힘에 겨워 발걸음을 멈췄다. 다행히도 나는 체력이 충분했다. 나는 젖먹던 힘을 다해 마지막까지 달렸다. 잠시 후 나는 그 녀석의 어깨를 잡았다. 그 순간 그 녀석은 뒤돌아서며 나와 마주했다.

치이익! 이 소리와 함께 내 눈이 감겼다. 나는 내 눈에서 화끈한 것을 느꼈다. 호신용 스프레이가 분명했다. 그 녀석은 호신용 스프레이를 뿌렸다. 양파로 이루어진 산맥이 내 눈 안에 자리 잡았다. 나는 상상을 초월하는 스프레이의 매콤함에 정신을 못 차렸다. 내가 할 수 있는 것은 처절한 몸부림에 불과했다. 내가 할 수 있는 것은 고통스러운 비명에 불과했다. 내가 할 수 있는 것은 아무것도 없었다. 나는 바닥에 풀썩 쓰러졌다. 나는 누군가 내 운명을 구제하길 바라며 이곳에 쓰러졌다. 어둠이 내 눈을 가득 채웠다.

밝은 빛이 내 눈에 들어왔다. 밝은 빛을 보며 나는 드디어 천국에 왔다고 생각했다. 나는 오랫동안 어둠을 본 탓에 모든 것을 천국의 빛처럼 봤다. 하지만 나는 곧 이곳이 천국이 아님을 알았다. 정신을 다잡자 나는 비로소 익숙한 것을 봤다. 하얀 침대가 내 눈에 들어왔다. 우아하게 돌아가는 턴테이블과 발랄한 색깔의 CD 플레이어가 내 눈에 들어왔다. 갈색 나무 탁자와 하얀 노트가 내 눈에 들어왔다. 나는 내 방을 익숙하게 둘러봤다. 모든 것이 친숙했다. 그리고 친숙한 밴드 멤버가 내 곁에 있었다. 그리고 낯선 이가 이곳에 있었다. 낯선 한 남자가 밴드 멤버들 옆에 있었다. 그는 진심 어린 눈빛으로 날 걱정했다. 내가 침대에서 천천히 일어나자 그는 내 상태를 꼼꼼히 살폈다. 나는 그에게 흐르는 따스한 태도를 주의 깊게 살폈다. 메디는 상냥한 말투로 내 안위를 걱정했다. 하지만 지금 나에게 메디의 말투는 중요치 않았다. 나는 건성 거리며 메디에게 고개를 끄덕이고 한 남자를 바라봤다. 나는 나를 걱정스럽게 바라보는 그를 바라봤다. 메디도 내 시선을 따라 그를 바라봤다. 메디는 이제서야 그를 소개했다.

"아, 이분이 출판사 편집장님이세요. 페니 씨가 출판사 근처에 쓰러진 것을 처음 목격하셨죠."

"처음 뵙겠습니다, 페니 씨. 말씀은 많이 들었습니다."

출판사 편집장님은 환한 미소와 함께 나에게 악수를 청했다. 출판사 편집장님이 지금 나와 있다니! 나는 믿을 수가 없었다.

분명 출판사 편집장님은 계속 바빴다. 내가 편집장님께 감사 인사를 전했을 때도, 내가 출판사에서 일하고자 그곳에 갔을 때도, 나는 편집장님을 볼 수 없었다. 나는 출판사 편집장님을 영영 못 볼 줄 알았다. 출판사 편집장님은 그 정도로 아주 바쁜 나날을 보내왔다. 당시 나에게 편집장님이란 가까이 다가가고 싶지만, 그러지 못하는 신성한 존재였다. 그런 편집장님이 지금 내 곁에 있었다. 나는 본능적으로 출판사 건물에서 본 그 그림을 생각했다. 어둠 속을 위풍당당하게 뚫으며 걷는 그 사내 말이다. 편집장님은 그 그림 속 사내와 비슷했다. 편집장님은 그림 속 그 사내만큼 당당해 보였다. 편집장님은 연극 무대 뒤에서 모든 준비를 다 끝낸 배우 같았다. 나는 놀라움과 행복감이 섞인 채로 멋진 편집장님과 악수했다. 편집장님은 내 손을 꼭 잡고 나무 탁자 위를 바라봤다.

곧이어 편집장님은 나무 탁자 위에 있는 하얀 노트를 집었다. 그랬다. 편집장님은 내 노트를 집었다. 편집장님은 노트에 적힌 내 진심을 보며 환한 미소를 지었다. 그리고 편집장님은 내 노트를 극찬했다. 내가 기절했을 때 편집장님은 이 노트를 이미 봤다. 편집장님은 이미 내 글을 좋아하는 듯했다. 편집장님은 이 노트에 적힌 잠재력을 극찬했다. 편집장님은 이 노트를 기반으로 좋은 작품을 만들라고 덕담했다. 나는 편집장의 칭찬을 듣고 얼굴이 빨개졌다. 갑작스러운 칭찬에 부끄러웠을까? 아니면 편집장이 자녀의 일기장을 몰래 훔쳐보는 부모 같은 행동을 해서? 이유는 모르겠지만 내 얼굴은 홍당무처럼 빨개졌다. 나는 얼굴을 붉힌 채로 편집장님을 바라보며 옅은 미소를 띨 뿐이었다.

"그나저나 범인은 도대체 누구인 겁니까? 비겁하게 호신용 스프레이를 뿌린 것을 보면 영락없는 루저 같은데."

베드로는 당혹감에 휩싸인 나를 대신해서 분노했다. 그 덕분에 나는 정신 차렸다. 그리고 나는 다시 얼굴을 붉혔다. 나는 그 이유를 알았다. 마음속 깊이 타오르는 새빨간 분노가 나를 이렇게 만들었다. 이번에 내가 얼굴이 빨개진 것은 그 범인 때문이었다. 나는 아직도 나에게 매콤한 스프레이를 뿌린 그 녀석을 기억했다. 베드로의 질문이 끝나자마자 나는 출판사 편집장님의 얼굴을 바라봤다. 나는 출판사 편집장님의 대답을 오매불망 기다렸다. 편집장님은 이 세계의 관리자이기도 했다. 그래서 나는 분명 출판사 편집장님이 범인의 정체를 안다고 믿었다. 편집장님은 조심스럽게 입을 뗐다.

편집장님은 조심스럽게 유력한 용의자로 한 사람을 지목했다. 바로 신문사 기자였다. 출판사 근처 신문사에서 근무하는 그 기자 말이다. 나는 편집장님의 추측이 전혀 놀랍지 않았다. 오히려 나는 이것을 당연히 여겼다. 그 신문사 기자는 저질스러운 신문 기사를 쓸 만큼 영악했기 때문이다. 더구나 나는 그 녀석의 도주 경로를 생생히 기억했다. 분명 그 타락한 녀석은 신문사 방향으로 달아났었다. 모든 정황이 딱 들어맞았다. 또 출판사 편집장님은 그 기자에 대한 추가적인 정보를 제공했다. 편집장님은 그 기자가 갑작스럽게 심연의 세계에 등장했다고 주장했다. 더불어 편집장님은 그 기자는 이곳에서 계속 검은색 상하의를 입었다고 말했다. 그 기자는 검은색 후드로 그의 얼굴을 꼭꼭 숨겨온 것이다. 그 때문에 편집장님은 아직도 그 녀석의 정체를 정확하게 파악하지 못했다고 했다. 이 주장과 함께 난 확신했다. 분명 범인은 그 기자다. 우리는 반드시 그 기자를 이곳에서 추방해야 했다. 베드로도 내 확신에 동의하듯 그 범인을 향해 분노했다.

나도 베드로처럼 분노가 들끓었다. 동시에 나는 후회했다. 분명 나는 그 녀석을 거의 따라잡았다. 당시 나는 그 녀석을 사지에 몰아넣었다. 그때 나는 최선을 다해 그 녀석을 잡아야 했다. 나는 스프레이를 상관하지 않고 그 녀석의 목덜미를 잡아야 했다. 그렇지 못했기에 나는 다시 골치 아픈 게임을 시작해야 했다. 나는 골치 아픈 그 녀석을 또 찾아야 했다. 나는 과거의 나를 후회하며 속으로 한숨을 쉬었다. 나는 그 녀석을 계속 생각하며 멍하게 허공을 바라봤다. 그리고 내 방 안의 대다수는 그런 나를 불쌍하게 쳐다봤다. 한 사람만 빼고. 바로 메디였다. 메디는 은은하게 미소 지었다. 메디는 농담을 내뱉을 준비를 마친 듯했다.

"겁에 질려 달아난 그 기자만큼 겁이 많은 사람이 여기에 있더군요. 누군가 오로라 씨 행세를 했더라고요."

메디는 내 옷장을 열면서 말했다. 메디는 미소를 지으며 보라색 복면을 손에 쥐었다. 내가 메디를 피하고자 썼던 그 복면을 말이다. 메디는 천천히 나에게 다가왔다. 메디는 허술한 보라색 복면을 내 눈앞에 들이밀었다. 나는 이 너덜너덜한 복면을 멍하니 바라봤다. 메디는 내 얼굴을 바라보며 장난스러운 미소를 지었다. 나는 다시 얼굴이 빨개졌다. 나는 이번에도 내 얼굴이 홍당무가 됐는지 알았다. 메디가 내 비밀을 건드렸기 때문이다. 메디는 단순히 보라색 복면을 쥔 것이 아니었다. 분명 메디는 이 복면 속에 겁쟁이 같은 나를 느꼈을 것이다. 메디는 당당한 페니 나르시스가 숨겼던 비겁한 과거를 감지했을 것이다. 메디는 그 복면을 통해 내 추악한 비밀을 손에 쥐게 되었다. 그리고 이곳의 모두가 내 추악한 과거를 알게 되었다. 이런 상황에서 내 얼굴이 붉어지는 것은 당연했다.

나는 커다란 죄책감을 느꼈다. 나는 밴드 멤버들에게 미안했다. 특히 나는 메디에게 굉장히 미안했다. 나는 메디가 나에게 분노하리라 확신했다. 내가 메디의 정성을 못 알아봤기 때문이다. 그런데 뜻밖에도 메디는 내 등을 토닥였다. 그리고 메디는 나를 향해 은은한 미소를 지었다. 놀라웠다. 분명 메디는 나를 용서했다. 메디는 과거의 추악한 나를 잊어버린 듯했다. 메디는 지금 밴드에 집중하는 나만 생각했다. 나는 메디의 포용력에 감탄했다. 나는 메디의 지도력을 존경했다. 그래서 나는 존경의 마음을 담아 메디를 껴안았다. 그렇게 나는 과거의 소심한 나를 버리고 당당한 페니 나르시스로 돌아왔다. 그런 나를 축하하듯 메디는 나를 따스하게 안았다. 베드로는 침대에 앉은 나를 보고 일어서라고 권했다. 나는 베드로의 권유에 응하며 침대에서 벌떡 일어섰다. 그러자 베드로는 그의 가슴팍으로 내 가슴팍을 툭 치며 격하게 나를 축하해줬다. 마지막으로 오로라는 소심하게 나에게 다가왔다. 소심한 오로라는 나를 어색하게 안아줬다. 소심한 오로라까지 나에게 마음을 열고 나를 축하해줬다. 나는 까치발을 들고 나를 안은 오로라의 정성을 느꼈다. 오로라의 까치발 덕분에, 나는 그녀의 신발 뒷부분에 적힌 글자를 볼 수 있었다. 오로라라는 새 글자가 더욱 찬란해 보였다.

그 순간 나는 밴드 멤버들의 모든 이름을 떠올렸다. 그리고 나는 밴드 멤버들의 이름을 하나씩 기억했다. 나는 옷소매 속에 숨겨진 메디의 팔을 바라봤다. 메디의 팔에 적힌 메디라는 이름은 그녀의 주체적이고 강인한 모습과 어울렸다. 메디는 그녀의 이름이 적힌 팔로 나를 토닥였다. 나는 그 토닥임에서 메디의 부드러운 마음씨를 느꼈다. 그리고 나는 셔츠에 숨겨진 베드로의 가슴팍을 느꼈다. 베드로의 가슴팍에 적힌 베드로라는 글자는 강렬한 그의 모습과 어울렸다. 베드로는 그의 이름이 적힌 가슴팍으로 나를 반겼다. 나는 그 반김 속에서 베드로의 섬세한 배려를 느꼈다. 나는 오로라의 신발 뒷부분에 숨겨진 글자를 기억했다. 오로라의 신발 뒷부분에 써진 그 이름은 언제나 신비로웠다. 오로라는 그녀의 이름이 적힌 신발을 들면서까지 나를 안았다. 나는 그 포옹 속에서 오로라의 주체적 의지를 발견했다. 나는 그 이름들을 떠올리며 다시 페니 나르시스라는 명찰을 확인했다. 나는 밝은 명찰 속에 숨은 김민혁이라는 사내를 되새겼다. 그렇게 나는 한 사실을 알아냈다. 사람들은 때로 그들을 숨긴다는 것을. 적어도 여기 있는 밴드 멤버는 그랬다. 강인함 속에 부드러움을 숨기고 강렬함 속에 섬세함을 숨기며, 신비로움 속에 확고한 의지를 숨겼다. 우리는 우리의 고통을 숨겼다. 나는 밴드 멤버들의 모습과 보라색 복면을 차례대로 바라보며 영감을 떠올렸다. 나는 자리에서 일어나 나무 탁자에서 연필을 집었다. 그리고 나는 흰 노트에 한 단어를 적었다.

5장: 성공 속의 잡음

  페르소나. 내 방에 있는 모두가 이 네 글자를 살폈다. 나는 흰 노트에 적힌 네 글자를 손으로 가리켰다. 그리고 나는 내 손가락을 응시하는 밴드 멤버들을 바라봤다. 곧 나는 멤버들에게 그들의 이름들을 각각 언급했다. 메디, 베드로, 오로라, 그리고 페니 나르시스. 나는 페르소나라는 글자를 가리킨 채로 우리의 이름을 읊었다. 우리는 모두 우리의 이름 속에 무언가를 숨겼다. 우리는 복면을 쓴 사람들처럼 무언가를 숨겼다. 그 공통점은 우리를 하나로 연결했다. 이름이라는 가면은 우리의 본질이었다. 그렇다면 페르소나라는 단어도 곧 우리의 본질이었다. 페르소나는 일종의 가면을 뜻했기 때문이다. 우리는 페르소나라는 단어를 통해 우리의 과거를 묻으리라. 우리는 페르소나라는 단어를 통해 우리의 미래를 펼치리라. 우리는 숨김을 통해 우리를 드러내리라. 나는 페르소나라는 단어를 강조하며 밴드의 정체성을 구상했다. 서서히 밴드 멤버들은 페르소나라는 단어에 호감을 드러냈다. 그렇게 나는 밴드 페르소나의 일원이 되었다.

다음 날 아침 내 눈은 빠르게 호전되었다. 나는 빠른 회복에 기뻐하며 침대에서 일어났다. 나는 아침을 대충 먹고 빠른 속도로 발걸음을 옮겼다. 나는 익숙한 지하실로 발걸음을 옮겼다. 어제까지 내 곁을 지켜준 밴드 멤버들이 이곳에 있었다. 밴드 멤버들은 어김없이 이곳에서 악기를 만지작거렸다. 나는 그 열렬한 분위기에 휩쓸려 키보드 앞에 앉았다. 그렇게 나는 멤버들과 음악으로 교감할 준비를 마쳤다. 페르소나라는 단어가 우리 안에 자리 잡은 후로, 모든 것이 술술 풀렸다. 그 단어 덕분에 우리는 아주 빠르게 데뷔 앨범 제목을 정했다. Show the PERSONA. 이것은 매우 완벽했다. 동시에 이것은 데뷔 앨범 속 타이틀곡 제목이었다. 이 문구는 매우 단순한 발상에서 착안되었다. 페르소나를 보여주자. 우리 밴드를 보여주자는 의미였다. 한편 동시에 이 문구는 깊은 의미를 내포했다. 우리 밴드의 본질이 이 문구에 있었기 때문이다. 그리고 우리는 대문자 표시로 우리의 본질을 강렬하게 나타냈다. 이 문구는 단순했지만 완벽했다.

하지만 모든 것이 완벽하진 않았다. 나는 한 가지가 마음에 걸렸다. 바로 작곡이었다. 물론 나를 포함한 밴드 멤버 모두는 악기와 꽤 잘 교감했다. 하지만 연주와 작곡은 엄연히 달랐다. 좋은 연주자가 모두 좋은 작곡가는 아닌 법이다. 실제로 나는 피아노 연주에 자신이 있었지만, 작곡을 할 줄 몰랐다. 과연 우리 중에 좋은 작곡가가 있을까? 나는 작곡에 대해 계속 근심했다. 그래도 나는 모두를 믿었다. 나는 분명 우리 중 훌륭한 작곡가가 있으리라 믿었다. 그리고 이 화기애애한 분위기는 내 믿음을 확신으로 바꿨다. 나는 당당하게 세 사람에게 작곡 능력에 관해 물었다. 멤버들은 내 질문에 잠시 주뼛거렸다. 그래도 이 어색한 침묵은 오래가지 않았다. 이 침묵은 깬 우리의 은인은 바로 베드로였다.

베드로는 교회에서 작곡 기법을 직접 터득했다고 말했다. 베드로는 교회에서 지겹도록 찬송가를 연주했다고 말했다. 그러면서 베드로는 찬송가와 관련된 이야기를 들려줬다. 베드로의 말에 따르면 그는 찬송가 연주를 귀찮아했다고 했다. 그러던 어느 날, 베드로는 찬송가를 살짝 변주해서 꽤 괜찮은 자작곡을 만들었다고 했다. 그때부터 베드로는 취미 삼아 그의 노래를 만들어왔다. 우리는 그런 베드로를 찬송하며 엄지를 치켜세웠다. 베드로는 대수롭지 않다는 듯 기타를 움켜줬다. 비록 베드로는 이 밴드에서 드럼을 맡았지만, 기타는 베드로에게 잘 어울렸다. 베드로는 음악을 오랫동안 해온 로커 같았다. 베드로는 뛰어난 작곡가처럼 약간 거만한 태도로 다리를 꼬았다. 베드로는 아무렇지도 않게 그의 작곡 비법을 얘기했다. 베드로는 음악계에서 잘 알려진 머니 코드에 관해 얘기했다. 베드로는 그 머니 코드를 이용하거나 조금 변형하면 좋은 노래를 쓸 수 있다고 여겼다. 결국, 베드로가 중요하게 여기는 건 곡의 음색이나 코드가 아니었다. 모든 곡이 머니 코드의 영향을 받는다면, 멜로디는 다 비슷했기 때문이다. 베드로가 중요하게 생각하는 것은 진정성이었다. 베드로는 진정성이 담긴 가사를 중요하게 여겼다.

나는 베드로의 비법에 공감하며 고개를 끄덕였다. 그래도 나는 글을 써본 경험이 많기에 진정성의 가치를 잘 알았다. 나는 최근에도 진정성이라는 무기를 통해 흰 노트에 글을 써왔다. 진정성은 꽉 막혀 있던 내 발상의 통로를 뚫어준 아군이었다. 나는 진정성의 가치를 이미 경험했다. 그래서 나는 베드로의 비법을 듣자마자 이곳에서 겪은 경험을 떠올렸다. 나는 그 경험 속에서 나만의 진정성을 추출하고 싶었다. 나는 그 경험 속에서 내 진심을 찾고 싶었다. 순간 나는 매콤한 생각을 떠올렸다. 이곳에 온 이후부터 매콤한 스프레이 가격을 당한 순간까지. 나는 심연의 세계에서 겪은 일들을 차례대로 떠올렸다. 그리고 나는 그 경험이 적힌 내 노트를 떠올렸다. 나는 흥분하며 멤버들에게 활짝 웃음을 보였다. 그 순간 내 머릿속은 타자기가 되었다. 그리고 내 입술은 하나의 인쇄기 같았다. 나는 자연스럽게 내가 이곳에 겪은 일들은 얘기했다. 나는 멤버들에게 심연의 세계의 신비로운 분위기를 얘기했다. 나는 멤버들에게 일기장만큼 비밀스러운 내 노트에 관해 얘기했다. 그리고 나는 그 일기장에 담긴 내 깊은 진심을 얘기했다. 특히 나는 내 눈에 분사된 그 스프레이를 회상했다. 그렇게 나는 내가 겪은 고통을 얘기했다. 그리고 나는 그 고통을 통해 깨달은 점을 당당히 얘기했다. 나는 내가 느낀 모든 감정을 재밌게 읊조렸다. 그리고 그 감정은 내 창의력을 만나 아름다운 노래 가사가 되었다.

멤버들은 내 가사에 좋은 반응을 보였다. 베드로는 꽤 진지하게 내 가사를 보며 고개를 끄덕였다. 베드로는 음악의 거장처럼 내 가사를 음미했다. 그리고 베드로는 그의 방법대로 리듬을 살짝 바꾸며 멜로디를 얹었다. 베드로는 내 가사의 글자 수와 구문 구조에 집중했다. 베드로는 내 가사에 담긴 비슷한 구문 구조에 흡족했다. 베드로는 특히 내 가사의 마지막 구절을 좋아했다. 숨겨진 가면을 벗고 이제는 너 자신을 보여. 베드로는 이 구절에 담긴 비슷한 구문 구조를 좋아했다. 결정적으로 베드로는 이 구절에 담긴 우리의 정체성에 감탄했다. 한편 메디와 오로라도 고개를 끄덕이며 긍정의 뜻을 보였다. 둘은 마지막 구절에 있는 강력한 힘을 느낀 듯했다. 둘은 그 구절을 가리키며 활짝 웃었다. 또 둘은 이 가사에 내 진정성이 담겼다고 평가했다. 둘은 이 가사에 담긴 스프레이, 노트 등의 소재를 호평했다. 둘은 내 진정성 있는 접근이 괜찮다는 듯 웃었다. 그렇게 베드로, 메디, 오로라는 내 가사를 수긍했다. 세 사람은 내 가사를 참고하여 그들의 가사를 썼다. 글쓰기를 시작한 이래로, 나는 내 글쓰기에 가장 크게 만족했다. 나는 환하게 웃으며 그들의 가사를 살펴봤다.

베드로의 가사에는 정신적인 상처가 있었다. 또 베드로는 어김없이 그가 집착하는 소재를 넣었다. 바로 약이었다. 베드로는 슬픈 마음은 약에 감춰져 있다는 구절을 썼다. 나는 그 구절을 꽤 괜찮게 생각했다. 베드로는 우리에게 흔히 보이면서도 감춰져 있는 정신적 고통을 잘 묘사했다. 한편 메디의 가사에는 반가운 인물과 장난스러운 분위기가 버무려졌다. 메디는 어떤 사람은 도전하지 않는다는 구절을 썼다. 그리고 메디는 노크 소리라는 소재를 이용해 폐쇄적인 인물을 묘사했다. 나는 노크 소리라는 묘사에 바로 한 사람을 떠올렸다. 결정적으로 메디는 그녀의 가사를 보는 나를 향해 웃었다. 그랬다. 메디는 나에 관한 얘기를 썼다. 나는 메디의 장난이 조금 가혹했지만 웃어넘겼다. 그만큼 우리는 친해졌기 때문이다. 그리고 나는 더 이상 비겁한 김민혁이 아닌 페니 나르시스였다. 나는 페니답게 아픈 과거를 웃어넘겼다. 베드로를 제외한 우리는 모두 작사가 처음이었다. 물론 나는 글을 쓴 적은 많지만, 소설과 음악은 별개였다. 그런데도 우리는 모두 진실한 글을 명확하게 잘 썼다. 이제 한 가지 과제만 남았다.

바로 후렴구였다. 우리는 음악을 좋아하는 사람으로서 후렴구의 가치를 잘 알았다. 후렴구는 곧 노래의 정체성이었다. 사람들은 후렴구를 통해 노래를 느끼지 않던가. 이런 의미에서 후렴구는 노래의 본질과 같았다. 그랬기에 우리는 좋은 후렴구를 만들어야 했다. 우리는 신중하게 좋은 후렴구에 대한 구상을 시작했다. 밴드 이름을 정했을 때처럼, 우리는 꿀 먹은 벙어리가 되었다. 아무도 함부로 후렴구를 남발하지 못했다. 어색한 침묵이 길어질 때쯤 한 사람이 입을 열었다. 그 사람은 이미 우리의 노래에 동화되어 이 순간을 즐겼다. 그렇기에 그 사람은 평소에 다르게 환한 미소로 그녀의 생각을 조금씩 흥얼거렸다. 바로 오로라였다. 오로라는 그녀의 주특기인 침묵을 깨고 그녀의 후렴구를 흥얼거렸다.

나는 오로라의 큰 목소리에 살짝 놀랐다. 오로라는 지금까지 단 한 번도 우렁찬 목소리를 낸 적이 없었다. 오로라의 맑고 활기찬 목소리는 분위기를 한층 더 끌어올렸다. 우리는 오로라의 목소리에 집중하며 그녀의 후렴구를 분석했다. 오로라의 가사에는 희망이 있었다. 어둠의 가면을 벗고 너의 모습을 비춰 봐. 마치 그림자 위에 있는 햇빛처럼. 나는 이 구절에 감탄했다. 빛과 그림자라는 창의적인 대비가 그녀의 가사에 명확히 있었다. 그런 대비와 조화 속에서 우리는 희망찬 분위기를 느꼈다. 또 어둠의 가면을 벗는다는 표현도 인상적이었다. 이것은 우리들의 페르소나를 벗어 던지는 것과 같았다. 그리고 이것은 우리 타이틀곡의 주요 주제였다. 그렇게 오로라는 이 구절을 포함한 모든 구절에 우리의 정체성과 가치를 담았다. 나는 깊은 주제를 짧은 후렴구에 담아낸 오로라의 능력에 감탄했다. 마지막으로 나는 이 가사를 읊조리는 오로라의 진실한 웃음을 봤다. 오로라가 이렇게 큰 미소를 보이는 건 드물었다. 나는 오로라의 미소에서 그녀의 진심을 느꼈다. 그리고 그 진심은 우리 모두에게 전달되었다. 작곡가인 베드로도 고개를 끄덕이며 오로라를 흐뭇하게 바라봤다. 베드로의 그 눈빛에서, 나는 그의 만족감을 읽었다.

오로라 덕분에 곡 작업이 신속히 진행되었다. 가사를 완성하자마자 우리는 녹음 작업을 시작했다. 작업하는 동안 나는 이곳 지하실에 관해 감사했다. 이 깊은 지하실은 소음의 방파제와 같았다. 우리는 이곳에서 오직 우리의 소리에 집중하며 녹음을 마쳤다. 방음벽이 하나도 없는 이곳에서, 다른 소음이 들리지 않는 것은 축복이었다. 작곡가 베드로도 역시 큰일을 했다. 그는 뛰어난 작곡가였고 뛰어난 드러머였고 심지어 뛰어난 연주자였다. 그는 모든 악기를 직접 시범 연주하며 우리의 연주를 이끌었다. 그는 우리 밴드의 지휘자 같았다. 그는 음을 자유자재로 가지고 놀았다. 베드로는 곡의 첫 구절에 슬픈 멜로디를 얹었다. 그 멜로디 덕분에 우리의 구절은 더욱 깊어졌다. 우리의 구절은 진심 어린 호소 같았다. 한편 베드로는 슬픈 멜로디만 사용하지 않았다. 베드로는 구절과 후렴구 사이의 짧은 공간에 강한 멜로디를 집어넣었다. 우리는 그 멜로디에서 자연스러운 긴장감을 느꼈다. 우리는 그 멜로디에서 다채로운 음표를 읽었다. 그리고 그 다채로움은 후렴구에 고스란히 들어갔다. 베드로는 후렴구에 강하고 다채로운 음색을 마구 넣었다. 후렴구를 듣자마자 나는 걸작의 냄새를 맡았다. 다른 멤버들도 마찬가지로 환호성을 지르며 후렴구에 박수를 보냈다. 베드로 덕분에 우리는 무사히 곡 작업을 마쳤다.

이제는 리더가 일해야 했다. 메디는 음반 가게를 경영하던 손맛을 살려 앨범 홍보에 치중했다. 우선 메디는 우리와 함께 출판사에 방문했다. 메디는 심연의 세계의 관리자인 출판사 편집장님의 지위를 활용했다. 메디는 출판사 편집장님과 가볍게 만나 우리의 프로젝트를 얘기했다. 이곳 모두를 끔찍이 아끼는 출판사 편집장님은 메디의 제안에 수긍했다. 출판사 편집장님은 출판사 근처 빈 공터를 찾아 공연 무대를 꾸미겠다고 말했다. 출판사 편집장님의 도움으로 우리의 계획은 잘 풀렸다. 그 기세를 몰아 메디의 추진력은 더 강해졌다. 메디는 출판사 자체를 활용하였다. 정확하게 말하면, 메디는 출판사에 있는 수많은 인쇄기를 활용했다. 메디는 이미 앨범 작업 시간 동안 하나의 도안을 완성했다. 메디는 그 도안을 통해 우리 밴드의 포스트를 만들었다. 메디는 그 도안에 당당한 우리 네 사람을 다 담았다. 메디는 지금 그 도안을 대량 인쇄하려 했다. 우리는 다시 그 도안을 바라봤다. 우리는 그 안에서 각자의 매력을 뽐냈다. 메디는 도안 속 정중앙에 자리 잡았다. 도안 속 메디는 당당히 중앙을 차지하며 리더로서 매력을 뽐냈다. 나는 그 뒤에 있었다. 도안 속 나는 날카로운 눈빛을 보이며 용감히 섰다. 베드로는 내 옆에 있었다. 도안 속 베드로는 찢어진 옷 사이로 강렬한 몸매를 과시했다. 오로라는 베드로 옆에 있었다. 도안 속 오로라는 순수한 미소를 지으며 그녀의 신비로움을 드러냈다. 그리고 동글동글한 글씨체로 페르소나라는 보라색 글자가 맨 위에 새겨졌다. 우리는 이 포스터 도안이 완벽하다고 확신했다. 그렇게 우리는 기쁜 마음으로 우리의 포스터를 대량 인쇄했다. 그 결과 많은 사람들이 우리의 이름을 입에 올렸다. 우리는 충만한 기대감을 안고 공연날까지 열심히 연습했다.

드디어 공연 날이 밝았다. 나는 침대에서 일어나 곧바로 한 공터를 향해 달려갔다. 나는 곧바로 우리의 무대를 향해 달려갔다. 예상대로 출판사 편집장을 비롯해 우리 멤버들이 이곳에 있었다. 나는 가볍게 손 인사하며 멤버들에게 다가갔다. 무대 환경이 완벽하진 않았다. 물론 나는 이 상황을 이해했다. 이곳은 출판사에 있는 공터를 급조해서 만들어졌다. 출판사 편집장님이 할 수 있는 것은 파란 플라스틱 의자 몇 개와 첫 공연이라고 적힌 현수막 설치 정도였다. 그래도 나는 이곳이 완벽하다고 생각했다. 어쨌든 밴드 멤버들이 이곳에 있었다. 어쨌든 우리들의 열정이 이곳에 있었다. 나는 이곳에서 새로운 도전에 대한 의지를 다졌다. 이런 느낌과 함께라면 모든 것이 완벽했다. 우리는 좋은 공연을 위해 열심히 준비했다. 비록 연습이었지만 나는 모든 열정을 쏟아부었다.

잠시 후 소문을 듣고 많은 사람이 이곳을 찾았다. 출판사 직원을 비롯하여 수많은 사람이 이곳에 왔다. 고약한 기자 한 명을 제외하고는 다 이곳을 찾은 듯했다. 나는 수많은 군중이 압도하는 분위기에 약간 긴장했다. 나는 그 긴장을 해소하기 위해 멤버들의 얼굴을 바라봤다. 다른 멤버들도 나와 마찬가지로 낯선 분위기에 긴장했다. 하지만 우리는 긴장감과 함께 행복감을 드러냈다. 우리는 서로를 쳐다보며 환한 미소를 지었다. 나는 그 무언의 미소 속에서 큰소리로 외쳤다. 후회 없는 공연을 해 보자! 그렇게 우리는 악기와 교감했다. 그렇게 우리는 서로 함께 행복감을 나눴다. 그렇게 우리는 우리의 존재를 즐겼다. 그렇게 우리는 지금 이 순간에 의미를 채웠다. 사람들은 진심 어린 연주와 가사에 박수를 보냈다. 사람들은 독특하면서도 현실적인 가사에 감탄한 듯했다. 모든 것이 성공적이었다. 우리는 공연을 마치고 서로를 향해 포옹했다. 우리는 서로의 기쁜 표정을 바라봤다. 우리는 그 표정 속에서 밝은 미래를 기대했다. 그렇게 시간이 흘러 일주

일이 흘렀다. 과연 우리는 여전히 행복했을까? 불행히도 아니었다. 밝은 미래 따윈 우리에게 없었다. 우리를 방해한 것은 혐오도, 분노도, 범죄 행위도 아니었다. 우리를 방해한 것은 평범한 사랑이었다. 사건은 첫 공연 후 이틀 뒤 시작되었다.

그때 메디는 다음 공연을 위해 멤버들에게 연습을 제안했고, 우리는 그 제안에 수긍했다. 하지만 오직 메디와 나만 지하실에 왔다. 오직 우리 둘만 지하실에 열정을 가득 채웠다. 공허한 빈 자리에 열정이 가득한 지하실도 차갑게 식어버렸다. 한 시간이 지나도, 네 시간이 지나도 베드로와 오로라는 오지 않았다. 결국, 메디는 리더로서 해야 할 일을 했다. 메디는 나와 함께 오로라의 집으로 발걸음을 돌렸다. 메디는 오로라의 집 문을 두드렸다. 하지만 그곳은 조용했다. 그런데도 메디는 굳게 닫힌 문을 향해 끈질기게 손을 두드렸다. 메디의 노크 소리에 점점 분노가 채워졌다. 메디의 노크 소리는 시끄러운 공사장처럼 변해갔다. 나는 그동안 오로라의 집에 있는 창문을 주시했다. 당시 커튼이 그곳에 쳐졌다. 나는 오로라의 집 내부 공간을 보려 했지만 쉽지 않았다. 그래도 나는 커튼 사이의 미세한 공간을 창문으로 봤다. 나는 그 창문을 통해 사건의 미세한 일부분을 관찰했다. 잠시 뒤 나는 추악한 진실을 목격했다. 나는 충격에 휩싸여 한동안 벙어리가 되었다. 나는 천천히 마음을 추슬렀다. 그리고 나는 빠르게 손짓하며 메디를 불렀다.

한 남녀가 오로라의 집에 있었다. 그들은 서로를 달달하게 바라보며 손을 잡았다. 그들은 서로를 흐뭇하게 바라보며 입을 맞췄다. 그들은 행복하게 하루를 보냈다. 그랬다. 바로 베드로와 오로라였다. 우리는 큰 충격에 턱을 벌린 채 유리창 너머 진실을 바라봤다. 메디는 충격과 동시에 분노를 느낀 듯했다. 메디는 날카로운 눈빛을 드리우며 창문을 세게 두들겼다. 그렇게 우리 멤버들은 어색한 상황에 빠졌다. 오로라는 메디의 분노에 몸을 벌벌 떨었다. 결국, 오로라를 변호할 사람은 베드로가 전부였다. 오로라와 막 연애를 시작한 베드로는 이런 식으로 항변했다.

"이게 죄는 아니잖아요! 사랑하는 게 죄라면 이건 정상적인 사회가 아니죠. 안 그래요?"

베드로는 벌벌 떠는 오로라의 앞으로 나와 그녀를 위해 항변했다. 나는 베드로가 진심으로 오로라를 사랑한다고 확신했다. 베드로는 본능적으로 오로라의 앞으로 나와 그녀를 지켰다. 분명 이것은 사랑의 징표였다. 아마 베드로는 오로라가 후렴구를 만들었을 때부터 그녀를 사랑했을 거다. 나는 이런 식으로 우리의 과거를 회상했다. 나는 후렴구 작업을 했을 때 베드로의 모습을 떠올렸다. 즐겁게 노래 부르는 오로라에게 환한 미소를 짓던 베드로의 그 모습을. 한편 메디는 단단히 분개했다. 메디는 베드로에게 손가락질하며 그녀의 분노를 표출했다. 메디는 마지막으로 둘에게 최후통첩했다.

메디는 두 사람에게 음악의 중요성을 강조했다. 메디는 음악이 우리를 연결했던 것에 관해 주장했다. 메디는 두 사람의 사랑 그 자체는 신경 쓰지 않는 듯했다. 다만 메디는 두 사람이 진정으로 음악에 집중하기를 원했다. 그래서 메디는 침을 튀겨가며 둘을 압박했다. 메디는 둘에게 음악과 사랑 중 우선순위를 정하라고 엄포를 놓았다. 메디는 둘과 인연을 끊을 각오를 했다. 나는 메디의 날카로운 눈빛과 강렬한 침방울에서 그녀의 결연한 태도를 느꼈다. 어느 정도 시간이 흐르자 메디라는 폭풍은 소강상태로 빠졌다. 그렇게 메디와 나는 오로라의 집을 빠져나왔다. 나는 메디와 함께 지하실에서 베드로와 오로라를 재차 기다렸다. 하지만 둘은 오지 않았고 오히려 지하실 속 공허가 우리를 찾아왔다. 나는 그날 밤 조심스럽게 메디에게 제안했다. 우리 둘이 듀오 활동을 하는 것. 물론 나는 이미 이런 제안을 메디에게 꽤 했다. 물론 메디는 항상 내 제안을 거절해왔다. 하지만 그날 메디는 베드로와 오로라에게 분노했다. 나는 이 상황이라면 메디가 내 말에 귀를 기울일 것으로 생각했다.

"아무리 그래도 그렇지. 왜 이렇게 이기적이에요?"

나는 메디의 따지는 듯한 소리를 통해 두 가지 사실을 알게 되었다. 우선 메디는 내 말을 듣기에는 너무 예민했다. 그때 나는 메디에게 아무 말도 하지 않았어야 했다. 두 번째로 메디는 내 말에도 쉽게 흔들리지 않는 의리와 리더쉽을 갖췄다. 나는 메디에게 듀오 제안을 하지 말았어야 했다. 그 제안이 우리에게 큰 화근을 불러일으켰기 때문이다. 그 제안은 우리의 분열을 부추겼다. 이를 증명이라도 하듯, 메디는 이 말을 들은 뒤로 돌변했다. 메디는 나에게 적대적인 태도를 보였다.

"계속 그렇게 이기적으로 굴면 페니 너도 끝이야!"

"그럼 너는 착한 줄 알아? 넌 네 가사 쓰면서 날 조롱했잖아!"

메디는 처음으로 나에게 반말하고 나는 메디를 적대적으로 비난했다. 그날 밤의 어둠이 무르익은 만큼 우리의 싸움은 점점 더 심해졌다. 급기야 나는 차디찬 지하실에 가득 찬 새빨간 분노를 못 견뎠다. 그렇게 나는 지하실을 박차고 나왔다. 이 사건으로 짧았던 내 밴드 생활을 끝났다. 그리고 지금 나는 이렇게 혼자가 되었다. 이제 나는 다시 공허한 김민혁의 삶을 살아야 했다. 내가 할 수 있는 것은 별로 없었다. 나는 다시 멍하니 흰 노트를 바라보며 절망감을 느꼈다. 나는 형을 구출하겠다는 의지를 잃어버렸다. 나는 살아있는 좀비처럼 영혼 없이 이곳에서 생활했다.

내 반복적인 생활 속에 긴장감을 준 것은 하나의 노크 소리였다. 나는 혹시 메디가 문을 두드린 게 아닌가 생각했다. 따라서 나는 침대에 누워 가만히 있었다. 나는 이미 메디에게 마음의 문을 닫기 때문이다. 그래서 나는 집 문을 굳게 닫힌 채로 내버려뒀다. 하지만 노크 소리는 계속 들렸다. 급기야 웅얼거리는 소리까지 들렸다. 나는 그 웅얼거리는 소리를 잘 듣지 않았다. 나는 사람들의 소리 따윈 듣고 싶지 않았다. 하지만 노크 소리는 내 의지와 상관없이 귓가에 울려 퍼졌다. 그리고 나는 노크 소리를 통해, 문 앞에 있는 사람이 메디가 아니라는 것을 알았다. 메디가 노크했다면 노크 소리가 점점 더 세져야 했다. 하지만 지금 노크 소리는 굉장히 일정하고 차분했다. 나와 사이가 안 좋은 메디라면, 그럴 리가 없었다. 나는 내 감각을 믿고 반복된 노크 소리에 지쳐 방문을 열었다.

내 생각대로 메디는 문 앞에 없었다. 그 대신 출판사 편집장님이 내 앞에 있었다. 편집장님은 메디를 통해 안타까운 사건을 들었다고 말했다. 우선 나는 편집장님을 집 안으로 들여보냈다. 나는 마음이 심란한 와중에도 손님을 위해 따뜻한 커피를 대접했다. 출판사 편집장님은 옅은 미소를 보이며 커피잔을 집었다. 출판사 편집장님은 내 처지에 대한 심심한 위로를 전했다. 나는 체념한 듯 한숨 쉬며 커피를 마셨다. 그렇게 다시 공허한 하루가 시작되었다. 편집장님은 우울한 나를 바라보며 말하기를 주저했다. 그래도 편집장님은 여러 눈치를 본 뒤 마침내 말을 내뱉었다.

"페니 씨, 혹시 음악을 계속하고 싶다면 솔로로 활동해 볼래요? 제가 아는 음악 프로듀서가 있어서요."

이 말을 들은 순간, 이 방을 감도는 공허감은 사라졌다. 이제 이 방을 감도는 우울한 침묵은 사라졌다. 대신 복잡한 고민이 내 머릿속을 가득 채웠다.

6장: 홀로 서기

분명 새로운 도전은 흥미로웠다. 나는 이미 도전을 포기할 시 얻는 손실을 알았다. 나는 밴드 활동을 하기 전 공허감의 감옥에 갇히곤 했다. 나는 공허감이 얼마나 끔찍한 것인지 잘 알았다. 나는 분명 새로운 도전을 원했다. 한편 나는 새로운 도전을 주저했다. 그럴 수밖에 없었다. 나는 최근까지도 한 밴드의 일원이었다. 나는 그곳에서 다양한 사람들과 끈끈한 관계를 유지했다. 나는 이제 막 그들과 관계를 끊었을 뿐이다. 나는 나와 끈끈이 연결된 그들을 잊을 수 없었다. 그런 내가 혼자 홀로 서기를 할 수 있을까? 그런 내가 멤버와의 끈끈했던 관계를 끊을 수 있을까? 수많은 고민이 파도처럼 밀려왔다. 출판사 편집장은 고민의 파도에서 허우적대는 나를 자세히 바라봤다. 출판사 편집장은 내 고뇌를 응시한 채 하나의 명함을 내밀었다.

"한 번 혼자서 곰곰이 생각해봐요. 저는 다른 일 하러 이만 가볼게요. 힘내요, 페니 씨."

출판사 편집장님은 내 어깨를 토닥이며 자리에서 일어났다. 그렇게 편집장님은 옅은 미소를 띤 채로 유유히 내 집에서 빠져나갔다. 편집장님이 사라지자 공허가 내 방을 다시 채웠다. 이제 나에게 남은 것은 공허와 한 장의 명함밖에 없었다. 나는 그 명함을 한 손으로 꽉 쥐었다. 그리고 나는 나무 의자에 풀썩 앉았다. 스미스 레이블, 보이지 않는 위대한 독립의 힘. 나는 그 명함에 적힌 문구를 뚫어져라 쳐다봤다. '보이지 않는'이라는 문구는 그 명함에 어울리지 않았다. 나는 그 명함 속의 다양한 그림과 글자를 봤기 때문이다. 턴테이블, 각종 음표, 그리고 내가 바라본 그 문구까지. 다채로운 것들이 그 명함에 난잡하게 뒤섞였다. 독립의 힘이라는 문구도 그 명함에 어울리지 않았다. 독립이라는 단어와 무색하게, 모든 것이 이 명함 속에서 서로 엉켰기 때문이다. 독립이라는 단어는 그 음반사가 인디 음악을 다룬다는 것만 강조했다. 명함 속 수많은 디자인은 바람에 흩뿌려진 비닐봉지 조각 같았다. 나는 작은 명함 속 혼돈에 정신을 못차렸다. 나는 이 난잡한 쓰레기를 버리기로 마음먹었다. 나는 손으로 이것을 꾸겼다. 그러던 도중 나는 한 가지 사실을 똑바로 직시했다.

나의 시선 속에 하얀 노트가 들어왔다. 내 형을 구할 수 있는 노트가 눈에 선명하게 보였다. 그리고 나는 노트의 난잡한 낙서를 봤다. 나는 순간적으로 레이블 명함 안에 있는 낙서들을 떠올렸다. 나는 본능적으로 꾸겨진 명함을 펼쳤다. 나는 꾸겨진 명함 사이로 이 안의 문구를 다시 살펴봤다. 보이지 않는 위대한 독립의 힘. 나는 비로소 이 문구가 지닌 매력을 발견했다. 이 문구의 글자는 특정한 방향을 따라 힘차게 나아갔다. 나는 각 글자의 한 획에서 강렬한 방향성과 확실한 목적 의지를 발견했다. 그 힘찬 목적성은 내 노트 속 낙서에 없었다. 내 낙서는 힘없는 포물선을 그리며 방황할 뿐이었다. 독립의 힘이라는 글자는 아주 까맣게 색칠되었다. 나는 강렬한 검은색에서 그 글자 속의 강렬한 힘을 느꼈다. 그 강렬함은 내 노트 속 낙서에 없었다. 내 낙서는 첫 부분만 진하게 색칠됐을 뿐이다. 그 낙서는 갈수록 힘을 잃어 형태를 잃어갔다. 그 낙서의 생명력은 한 명함 속 문구보다 약했다. 내 삶의 감정과 의지는 작은 명함이 가진 짧은 문구보다 약했다. 순간 나는 눈앞의 비참한 현실을 깨달았다. 나는 피폐한 내 삶을 한탄했다.

나는 더 이상 과거를 생각할 시간이 없었다. 과거의 인연은 더 이상 중요하지 않았다. 이제 나는 삶의 방향성을 되찾아야 했다. 나는 미래로 나가기 위해 삶의 원동력을 찾아야 했다. 어차피 내 인생은 내가 사는 것이다. 결국, 인생에서 중요한 것은 나였다. 그렇게 나는 나 자신의 중요성을 되새겼다. 아마 그들도 나와 같을 것이다. 다른 멤버들도 나처럼 과거를 지웠을 것이다. 다른 멤버들도 음악이라는 열정을 통해 새로운 미래로 나아갔을 것이다. 다른 멤버들도 그들의 인생을 살게 될 것이다. 이런 방식으로 나는 죄책감 없이 과거를 지우려 했다. 더구나 출판사 편집장님의 말은 내 합리화를 더 가속화했다. 다른 일을 하러 간다. 혹시 편집장님은 다른 멤버들을 방문하러 가지 않았을까? 심연의 세계의 관리자로서, 편집장님은 방황하는 이들에게 해결책을 제시했을 것이다. 편집장님은 방황하는 멤버들을 위해 새로운 음악의 길을 만들었을 것이다. 나는 이런 식으로 과거의 결속으로부터 발생한 양심의 짐을 덜었다. 나는 다른 멤버들의 새로운 시작을 기원했다. 내 마음은 이제 말끔히 정리되었다. 나는 명함을 들고 이곳에 적힌 주소를 살피며 길을 나섰다.

　새로운 음반사로 발걸음을 옮기던 도중 나는 오로라의 집을 지나쳤다. 나는 잠시 발걸음을 멈추고 오로라의 집에 있는 창문을 응시했다. 살짝 열린 커튼 사이로 오로라와 베드로가 시야에 들어왔다. 그리고 한 사람이 시야에 들어왔다. 나는 그 사람의 친절한 눈웃음, 말끔한 미소, 따스한 인상을 봤다. 그랬다. 출판사 편집장님이 오로라의 집 안에 있었다. 나는 비로소 양심의 짐을 말끔히 덜었다. 역시 편집장님은 다른 멤버들의 안위를 살폈다. 편집장님은 다른 멤버들에게 새로운 길을 제시했다. 그리고 멤버들은 분명 그 길을 따를 것이다. 그들은 열정이 가득하니까. 나는 멤버들을 도왔을지도 모른다. 내가 먼저 그들과 결별을 선언했기 때문이다. 그 사실을 알게 된다면, 다른 멤버들은 아무 죄책감 없이 새로이 출발할지도 모른다. 그렇게 나는 서서히 마음속 죄책감을 덜었다. 나는 유리창 너머 따스한 분위기를 감지하며 길을 나섰다.

얼마 지나지 않아, 나는 한 건물에 달린 독특한 간판을 발견했다. 'ㅅㅡㅁㅣㅅㅡ레이블'이라는 독특한 글자들이 이 간판에 박혔다. 나는 자음과 모음이 분리된 간판에서 건물 안의 자유분방함을 읽었다. 나는 이 자유분방함이 내 영혼의 족쇄를 말끔히 풀길 바랐다. 그렇게 나는 약간의 희망을 품고 새 장소에 발걸음을 내디뎠다. 안에 들어서자마자 독특한 인물이 나를 반겼다. 그는 그 음반사의 대표일 가능성이 컸다. 그는 나를 제외하고 이곳에 있는 유일한 사람이었기 때문이다. 그런데 그의 생김새는 대표와 거리가 멀었다. 그의 현란한 레게 머리, 반항기 가득한 로커처럼 뒤죽박죽한 스크래치 문양의 티셔츠, 다른 옷들의 분위기와 어울리지 않은 차분한 청바지까지. 그는 한 마디로 혼란 그 자체였다. 그는 너무 자유분방하게 옷을 입었다. 그는 대충 옷을 걸쳐 입는 관심종자 같았다. 나는 당황스러운 표정을 한 채 그를 바라볼 수밖에 없었다. 나는 당혹스러움을 감추지 못한 채 그와 악수했다.

"페니 씨인가요? 반갑습니다. 애덤입니다. 스미스 레이블의 애덤이죠."

나는 애덤의 말끔한 미소에 덩달아 미소 지었다. 물론 나는 아직 애덤에게 마음을 열지 못했다. 그래도 나는 애덤에게서 무언가를 느꼈다. 애덤은 그저 내 손을 꼭 잡기만 했다. 그런데 나는 애덤의 손아귀에서 굳센 용기를 느꼈다. 애덤은 내 손을 꼭 잡고 그의 굳센 용기를 나에게 주입했다. 나는 직감적으로 애덤이 용감하고 멋진 사람이라고 짐작했다. 애덤은 분명히 이상했다. 그래도 나는 애덤을 내 새 도전을 도울 적임자로 여겼다. 한편 애덤은 단도직입적인 것을 좋아하는 듯했다. 짧은 소개를 마치자마자 애덤은 나를 음악 스튜디오로 안내했다.

이곳은 낯설면서도 친숙했다. 나는 애덤의 음악 스튜디오를 천천히 둘러봤다. 수많은 버튼으로 무장한 최신 음악 장비가 이 스튜디오에 있었다. 나는 무수히 많은 버튼 속에서 탄생할 다채로운 음악을 기대했다. 음악 스튜디오답게 수많은 악기가 이곳에 있었다. 피아노, 기타와 같은 일반적인 악기는 당연히 이곳에 있었다. 그와 더불어 첼로, 하프 심지어는 꽹과리까지 이곳에 있었다. 옷을 뒤죽박죽 걸친 애덤처럼, 동서양의 많은 악기가 이곳에 난잡하게 있었다. 나는 현란한 악기들에 압도당해 정신없이 주변을 둘러봤다. 곧이어 나는 한 악기에 시선을 고정했다. 당연히 피아노였다. 피아노는 이 안의 여러 악기 속에서 존재감을 과시했다. 그뿐만 아니라 피아노의 옆에는 말끔한 피아노 의자가 있었다. 그 피아노 의자는 친숙한 공간을 나에게 상기시켰다. 그랬다. 이 피아노 의자는 곽세웅의 집에 있었던 피아노 의자만큼 말끔했다. 나는 이곳의 이 의자를 바라보며 곽세웅의 집에 있었던 일들을 생각했다. 나는 그곳에서 일어났던 끔찍한 일들을 회상했다.

"피아노 잘 쳐요? 피아노만 계속 보네요."

나는 이미 끔찍한 과거에 사로잡혔다. 그래서 나는 애덤이 한 질문을 잘 듣지 못했다. 나는 그저 본능적으로 고개를 끄덕일 뿐이었다. 나는 단순히 고개를 살짝 끄덕였을 뿐이다. 하지만 그 고갯짓은 애덤에게 절대 사소하지 않았다. 애덤은 나를 뛰어난 피아니스트로 착각했다. 하지만 나는 평범한 피아노 연주자였다. 나는 결코 훌륭한 피아니스트가 아니었다. 나는 피아노를 칠 수 있을 뿐 잘 치지는 않았다. 애덤은 그런 나를 부담스럽게 쳐다봤다. 애덤은 들뜬 표정으로 내 피아노 연주를 기다렸다. 나는 어쩔 수 없이 우리 밴드의 노래를 쳤다. 나는 그 노래를 선택한 것에 특별한 의미를 두지 않았다. 나는 그 노래를 오랫동안 연습해 왔다. 그랬기에 나는 그 곡을 본능적으로 선택했다. 나는 그 노래를 잘 연주할 자신이 있었다. 그렇게 나는 과거의 회상이 떠다니는 장소에서 과거의 노래를 연주했다. 나는 새 출발을 위해 곡을 연주했다.

"이거 페르소나 노래 맞죠? 저 첫 공연 때 한 번 라이브로 들었거든요. 역시 좋네요."

애덤은 내 어깨를 토닥이며 사기를 높여줬다. 그런데 그게 전부였다. 애덤은 곧 담배를 입에 문 채 발걸음을 돌렸다. 애덤은 바깥으로 나갈 채비를 했다. 그 순간 나는 과거의 회상에서 벗어났다. 이곳은 곽세웅의 집에 있었던 그 음악 스튜디오와 달랐다. 곽세웅의 집에 있던 음악 스튜디오는 나를 압도했었다. 보이지 않는 긴장감과 통제가 나를 괴롭혔었다. 하지만 지금 내가 있는 이곳은 긴장감이 없었다. 그보다 이곳은 너무 자유분방했다. 나는 이곳의 방임주의에 긴장한 것이 아니라 당황했다. 그 결과 나는 다시 당혹스러운 현재에 집중했다. 나는 당혹스러운 분위기를 해결하기 위해 애덤을 붙잡았다. 나는 다급하게 바깥으로 나가려는 애덤을 바라봤다. 나는 내가 할 일에 대해 애덤에게 물었다. 애덤은 내 질문이 의아해 듯했다. 애덤은 이상한 사람 보듯 나를 쳐다봤다. 애덤은 작곡하라고 나에게 지시했다. 정말 큰 일이었다. 애덤은 나를 뛰어난 작곡가라고 착각했다. 실제로 나는 작곡을 하나도 할 줄 모르는데 말이다. 이대로는 안 되었다. 나는 애덤에게 솔직해야 했다.

그래서 나는 초보 수준인 내 작곡 능력에 대해 애덤에게 말했다. 나는 작곡가가 아니라고 당당하게 고백했다. 이런 말을 하자마자 나는 후련했다. 하지만 동시에 나는 불안했다. 애덤은 분명 내 음악적 재능을 기대했을 것이다. 그랬다면 애덤은 나에게 크게 실망할지도 몰랐다. 그런데 애덤은 내 폭탄 발언에도 덤덤한 듯했다. 애덤은 그의 티셔츠 주머니 속 종이 한 장을 꺼냈다. 다양한 코드 진행법이 이 종이에 있었다. 나는 순간적으로 이 안에 머니 코드가 있다고 짐작했다. 나는 베드로의 한 말을 회상했다. 나는 베드로가 말한 머니 코드의 가치를 기억했다. 나는 안도의 한숨을 쉬며 애덤에게 고마움을 전했다. 애덤은 가볍게 고개를 끄덕이며 바깥으로 나가려 했다. 완전히 바깥에 나가기 전 애덤은 뒤돌아서서 나를 봤다.

애덤은 내 피아노 연주 속에서 많은 것을 느꼈다고 말했다. 애덤은 나에게 천재성이 있다고 주장했다. 애덤은 내 미숙한 작곡 능력에 개의치 않았다. 애덤은 내가 자유롭게 연주하는 것을 원했다. 애덤은 내 느낌대로 연주할 것을 나에게 주문했다. 애덤은 담배를 세게 빨아들이며 자유라는 말을 강조했다. 그리고 그는 더욱 강력하게 담배를 맛보기 위해 바깥으로 나갔다. 이제 나에게 남은 건 코드가 휘갈겨진 종이 한 장밖에 없었다. 그래도 나는 이 종이에 의지하여 여러 코드와 교감했다. 나는 두 손으로 직접 작곡의 파도를 탔다. 아름다운 조합이 점점 더 선명하게 등장했다. 나는 신선한 조합과 깨끗한 멜로디에 감탄했다. 그렇게 나는 시간 가는 줄 모르고 여러 코드를 연습했다.

이곳에는 일반적인 시계만 있지 않았다. 내 배꼽시계가 울렸다. 나는 머쓱한 표정을 지으며 바깥으로 나갈 채비를 했다. 나는 내 집의 다양한 음식을 떠올리며 기쁜 마음으로 발걸음을 옮겼다. 나는 바깥으로 나가기 전 피아노를 응시했다. 나는 피아노로 만들어낸 코드의 조합을 떠올렸다. 나는 손으로 직접 빚어낸 창조성에 저절로 미소 지었다. 나는 내 손에 있는 하얀 종이를 보고 밝게 웃었다. 나는 오랜만에 예술적 영혼을 느꼈다. 나는 오늘 하루에 감사했다. 그렇게 나는 행복한 순간을 만끽하며 발걸음을 옮겼다. 바깥으로 나오자마자 나는 주변을 이리저리 살폈다. 나는 내 새 도전을 도운 애덤에게 감사 인사를 하고 싶었다. 아쉽게도 애덤은 안 보였다. 분명 지금 애덤은 힘차게 담배를 피울 것이다. 지금 애덤은 담배꽁초에서 피어나는 뽀얀 연기의 자유로운 움직임을 즐길 것이다. 나는 이런저런 예상을 하며 다음을 기약했다. 그렇게 나는 내 집을 향해 갔다.

집에 도착하자마자 나는 빵과 시리얼로 간단히 배를 채웠다. 호화스러운 식사는 나에게 사치였다. 곧바로 나는 종이를 내 옷 주머니에서 천천히 꺼냈다. 그리고 나는 코드가 적힌 하얀 종이를 다시 바라봤다. 그 하얀 종이는 부적이 되어 여전히 영감을 나에게 선사했다. 이 종이를 본 뒤 나는 곧바로 아이디어가 떠올랐다. 나는 행운의 부적을 눈에 담은 채로 하얀 노트에 무언가를 적었다. 내 방 안 이 하얀 노트는 다시 생기를 찾았다. 나는 이 노트에 첫 작곡 경험을 기록했다. 나는 이 노트에 음표들의 파도를 그렸다. 그리고 나는 이 노트에 내 진정성을 담았다. 나는 노트에 담긴 진정성을 바라보며 흐뭇한 미소를 지었다.

분명 나는 기분이 좋았다. 그래서 나는 내 곡 작업을 마무리하고 쉬고 싶었다. 나는 이미 작곡을 마쳤다. 하지만 아직 내가 하지 못한 것이 있었다. 바로 작사였다. 나는 내 첫 자작곡에 담길 가사를 써야 했다. 나는 내 노트에 담긴 내용을 바탕으로 작사에 대한 아이디어를 생각했다. 그리고 나는 내가 밴드 활동을 했던 시절을 회상했다. 나는 이 회상을 중요히 여겼다. 나는 밴드 활동을 하며 처음으로 작사했기 때문이다. 나는 성공적인 작사 경험을 떠올리고 싶었다. 이를 통해 나는 좋은 가사를 다시 쓰고 싶었다. 안타깝게도 이 과정은 쉽지 않았다. 물론 나는 오늘 하루 내가 느낀 감정을 쉽게 적었다. 나는 홀로 서기를 결정한 당시 공포감에 대해 적었다. 나는 새 기회를 얻었을 당시 느꼈던 희망을 적었다. 나는 희망찬 미래에 대한 기대를 적었다. 그런데 뭔가 허전했다. 나는 가사의 모든 구절을 한 편의 일기장으로 만들고 싶지 않았다. 나는 예술을 적고 싶었다. 그러기 위해 나는 뭔가 더 고뇌해야 했다. 나는 오늘 내가 느낀 모든 감정을 아우르는 무언가를 찾아야 했다. 나는 이를 통해 가사에 주요 주제를 담아야 했다. 나는 너무 고통스러웠다. 내 완벽주의는 나를 궁지에 몰아넣었다. 나는 아무것도 못 했다. 나는 그저 집 안에 있는 그림을 볼 뿐이었다. 나는 집에 막 들어온 그림들을 한심하게 바라봤다. 나는 하루빨리 곡을 마무리 짓고 싶었다. 나는 내 첫 자작곡의 의미를 소중히 생각했기 때문이다. 하지만 나는 더 이상 고통받고 싶지 않았다. 결국, 나는 잠시 생각을 멈추고 집에 있는 그림을 바라봤다.

여러 그림을 보면서 나는 출판사 건물 안에 있는 그 그림을 떠올렸다. 정말 이상하게도 나는 가끔 그 그림을 회상했다. 나는 가끔 그 그림을 집착했다. 정확하게 말하자면 나는 그 그림 속 사내에 집착했다. 나는 여전히 그 사내의 당당한 모습을 좋아했다. 나는 여전히 그 사내처럼 되고 싶었다. 이런 나는 멍하니 그림만 봤다. 나는 전혀 당당하지 않았다. 갑자기 나는 당당함에 대해 집착했다. 나는 내가 반드시 당당해야 할 것 같았다. 그래야 나는 그 사내가 될 수 있었다. 그리고 나는 형을 구하기 위해 당당한 태도가 필요했다. 나는 그러한 집착에 압도당했다. 그래도 나는 마음을 다잡았다. 나는 다시 나 자신을 세뇌했다. 나는 김민혁이 아니라 페니 나르시스였다. 나는 내 존재를 바로잡으며 당당하게 일어서 흰 노트 앞에 앉았다. 나는 최대한 긍정적으로 생각했다. 어쩌면 나는 이미. 그림 속 그 사내가 됐을지도 몰랐다. 물론 나는 일종의 후퇴를 했다. 나는 밴드 생활을 청산하고 혼자가 되었다. 하지만 그 사내도 결코 전진만을 하진 않았다. 그 사내는 분명 어둠 속을 걸었다. 그 사내는 무대 뒤에 있는 연극배우 같지 않았던가? 그 사내는 밝은 무대로 전진하기 위해, 잠시 뒤로 물러나 그의 마음을 다잡았다. 나도 그 사내처럼 후퇴했지만, 그것은 일시적이었다. 곧바로 나는 새 도전을 결정하며 새로운 전진을 계획했다. 나는 연극배우처럼, 그리고 그 사내처럼 전진을 위해 후퇴했을 뿐이다. 나는 나를 발전시키기 위해 뒤에 있었을 뿐이다. 나는 이런 긍정적인 생각으로 마음을 비웠다. 그리고 나는 행복하게 가사를 써 내려갔다. 나는 오늘 내가 느낀 감정을 자연스럽게 연결했다. 나는 가사의 모든 구절에 내 용감한 후퇴를 새겼다.

나는 흐뭇한 글씨로 내 진정성을 꾹꾹 눌러 담았다. 물론 이 가사는 완성품이 아니었다. 나는 이 가사를 적절히 배열하여 가사의 절, 후렴구 등을 만들어야 했다. 나는 아직도 많은 의무가 있었다. 하지만 나는 의무에 대해 생각하지 않기로 했다. 애덤이 나에게 전해준 교훈이 있었기 때문이다. 자유롭게. 나는 내 진정성을 믿었다. 나는 내 열정을 믿었다. 나는 내 용기를 믿었다. 그리고 나는 내 재능을 믿었다. 나는 용감하게 뒤로 물러나 나 자신을 새롭게 발견했다. 그리고 나는 내 안의 새로운 가능성이 불러올 미래를 기대했다. 그렇게 나는 내 흰 노트를 커다란 기대감으로 채웠다. 나는 이런 식으로 멋진 하루를 정리했다.

나의 달콤한 잠을 깨운 것은 문 앞에 들리는 목소리였다. 나는 그 웅얼거리는 목소리에서 다급한 분위기를 감지했다. 나는 까치집 같은 머리를 한 채 문을 열었다. 애덤이 문 앞에 서 있었다. 애덤은 나를 보고 짧게 인사했다. 그리고 애덤은 어김없이 단도직입적인 태도를 뽐내며 본론으로 들어갔다. 애덤은 음악 관련 토크쇼에서 연락이 왔다고 말했다. 그리고 애덤은 토크쇼 출연을 긍정적으로 검토했다. 나도 애덤과 같은 생각이었다. 그렇게 내 첫 토크쇼 출연이 순조롭게 성사되었다. 다만 시간이 부족했다. 애덤은 생방송으로 진행되는 그 프로그램은 이틀 뒤에 방영된다고 말했다. 그래서 애덤은 이렇게 숨을 헐떡이면서까지 서두른 듯했다. 애덤은 하루빨리 솔로 앨범으로 낼 곡을 만들어야 한다고 주장했다. 나는 애덤의 다급한 태도에 빠르게 과자 한 봉지를 챙겨 그와 함께 길을 나섰다.

촉박한 마감일에 내 마음도 덩달아 조급했다. 나는 이미 이런 상황을 겪었다. 나는 여전히 나에게 차기작을 재촉했던 곽세웅을 기억했다. 하지만 나는 과거와 달랐다. 주도성이 나에게 있었기 때문이다. 나는 조급한 상황 속에서도 스스로 직접 코드를 골랐다. 나는 내 느낌대로 선율을 얹었다. 솔직히 나는 이 선율이 좋을지 몰랐다. 나는 그저 내 느낌을 믿을 뿐이었다. 나는 그저 내 진정성에 기댈 뿐이었다. 그렇게 나는 내 느낌이 흘러가는 대로 내버려 뒀다. 그렇게 나는 느낌의 흐름대로 내 첫 자작곡을 완성했다. 이 과정에서 애덤이 한 것은 많지 않았다. 애덤은 최신 장비를 활용해 소리를 극대화하고 화음을 넣었을 뿐이다. 애덤은 내 보조가 되어 소리를 일부 편집했다. 애덤이 한 일은 그것밖에 없었다. 내 첫 자작곡은 내 첫 소설과 다르게 내 느낌과 자유가 담겼다. 나는 첫 결과물에 뿌듯했다. 안타깝게도 나는 내 자작곡을 전부 듣진 못했다. 애덤은 나에게 토크쇼 장소를 급하게 알려

준 뒤 이미 나를 떠났다. 애덤은 아직 해야 할 편집이 남았기에 아주 바빴다. 그래도 나는 내 자작곡을 전부 다 들은 것 같았다. 그리고 나는 그 자작곡의 보이지 않는 힘을 응시했다. 나는 그 힘이 나로부터 비롯되었다는 확신에 더욱 행복했다. 나는 토크쇼에서 부를 그 자작곡을 기대했다. 나는 희망을 품은 채 결전의 그 날을 기다렸다.

그날이 밝았다. 모든 것이 완벽했다. 내 목은 상쾌했다. 내 얼굴은 깨끗했다. 내 머리카락은 깔끔했다. 내 손은 부드러웠다. 내 발은 단단히 지면 위에 섰다. 그리고 설렘과 확신이 내 마음에 있었다. 나는 준비되었다. 급하게 자작곡을 쓴 것이 그나마 옥의 티였다. 그 점이 마음에 걸리긴 했다. 그래도 나는 크게 신경 쓰지 않았다. 나는 이미 내 손으로 자작곡을 만들었다. 나는 이미 내 목소리로 자작곡에 생명력을 불어넣었다. 나는 이미 온몸으로 음악과 교감해왔다. 사실상 나는 간접적으로 수많은 연습을 한 셈이었다. 게다가 나는 생방송 전에 리허설을 해 볼 기회가 있었다. 이제 내가 할 일은 오직 하나밖에 없었다. 나는 강렬한 에너지로 음악과 교감하면 되었다. 나는 나 자신을 믿고 크게 부담 느끼지 않았다.

나는 애덤이 알려준 장소를 머리에 상기시켰다. 그리고 나는 그곳을 향해 당당하게 걸었다. 잠시 후 거대한 건물이 시야에 들어왔다. 나는 그 건물에 걸린 현수막을 보고 목적지에 왔다고 확신했다. 미스터리 복면왕의 음악 쇼라고 적힌 거대한 현수막이 있었기 때문이다. 나는 그 거대한 현수막을 바라보며 호흡을 가다듬었다. 그렇게 나는 설렘과 약간의 긴장을 품은 채로 천천히 건물 안으로 들어갔다. 건물에 들어서자마자 한 사람이 나에게 다가왔다. 방송국의 직원 같아 보이는 한 여성은 나를 단박에 알아봤다. 그녀는 나에게 짧은 환영 인사를 한 뒤 어딘가로 나를 안내했다. 잠시 후 나는 한 문 앞에 멈춰 섰다.

페니 나르시스의 대기실. 그랬다. 나를 위한 대기실이 이 문 바로 너머에 있었다. 나는 문에 붙은 문구를 신기한 표정으로 바라봤다. 나는 이날 처음으로 내 이름이 적힌 문구를 바라봤다. 나는 내 이름이 영광스럽게 써진 문을 기쁘게 바라봤다. 나는 이 상황에서 나 자신을 슈퍼스타처럼 여겼다. 나는 이 모든 상황을 신기하게 생각했다. 나는 들뜬 마음을 품은 채 드넓은 대기실 들어갔다. 여러 사람이 대기실에서 매우 바쁘게 움직였다. 그들은 나에게 간식을 줬고 마실 것도 줬다. 그들은 나에게 빽빽한 대본을 주었다. 그리고 그들은 다양한 화장도구를 사용해 내 얼굴을 다듬었다. 나는 세련되게 바뀐 내 얼굴을 보고 감탄했다. 마법이 대기실에서 나타났다. 그때 노크 소리가 들렸다. 잠시 후 복면을 쓴 한 사람이 대기실로 들어왔다. 나는 화장을 하고 있어 뒤를 돌아볼 수 없었다. 나는 거울 속으로 그 사람을 바라볼 뿐이었다. 그는 거대하고 화려한 복면을 썼다. 그 가면은 그의 얼굴 전체를 완전히 가릴 정도로 컸다. 그 웅장한 가면 덕에 나는 그가 토크쇼의 호스트임을 짐작했다. 이 토크쇼의 제목이 복면왕의 미스터리 음악 쇼였기 때문이다. 나는 이 점에서 그가 복면왕이라는 것을 짐작했다. 그는 미스터리한 존재였다. 그는 아무 말 없이 주변을 두리번거렸다. 그러고 그는 내 등을 토닥이며 주먹을 불끈 쥐었다. 그렇게 그는 토크쇼 준비를 위해 이곳을 떠났다. 나는 의문점만 남긴 채 이 자리를 떠난 복면왕을 의아하게 바라봤다. 대기실에서 나를 돕는 사람들은 내 당황스러운 표정을 읽은 듯했다. 그러자 대기실의 모든 사람이 이 쇼의 견고한 콘셉트를 소개했다. 그들은 방금 복면왕의 모습이 이를 증명한다고 했다. 그들은 이 토크쇼의 호스트인 복면왕은 쇼 시작 전에도 복면을 쓴다고 했다. 그리고 그들 또한 복면왕의 얼굴을 본 적이 없다고 말했다. 나는 방송국 사람들에게도 얼굴을 드러내지 않는 복면왕이 의아했다. 그래도 나는 복면왕이 대단하다고 생각했다. 복면왕은 답답할지라도 계속 가면을 쓰며 이 쇼의 콘셉트를 유지해왔다. 복면왕은 이 정도로 쇼에 애정이 있었다. 이 점으로 인해, 나는 복면왕의 태도를 좋게 평가했다.

　나는 그렇게 복면왕에 대해 생각하며 토크쇼 무대에 오를 순간을 기대했다. 그렇게 나는 대기실의 분위기를 즐겼다. 내 들뜬 기분에 시간은 더욱 빠르게 흘렀다. 어느덧 시간이 다 되었다. 나는 토크쇼 무대 위에 서야 했다. 무대에 서기 직전까지 대기실의 사람들은 나를 끝까지 도왔다. 그들은 친절하게 무대 경로를 나에게 안내했다. 나는 무대 뒤 공간까지 그들과 동행했다. 그렇게 나는 커튼이 처친 무대 뒤에 섰다.　나는 커튼 뒤에서 휘황찬란한 소리를 들었다. 나는 커튼 뒤에서 다양한 악기 소리를 들었다. 나는 악기의 화려한 소리와 내 화려한 모습이 잘 어울리기를 기대했다. 나는 커튼 뒤에서 쇼호스트의 쩌렁쩌렁한 목소리를 들었다. 나는 커튼이 처진 좁은 공간 사이로 복면왕의 실루엣을 봤다. 복면왕은 복면을 쓴 채 큰 소리로 나를 소개했다. 복면왕은 내 대기실에서 풍긴 과묵한 태도를 지운 듯했다. 복면왕의 목소리에는 자신감이 가득했다. 그 덕에 나는 훌륭한 쇼 호스트 복면왕을 신뢰했다. 그렇게 악기 소리는 점점 커졌고 쇼호스트는 내 이름을 큰 소리로 불렀다. 페니 나르시스! 이 소리와 함께, 나는 토크쇼의 무대로 달려갔다. 수많은 사람들이 무대 뒤의 자리에서 일어났다. 그들은 나의 발소리에 맞춰, 토크쇼 밴드의 음악 소리에 맞춰 박수갈채를 보냈다. 나는 성대한 환대에 압도당했다. 나는 곧 환한 웃음을 지으며 관객들의 환대에 보답했다. 나는 복면왕의 친절한 환대를 받으며 그와 마주 보고 앉았다. 그렇게 내 첫 토크쇼가 시작되었다.

복면왕: (기쁘면서도 살짝 걸걸한 목소리로) 페니 씨, 만나서 반갑습니다. 오, 오늘 입은 옷이 꽤 멋있는데요.

페니: (환한 눈웃음과 미소를 지으며) 감사합니다. 오늘 첫 방송이라 잘 차려입고 싶었어요. 중요하진 않지만, 목소리가 굉장히 독특하시네요. 대기실에서는 한마디도 안 하셔서 제가 복면왕님 목소리를 못 들었잖아요. 지금 들어보니 뭔가 친숙하면서도 중후한 목소리군요. 제 할아버지가 여기에 있는 것 같네요.

복면왕은 페니의 말에 웃는다. 복면왕은 그의 걸걸함을 강조하는 듯 걸걸한 웃음소리를 낸다. 페니는 그 걸걸함에 덩달아 웃는다.

복면왕: (살짝 목소리를 가다듬으며) 우선 본격적으로 들어가기 전에 몇 가지 질문 좀 할게요. 페니 씨가 솔로로 돌아오셨습니다. 밴드와 같이하지 않고 솔로로 돌아오셨어요. 그 결정의 배경이 무엇인지 궁금하네요.

페니, 무대 뒤의 관객들과 허공을 차례대로 쳐다본다. 페니, 회상하는 듯 허공을 바라보며 빠르게 답하지 않는다.

페니: (허공을 쳐다보며 생각을 한 뒤 천천히 말한다) 저는 항상 변화와 도전을 추구해왔어요. 그래서 제가 활동한 밴드는 굉장히 혁신적인 노래를 많이 만들었어요. 장르와 악기를 전혀 가리지 않았어요. 모든 것이 새로웠고 신선했어요. 그런데 계속 밴드 활동을 하다 보니 이 활동도 점점 생기를 잃어갔어요. 똑같은 역할 분담을 하고 연습하고 노래를 부르고. 이 활동이 점점 지루해졌어요. 그래서 새 도전을 위해 솔로 활동을 하겠다고 스스로 다짐한 거예요.

복면왕: (페니의 용기를 칭찬하며 청중에게 박수를 유도하며) 정말 놀랍군요. 그 용기가 부럽네요. 그럼 앞으로도 다양한 도전을 추구하실 건가요? 그리고 그 도전 속에 밴드는 없는 건가요?

페니: (손뼉 치는 청중과 복면왕에게 감사를 표하며) 저는 도전하기 위해 태어났어요. 당연히 앞으로 많은 도전을 할 거예요. 정말 다양한 음악을 쓰고 다양한 예술 활동을 할 거예요. 제가 예전에 활동하던 그 밴드는 새 도전을 위한 원동력으로 남을 거예요. 저는 그 밴드로부터 많은 것을 얻었어요. 하지만 이제 과거는 과거일 뿐이에요. 저는 다른 밴드 멤버들의 미래를 기원해

요. 그것밖에 할 말이 없네요.

복면왕: (무대와 객석을 차례대로 손짓하며) 그러면 무대에서 페니 씨의 노래를 듣고 다시 얘기 나누겠습니다. 여러분, 박수 주세요! 페니 나르시스의 <가면극 무대 뒤로> 들려 드리겠습니다!

나는 객석에서 울려 퍼지는 박수 소리를 즐기며 무대 위에 섰다. 나는 무대 위의 스탠딩 마이크를 불끈 잡았다. 나는 청중들의 하루를 만족시킬 자신이 있었다. 쇼호스트인 복면왕은 나의 용기를 칭찬했고 청중들도 이에 박수로 화답했다. 내 열정을 발산하기에 충분한 상황이 이곳에 조성되었다. 나는 즐겁게 눈을 감고 내 노래가 흐르기를 기다렸다. 잠시 후 친숙한 반주가 흘러 나왔다. 내 손으로 직접 쓴 노래가 내 귓가에 흘렀다. 바이올린, 첼로, 피아노 심지어 꽹과리까지. 내가 음악 스튜디오에서 직접 고른 악기가 반주에 다 담겼다. 나는 서서히 눈을 뜨고 청중들과 교감할 준비를 마쳤다. 나는 청중들의 귀를 만족시킬 준비를 마쳤다.

그런데 내가 눈을 뜬 순간 모든 것이 사라졌다. 객석을 가득 채운 청중들이 자취를 감췄다. 토크쇼의 밴드도 악기를 내버려 둔 채 자리를 떠났다. 이곳에 흐르던 반주도 생명력을 잃었다. 이곳에 있던 화려함과 영광도 자취를 감췄다. 어둠이 눈앞을 가득 채웠다. 그리고 복면왕은 우울한 표정으로 어둠 속에 앉아 있었다. 쇼 호스트인 복면왕은 사건을 간략히 설명했다. 그는 내 노래가 너무 시끄러웠다고 말했다. 곧이어 복면왕은 가슴 아픈 이야기를 전했다. 그는 내 시끄러운 노래로 관객들이 자리를 떴다고 말했다. 내 노래는 그들에게 난잡한 공사장 소음에 불과했다. 결국, 내 노래는 실패투성이였다. 나는 참혹한 현실을 깨닫고 무대 뒤 공간으로 달아났다. 나는 이곳에서 풀썩 주저앉아 울었다. 나는 눈물이 홍수로 변할 만큼 많이 울었다. 계속 흐를 것 같던 눈물도 멈췄다. 한 마디의 말을 듣고 나는 억지로 눈물을 멈췄다.

"<가면극 무대 뒤로>. 그거 출판사 벽에 있는 그림에 영감을 받은 거죠? 그림 속 그 사내 말이에요."

복면왕은 조용한 목소리로 나를 놀라게 했다. 복면왕이 어떻게 그것을 알았을까? 특히 이곳 방송국과 출판사는 꽤 멀리 떨어졌다. 그래서 복면왕이 이 사실을 알 가능성은 드물었다. 그럼에도 그는 정확하게 그 그림 속 사내에 대해 얘기했다. 나는 당혹스러움에 눈물을 멈췄다. 나는 생각보다 나를 잘 아는 복면왕을 바라봤다. 나는 복면 뒤에 숨은 그의 표정을 짐작했다. 그는 모든 것을 다 안다는 듯이 거만한 표정을 지은 듯했다. 그는 한동안 나를 바라보다가 천천히 대기실을 향해 걸어 갔다. 그는 기분 나쁘게 웃으며 나를 지나쳤다. 그리고 그는 중후한 목소리로 무언가를 중얼거렸다.

"도전의 화신 페니 나르시스, 알고 보니 좌절의 화신. 좋은 헤드라인이 될 것 같군요. 좋은 기삿거리가 되겠어요."

그랬다. 그는 평범한 쇼호스트가 아니었다. 그는 그 기자였다.

나는 그 기자와의 악연을 다시 떠올렸다. 그는 나에 관한 저질스러운 기사를 썼다. 그는 호신용 스프레이를 나에게 뿌렸다. 그런 그 기자가 내 앞에 서 있었다. 나는 분명 그 녀석을 잡아채고 싶었다. 나는 정의의 이름으로 그 녀석을 마구 때리고 싶었다. 하지만 나는 그럴 힘이 없었다. 나는 좌절했다. 나는 좌절이라는 족쇄에 묶여 주저앉았다. 좌절은 내 생기를 빼앗아버렸다. 나는 울 힘도 없었다. 나는 멍한 표정으로 어둠을 바라볼 뿐이었다. 그렇게 시간이 하염없이 흘렀다. 내 공허한 시간은 멈출 것 같지 않았다. 그런데 놀랍게도 우울의 시간이 다 흘러갔다. 나는 짙은 어둠 속에서 피아노 소리를 들었기 때문이다. 나는 스산한 어둠이 만든 분위기에 불안했다. 어둠 속의 피아노. 흔히 공포소설에 이런 소재가 많이 나오는 법이다. 그래도 감미로운 피아노의 소리는 스산한 어둠을 잘 막았다. 나는 본능적으로 그 감미로움에 이끌렸다. 나는 조심스럽게 커튼 밖의 공간으로 다시 나왔다. 놀랍게도 이곳은 칠흑 같은 어둠만 있지 않았다. 미세한 조명이 피아노를 비췄고, 그 조명은 피아노 연주자를 빛냈다. 잠시 후 나는 감미로움의 근원을 바라볼 수 있었다.

7장: 못다 핀 피아니스트의 이야기

한 여성의 머리카락이 내 눈에 들어왔다. 그녀의 머리카락은 부드러운 실처럼 자연스럽게 흩날렸다. 나는 부드러운 머리카락에 집중하며 그녀의 피아노 연주를 바라봤다. 그녀의 두 손이 내 눈에 들어왔다. 그녀의 두 손은 하얀 실크만큼 하얗고 아름다웠다. 나는 새하얀 손가락에 집중하며 그녀와 피아노의 교감을 경청했다. 그녀의 발이 내 눈에 들어왔다. 그녀의 발은 소리 없는 아우성처럼 보이지 않는 힘이 있었다. 나는 그녀의 강렬한 페달질을 즐겼다. 나는 그녀의 신발 속에 적힌 이름을 얼핏 봤다. 이제서야 나는 그녀의 정체를 알아차렸다. 그녀는 바로 오로라였다. 오로라의 등장은 꽤 의외였다. 우선 나는 오로라가 어떻게 이곳에 왔는지 몰랐다. 그리고 나는 오로라가 피아노에 재능이 많은 것을 몰랐다. 나는 오로라가 부끄러움 속에 강렬한 분위기를 숨긴 것을 몰랐다. 지금 피아노를 치는 오로라는 나에게 낯선 존재였고 동시에 인상깊은 존재였다. 나는 넋 놓고 오로라의 훌륭한 연주를 바라봤다.

오로라는 끝까지 자신 있게 피아노 건반을 두드렸다. 오로라의 새하얀 손과 새하얀 피아노 건반은 서로 교감했다. 그리고 그 교감은 자신감이라는 결실을 도출했다. 나는 오로라의 모든 손놀림에서 자신감과 용기를 읽었다. 오로라는 한동안 피아노에 시선을 고정했다. 오로라는 마지막까지 피아노를 바라보며 연주의 전율을 느낀 듯했다. 피아노의 미세한 울림이 끝나자 오로라는 겨우 주변을 살폈다. 그 순간 오로라는 넋 놓은 날 발견했다. 나는 미세한 조명 아래에서 오로라의 표정을 봤다. 자신감에 넘치던 오로라는 갑자기 사라졌다. 오로라는 나를 보자마자 눈을 동그랗게 떴다. 나는 미세한 조명 아래에서 오로라의 새빨간 얼굴을 봤다. 나는 오로라의 얼굴에서 당혹스러움을 단번에 읽었다. 용감한 오로라는 갑자기 사라졌다. 오로라는 얼굴을 붉힌 채 밖으로 달아났다. 나는 본능적으로 달아나는 오로라를 뒤쫓았다. 내가 왜 그러는지 정확한 이유를 몰랐다. 아마 나는 오로라의 강렬한 연주에 정신이 팔린 걸지도 몰랐다. 그 연주 덕분에, 나는 오로라에게 자석처럼 끌린 듯했다. 이런 이유로 나는 오로라를 쫓는 듯했다.

안타깝게도 나는 오로라를 붙잡지 못했다. 오로라는 부끄러움이라는 강력한 엔진을 통해 내 시야에서 벗어났다. 나는 숨을 헐떡이며 잠시 주저 앉았다. 나는 그 순간에도 강렬했던 오로라의 모습을 떠올렸다. 나는 오로라의 연주를 계속 생각했다. 오로라의 연주에서 흐른 에너지 덕분일까? 나는 정신을 차리고 자리에서 일어났다. 우선 나는 집으로 발걸음을 돌렸다. 일단 나는 좌절감 속에서 마음의 안정을 취해야 했다. 나는 안식처로 돌아가야 했다. 또 나는 귀갓길 속에서 오로라를 찾아야 했다. 오로라의 집은 내 집 바로 옆에 있었다. 나는 오로라의 집에 있는 창문을 통해 그녀를 볼 수 있으리라 기대했다. 그렇게 나는 오로라와의 재회를 기대한 채 내 집으로 향했다.

안타깝게도 나는 오로라를 보지 못했다. 암막 커튼이 견고히 그녀의 모습을 보호했기 때문이다. 커튼 사이에 미세한 틈도 보이지 않았다. 나는 아쉬움을 뒤로 하고 할 수 없이 내 집으로 돌아갔다. 나는 우울한 마음을 달래기 위해 턴테이블을 켰다. 나는 신나는 음악으로 우울한 현실을 달랬다. 나는 갓 들어온 커피와 빵을 들고 나무 탁자에 앉았다. 나는 풍미 있는 음악으로 무미건조한 현실을 극복하고 싶었다. 하지만 어떠한 방법도 내 좌절을 막지 못했다. 내 머릿속을 맴도는 것은 딱 두 가지였다. 우선 그 기자의 악랄한 비웃음이 귓가를 떠나지 않았다. 나는 그 좌절의 공간을 아직도 기억했다. 어두운 무대, 달아나는 사람들, 그리고 그 기자의 비열함까지. 난 어둠의 공간을 생생히 떠올렸다. 한편 어둠을 뚫고 울리는 피아노 소리도 귓가에 들렸다. 오로라는 내 귓가에 머무르며 그 속의 좌절감을 치료했다. 오로라의 연주는 긍정의 기운을 나에게 불어넣었다. 지금쯤 내가 오로라의 연주를 듣는다면 더 좋았을 것이다. 지금쯤 내가 오로라와 피아노 합주를 한다면 더 좋았을 것이다. 우리는 같은 피아노 연주자로서 피아노를 통해 삶의 아픔을 극복했을 것이다. 야속하게도 이 일은 지금 일어나지 않았다. 비참한 현실이 귓가에 맴돌았다. 나는 고개를 절레절레 저으며 자리에서 일어났다. 나는 별 도움이 안 되는 턴테이블을 껐다. 나는 잡생각을 지우기 위해 불을 껐다. 나는 비참한 오늘을 지우기 위해 잠을 청했다.

쿵. 매우 커다란 소리가 내 단잠을 깨웠다. 나는 멍한 표정을 지으며 침대에서 일어났다. 나는 혼란한 상황을 파악하기 위해 서둘러 정신을 차렸다. 곧이어 노크 소리까지 귓가에 들렸다. 도대체 누가 이른 시간부터 내 단잠을 방해한 걸까? 나는 평범한 노크 소리에도 화가 났다. 하지만 동시에 나는 조그만 기대를 품었다. 혹시 오로라가 방 문을 두드렸을지도 몰랐다. 이런 기대감이 내 머릿속을 채웠다. 나는 잠깐만 기다려 달라고 소리쳤다. 그리고 나는 옷장에서 후드를 꺼냈다. 후드에 달린 모자는 까치집 같은 내 머리를 가리기에 충분했다. 나는 옷장 위의 선글라스를 꺼냈다. 나는 선글라스로 멋을 부리고 싶었다. 나는 선글라스로 눈에 낀 눈곱을 가렸다. 이제 나는 대충 준비되었다. 나는 환한 미소를 지으며 문을 열었다.

"아침부터 선글라스를 끼다니 마음이 많이 아픈가 보군요."

나는 이 말을 듣고 크게 실망했다. 나는 이 말에 곧바로 선글라스를 벗었다. 애덤이 내 앞에 있었다. 그리고 거대한 피아노가 그의 뒤에 있었다. 애덤은 예전처럼 단도직입적으로 상황을 설명했다. 그의 설명은 대략 이랬다. 사건은 내가 첫 솔로 공연을 망친 이후부터 시작되었다. 애덤은 그의 레코드 회사가 그 공연 이후 큰 피해를 입었다고 했다. 그때 이후로 애덤은 레코드 회사를 처분할 상황에 놓였던 것이다. 애덤은 레코드사를 계속 운영하기에 대중들의 시선이 따가웠다고 했다. 이상한 노래를 내는 가수가 활동하는 레코드사. 이미 안 좋은 소문이 이 일대에 막대하게 퍼졌던 것이다. 그래서 애덤은 그의 스튜디오에 있는 모든 악기를 처분했다고 했다. 그렇게 애덤은 악기 정리를 시작했던 것이다. 그러던 도중 애덤은 피아노를 보고 바로 나를 떠올렸다고 했다. 애덤은 진심으로 피아노와 교감하던 나를 떠올렸던 것이다. 그래서 애덤은 그의 친구를 불러 피아노를 트럭에 실었던 것이다. 그렇게 애덤은 트럭과 함께 내 집에 온 것이다. 간단히 사건을 다 얘기하자마자, 애덤은 커다란 피아노를 나에게 선물로 줬다. 그리고 애덤은 내 재기를 응원했다. 나는 피아노의 굴곡진 곡선을 만지며 애덤에게 고마움을 표했다. 그렇게 애덤은 피아노로 나를 위로한 채 길을 떠났다.

나는 피아노의 건반을 한 손으로 두드렸다. 나는 이 피아노에서 나오는 맑은 소리에 감탄했다. 나는 피아노의 매혹적인 소리에 현혹되었다. 동시에 나는 한 장소를 바라봤다. 바로 오로라의 집이었다. 나는 피아노에서 잠시 벗어나 오로라의 집으로 향했다. 오로라의 집은 여전히 굳게 닫혔다. 이곳의 커튼은 여전히 빈틈없이 쳐졌다. 곧이어 나는 피아노를 향해 발걸음을 옮겼다. 나는 피아노 의자에 앉아 두 가지를 차례대로 바라봤다. 피아노의 건반과 그리고 오로라의 집. 나는 이렇게 시선을 움직이며 놀라운 아이디어를 떠올렸다. 나는 즉시 집으로 들어가 나무 탁자 서랍 안의 편지지를 꺼냈다. 곧바로 나는 진심을 담아 편지를 썼다.

오로라에게

안녕하세요, 오로라 씨. 저 페니입니다. 잘 지내셨나요? 저는 아쉽게도 잘 못 지냈어요. 혹시 방송국에서 소문을 들으셨을까요? 한 마디로 제가 나온 토크쇼는 최악이었어요. 저는 그곳에서 비참한 흑역사를 썼어요. 제 솔로 활동은 완전히 실패했어요. 당시 박수갈채를 내뿜던 사람들은 욕설을 내뿜으며 자리를 떴어요. 그리고 저는 그곳에서 한 사회자의 비열한 폭언도 들었습니다. 저는 그곳에서 완전히 붕괴된 상태였어요. 그 상황 속에서 저는 오로라 씨의 연주를 들었던 거예요. 오로라 씨의 부드럽고 환상적인 연주를 말이에요. 그 연주를 듣는 동안, 저는 한동안 제 비참한 기분을 지울 수 있었어요. 저는 정말 행복하게 오로라 씨의 멋진 연주를 즐겼어요. 그 연주를 들은 이후로, 저는 오로라 씨를 가장 훌륭한 피아니스트라고 믿어요. 이건 진심이에요. 저는 오로라 씨보다 훌륭한 피아니스트를 본 적이 없어요. 오로라 씨의 연주는 좋은 것을 넘어 다른 사람을 위로해주니까요.

솔직히 말씀드릴게요. 저는 오로라 씨의 연주를 다시 듣고 싶어요. 그저 연주면 충분해요. 물론 같은 피아노 연주자로서 우리 둘이 합주를 하면 좋겠죠. 그렇지만 지금은 연주도 충분해요. 오로라 씨 같은 훌륭한 피아니스트가 기꺼이 나를 위해 연주를 한다? 분명 놀라울 거예요. 제 불안과 좌절은 말끔히 치료되겠죠. 정말 연주 하나면 돼요. 저는 오로라 씨에게 부담을 줄 의도가 전혀 없어요. 저는 오로라 씨에게 이렇게 하라고 명령을 내릴 생각도 전혀 없어요. 저는 오로라 씨의 연주가 필요할 뿐이에요. 답변 주실 때까지 기다릴게요. 오로라 씨를 재촉하진 않겠어요. 그냥 오로라 씨를 기다릴게요. 천천히 생각 정리해주시고 꼭 피아노 다시 치길 바라요.

당신을 존경하며, 페니가

편지를 쓰는 동안, 나는 손의 감각에 집중했다. 나는 정말 또박또박하게 글을 썼다. 나는 모든 글자 속에 진심을 전했다. 곧이어 나는 편지 봉투에 편지지를 고이 보관했다. 나는 오로라가 부디 이 편지를 읽기를 바라며 그녀의 집으로 향했다. 그렇게 나는 편지지를 오로라의 집 문 앞에 뒀다. 나는 문 앞에 놓인 편지 봉투를 오랫동안 쳐다보며, 오로라의 답변을 속으로 바랐다. 그리고 나는 피아노를 향해 발걸음을 돌렸다. 나는 수단과 방법을 가리지 않고 어제의 좌절을 지우려 했다. 나는 어제 하루 자체를 말끔히 지우고 싶었다. 그래서 나는 피아노 연주를 선택했다. 나는 경건하게 피아노 앞에 앉아 손가락 근육을 풀었다. 나는 머릿속에서 다채로운 코드를 떠올리고 피아노의 건반을 바라봤다. 그렇게 나는 손으로 피아노와 교감했다. 나는 피아노에서 나오는 맑은 소리로 내 끔찍한 좌절을 치유하려 했다.

어느덧 내 연주는 막바지에 다다랐다. 나는 내가 아는 모든 곡을 떠올렸다. 피아노 연주자라면 흔히 칠 수 있는 쉬운 클래식부터 내 첫 자작곡까지. 나는 많은 곡을 연주하고 피아노와 교감하려 했다. 그런데 나는 두 손을 머뭇거린 채 쉽게 연주하지 못했다. 너무 많은 곡이 내 머릿속에 잠식했다. 그래서 나는 연주할 곡을 결정하지 못했다. 결국, 나는 마음을 비우고 한 곡을 떠올렸다. 나는 나에게 가장 익숙한 곡을 연주했다. 바로 밴드 활동당시 베드로가 처음 만든 곡이었다. 나는 마음을 비우고 곡과 행복하게 교감했다. 내 시야에 들어오는 것은 별로 없었다. 오직두 손과 피아노의 건반만이 나에게 보였다. 내 귓가에 들리는 것은 별로 없었다. 오직 피아노의 맑은 소리와 내 환한 웃음소리만나에게 들렸다. 내 머릿속을 맴도는 것은 별로 없었다. 나는 오직 행복한 과거와 만족스러운 지금 이 순간만 느꼈다. 그렇게 나는 음악에 집중한 채 이 순간을 즐겼다. 그렇게 나는 몰입하며마지막 음을 연주했다. 나는 마지막 음의 전율을 느끼며 흡족한표정을 지었다. 나는 천천히 주변을 살폈다.

그때 누군가가 내 시야에 들어왔다. 바로 오로라였다. 이제서야 나는 어제 오로라가 홍당무가 된 이유를 확실히 알았다. 나도어제 오로라처럼 갑작스러운 상황에 깜짝 놀랐기 때문이다. 나는놀란 와중에도 오로라의 손에 있는 것을 봤다. 오로라는 내 편지지를 쥐었다. 나는 편지지를 보고 내 진심이 그녀에게 닿았다고 짐작했다. 나는 밴드의 첫 곡을 연주하길 잘했다고 생각했다. 오로라는 단박에 내가 연주한 그 곡을 알아차렸기 때문이다. 오로라는 우리 밴드의 첫 곡을 들은 후 추억에 잠긴 듯했다. 오로라는 옅은 미소를 지으며 피아노를 바라봤다. 잠시 후 오로라는 나에게 따라오라는 손짓을 했다. 나는 기쁜 마음으로 오로라와 함께 길을 나섰다.

　잠시 후 우리는 발걸음을 멈췄다. 오로라는 잠깐 기다리라는 손짓을 하고 한 건물로 들어갔다. 오로라는 건물 주위를 돌며 인기척이 있는지를 보는 듯했다. 잠시 후 오로라는 나에게 따라오라는 손짓을 재차 했다. 우리는 그 건물로 들어갔다. 이 건물은 우리에게 매우 친숙했다. 정겨운 음반들이 항상 이곳에 있었기 때문이다. 그랬다. 이곳은 바로 메디의 음반 가게였다. 내가 솔로 활동을 하는 동안에도, 이 가게는 예전과 똑같았다. 깔끔한 카운터가 이곳에 있었고 다채로운 음악도 자연스럽게 흘렀다. 그리고 뒷문도 여전히 이곳에 있었다. 나는 하나도 변하지 않은 풍경에 감탄했다. 오로라도 우리의 추억이 가득한 이곳을 좋아하는 듯했다. 오로라는 밝게 미소 지으며 나와 이곳을 둘러봤기 때문이다. 그렇게 우리는 서로에게 미소 지으며 뒷문을 통해 지하실로 들어갔다.

　지하실도 여전히 그대로였다. 다채로운 악기가 여전히 이곳에 있었다. 피아노도 여전히 다채로운 악기들 사이에서 존재감을 과시했다. 오로라는 편지지를 한 손으로 들고 나를 바라봤다. 그 행동을 통해 오로라는 나에게 연주를 하겠다는 의사를 밝힌 듯했다. 오로라는 천천히 피아노를 향해 나아갔다. 나는 오로라의 뒷모습을 흐뭇하게 바라봤다. 지하실은 대체로 어두웠지만 희미한 빛이 일부 공간에 쏟아졌다. 운 좋게도 그 희미한 빛이 피아노를 밝게 비췄다. 소중한 그 빛 덕분에 나는 오로라를 선명하게 바라볼 수 있었다. 그 빛 덕분에 오로라는 더욱 밝게 빛났다. 오로라는 진지한 얼굴을 한 채 한동안 피아노를 바라봤다. 잠시 후 오로라는 힘차게 손가락을 움직였다. 딴. 딴. 딴. 딴. 친숙한 네 개의 음이 귓가에 들렸다. 그 음을 듣자마자 나는 오로라가 무엇을 연주하는지 알았다. 분명 베토벤의 운명이었다. 나는 장엄하고 강렬한 오로라의 연주를 즐겼다. 그 곡의 제목처럼 오로라는 밝게 빛날 운명이었다. 적어도 나에게는 그렇게 보였다. 나는 처음부터 끝까지 오로라의 손끝에 집중하며 이 순간을 즐겼다. 오로라도 처음부터 끝까지 그녀의 손끝을 보며 곡을 연주했다. 그렇게 오로라는 환상적인 연주를 마쳤고 나는 자동으로 손뼉을 쳤다. 오로라는 홀가분한 표정을 지으며 이 순간을 즐겼다.

"연주하니까 좋네요. 저도 우울했거든요. 베드로 씨와 헤어져서요."

나는 오로라가 조용히 내뱉은 말에 깜짝 놀랐다. 내가 솔로 활동을 하는 동안 꽤 놀라운 변화가 생긴 듯했다. 나는 오로라의 환상적인 연주를 잊은 채 큰 충격을 받았다. 오로라와 베드로가 결별한 것은 너무 놀라웠다. 그들은 정말 서로를 사랑했었다. 그들의 사랑은 우리 불화의 시발점이었다. 그 정도로 그들의 사랑은 우리의 음악 열정보다 강렬했었다. 나는 예상치도 못한 변화에 입을 다물 수밖에 없었다. 오로라는 놀란 나를 바라보며 천천히 근황 얘기를 꺼냈다. 나는 놀란 와중에도 그녀의 근황 얘기에 집중했다.

사건은 이랬다. 오로라는 초반에 베드로와 관계가 좋았다고 했다. 하지만 곧이어 오로라는 성격 차이로 인해 베드로와 계속 다퉜다고 했다. 오로라는 베드로의 충동성과 돌발 행동에 지쳤던 것이다. 오로라는 그런 이유로 베드로에게 이별을 통보했다고 했다. 비록 깔끔하게 이별을 통보했지만 오로라는 기분이 불편했다고 했다. 오로라는 오랜 사랑을 뒤로하고 새로운 출발을 할 의무에 억눌렸던 것이다. 그래서 오로라는 한 가지 방법을 떠올렸다고 했다. 바로 산책이었다. 그로 인해 오로라는 방송국 근처까지 산책했던 것이다. 그때 오로라는 우연히 내 노래를 들었던 것이다. 오로라는 당시 매력적인 멜로디를 따라 방송국 안까지 왔다고 했다. 당연하게도 오로라가 본 것은 텅 빈 객석이었다. 이미 모든 것은 내 좌절과 공허로 어둡게 뒤덮인 상태였다. 그래도 오로라는 암흑 속에서 무언가를 봤다고 말했다. 바로 피아노였다. 오로라는 본능적으로 피아노를 연주했다고 했다. 오로라는 아무 이유 없이 피아노에 손이 갔던 것이다. 오로라는 그때 정말 오랜만에 피아노를 연주했다고 했다. 오로라는 중학교 졸업 이후로 그때 처음 피아노를 쳤다고 말했다. 오로라는 정말 오랜만에 피아니스트로서 그녀의 매력을 뽐냈던 것이다. 오로라는 그때의 감정을 떠올리며 미소 지었다.

"혹시 왜 중학생 이후로 피아노 연주를 관뒀는지 알 수 있을까요?"

　나는 오로라의 이야기를 듣고 이 질문을 안 할 수가 없었다. 솔직히 나는 오로라와 베드로가 헤어진 이유에 관심이 없었다. 둘의 결별은 일시적인 충격을 줬을 뿐이다. 그보다 나는 왜 오로라가 한동안 피아노를 치지 않았는지 의아했다. 나는 뛰어난 피아니스트가 그녀의 실력을 숨겨온 것에 대해 의문을 품었다. 물론 나는 개인적인 질문을 하는 것이 실례임을 알았다. 나는 특히 부끄러움이 많은 오로라에게 더 신중히 질문해야 했다. 나는 오로라가 곧바로 그녀의 이야기를 꺼낼 것을 예상하지 않았다. 그런데 오로라는 목을 가다듬었다. 오로라는 그녀의 이야기를 할 준비를 마쳤다. 무엇이 오로라의 부끄러움을 없앴는지는 모르겠다. 하지만 나는 한 가지를 확신했다. 밝은 빛줄기 밑에 앉은 오로라는 매우 용감해 보였다. 마치 연극 무대 위의 주인공이 강렬한 독백을 하는 듯했다. 내 생각대로 오로라는 생생하고 강렬한 독백을 시작했다. 나는 오로라의 생동감 넘치는 이야기를 경청했다. 오로라는 정확히 이렇게 말했다.

　<지금 저는 굉장히 수줍음이 많고 위험한 일은 피해요. 하지만 예전에 저는 굉장히 활달했어요. 특히 음악적으로 활달했어요. 저는 바이올린이나 피아노를 연주하는 것을 어릴 때부터 좋아했어요. 그래서 유치원 장기자랑 때 여러 악기를 연주하곤 했어요. 저는 음악에 미쳤어요. 저희 부모님도 그것을 아셨어요. 그래서 엄마는 어린 저를 피아노 학원에 보냈어요. 물론 당시 유치원생

이나 초등학생은 피아노 학원이 필수 코스였죠. 너도, 나도 할 것 없이 부모들이 어린아이를 피아노 학원에 보냈으니까요. 아이들은 부모의 결정에 어쩔 수 없이 피아노 학원에 가곤 했어요. 근데 저는 그곳에서 진짜 사랑에 빠졌어요. 피아노의 음색에 사랑에 빠졌어요. 어린 저는 고사리 같은 작은 손으로 다양한 노래를 연주했어요. 클래식부터 대중가요까지. 저는 한 곡을 다 칠 때마다 희열감을 느꼈어요.

그런 저의 인생이 180도 바뀐 것은 중학교 3학년 때였어요. 저는 중학교에서의 마지막 기말고사를 마치고 졸업을 준비했어요. 학교에서는 곧 졸업하는 중3 학생들을 위해 장기자랑을 열었어요. 중학교에서의 마지막 장기자랑이던 거예요. 저는 당연히 무대 위에서 피아노를 치려고 했어요. 저는 예전부터 완벽주의자였어요. 저는 항상 피아노를 완벽하게 연주하고 싶었어요. 그래서 어릴 때부터, 저는 피아노를 수십 시간 동안 연습했어요. 그 결과 저는 무대 위에서 단 한 번도 실수한 적이 없었어요. 적어도 그날 전까지는요. 그날도 저는 항상 그래온 것처럼 피아노를 미친 듯이 연습했어요. 그렇게 저는 장기자랑 당일 무대 위에 올랐어요. 저는 무대 위에서 베토벤의 운명을 연주했어요. 그리고 저는 초반부터 아주 큰 실수를 했어요. 딴. 딴. 딴. 딴. 그 유명한 음 알죠? 오늘도 들었으니까요. 어쨌든, 그때 저는 네 개의 음 중 마지막 음을 너무 높게 연주했어요. 그 유명한 음을요. 물론 저는 최대한 마음을 다잡고 그 곡을 다 연주했어요. 하지만 저는 비참했어요. 왜냐하면, 몇몇 친구들이 제 실수를 알았거든요. 그 네 개의 음이 운명 교향곡에서 가장 유명하니까요. 친구들은 제 연주에 대한 안 좋은 소문을 퍼뜨렸어요.

"쟤 그거 틀린 거 봤냐? 그래도 중3 대표로 피아노 치는 놈이 그것을 틀리네. 병신새끼."

그 친구들은 이런 식으로 비열하게 저를 비난했어요. 지금 돌이켜 생각해보면, 그때 제가 운이 없었어요. 언제나 남의 성공은 화내면서 남의 실패를 즐기는 사람들이 있잖아요. 그런 애들이 우연히 제 실수를 잡아낸 거예요. 정말 비열한 친구들이었어요. 아무튼, 그날부터 저는 피아노를 멀리했어요. 피아노 의자에 앉자마자 저는 그 모독과 혐오를 떠올렸으니까요. 그렇게 저는 어릴 때 가지고 있던 꿈도 지워버렸어요. 피아니스트가 되겠다는 꿈을요. 그리고 저는 사람들을 불신했어요. 혹시 알아요? 그 사람이 또 악플러 같은 사람일지. 저는 타인에 대한 상처를 받고 부끄러움 뒤에 상처를 숨겼어요. 그렇게 저는 모든 것을 회피하는 사람이 됐어요.

사람들을 의심하다 보니, 저는 독립적인 직종을 선망하게 됐어요. 그 결과 저는 회계사라는 직업에 관심을 가졌어요. 물론 저는 회계 일보다 음악을 더 좋아했어요. 하지만 저는 마음속 상처가 깊이 났어요. 그래도 허튼짓 안 하고 교과서 내용만 계속 복습하다 보니, 제가 공부는 좀 했어요. 그래서 저는 이 정도 공부 실력이면 충분히 회계사를 할 수 있다고 믿었어요. 저는 반드시 회계사가 돼서 스스로 살겠다고 다짐했어요. 그리고 실제로 저는 회계사 시험에 합격했어요. 그리고 회계사가 된 뒤 최대한 타인과 사회적 접촉을 피했고요. 그렇게 저는 인생의 꿈을 이뤘다고 생각했어요.

그렇지만 회계사 일도 곧 지옥이 되었어요. 애초에 저는 회계 일을 좋아해서 이곳에 들어간 게 아니었으니까요. 저는 사람을 피하고자 독립적인 회계 일을 택했어요. 회계사가 특히 바쁜 날이 있거든요. 시즌이라고 불러요. 보통 1월과 3월인데, 그때는 회계사 전부가 컴퓨터에 있는 숫자에만 집중해요. 그렇지만 그들도 사람이에요. 시즌이 끝나면 우리는 뒤풀이하러 갔어요. 하지만 저는 최대한 핑계를 대서 그곳에 안 갔어요. 저는 사람을 계속 피해 다녔어요. 그러니까 당연히 사람들도 저를 이상하게 본거예요. 일에 미친 사람. 냉랭한 사람. 심지어는 저 보고 찐따라는 욕까지 했어요. 그 욕을 듣고 저는 다시 상처를 입었어요. 그러지 않기 위해 저는 나름대로 노력해왔잖아요. 계속 사람들을 피해 다녔잖아요. 그런데도 저는 다시 마음의 상처를 입은 거예요. 저는 회계사 일을 때려치우고 다시 음악의 길을 걸을까 생각했어요. 하지만 이미 늦었어요. 또, 저는 새 도전을 할 용기도 없었고요. 도무지 해결책이 안 보였어요. 오직 사회생활로 얻은 상처와, 칙칙한 숫자가 선사하는 공허가 제 머릿속을 채웠어요.

해결책이 도저히 안 보이자 저는 마지막 결단을 내렸어요. 저는 비장한 각오를 하고 인적이 드문 늦은 밤에 길을 나섰어요. 저는 대중교통도 타지 않고 걸었어요. 왜 대중교통을 안 탔냐고요? 이유는 간단해요. 저는 타인이 싫었거든요. 사회생활에서 계속 상처를 받았기에, 저는 인적이 있는 곳은 무조건 피했어요.

그래서 긴 거리에도 불구하고 저는 하염없이 인적이 드문 길을 걸었어요. 다리는 후들거리고 배꼽시계는 미친 듯이 울렸어요. 저는 약한 바람에도 휘청거렸어요. 그 정도로 저는 많이 지쳤고 힘들었어요. 그 지친 몸을 이끌고 도착한 곳은 바로 한강이었어요. 인적이 드문 한강공원이요.

네. 저는 그곳에서 생을 마감하려 했어요. 저는 죽음만이 유일한 탈출구라고 생각했으니까요. 그런데 사람이 쉽게 죽지는 않더군요. 저는 한강 물에 들어갔다가 다시 나왔어요. 그것을 계속 반복했어요. 결국, 저는 그 자리에 주저앉았어요. 그리고 저는 미친 사람처럼 펑펑 울었어요. 저는 눈물을 한강 물만큼 쏟아냈어요. 그러다가 저는 실신하기에 이르렀어요. 그리고 정신을 차려보니 저는 오로라가 됐어요. 곧바로 저는 심연의 세계에서 살게 된 거예요.

눈을 떠보니 한 남자가 제 곁에 있었어요. 바로 출판사 편집장님이셨어요. 편집장님은 제 몸 상태를 따스하게 물어봤죠. 그전까지, 저는 단 한 번도 따뜻한 말 한마디를 타인에게 들어본 적이 없었어요. 제 가족을 제외하고 말이에요. 저는 따스한 말에 익숙하지 않아 당황했어요. 그래도 저는 따스하고 진심 어린 말 한마디에 조금씩 편집장님께 마음을 열었어요. 그렇게 좋은 분위기 속에서 저는 편집장님께 제 이름에 대해 질문했어요. 오로라라는 이름을요. 저는 편집장님께 오로라라는 이름을 누가 지었고 왜 그렇게 지었는지에 대해 질문했어요. 그러자 편집장님이 스스로 그 이름을 떠올렸다고 말했어요. 편집장님은 이 이름이 마음에 드는지 물어봤어요. 저는 갑작스러운 질문에 어색하게 웃었어요. 그러자 편집장님은 오로라라는 이름이 탄생한 이유에 대해 말했어요. 편집장님은 제가 신비롭다고 생각했어요. 북쪽 하늘에서만 등장하는 오로라처럼요. 그런 이유로 편집장님은 이런 멋진 이름을 저에게 주신 거예요. 그리고 편집장님은 제 기운을 북돋아 주셨어요. 편집장님은 제 숨겨진 가치를 높게 평가했거든요. 편집장님은 분명 누군가가 제 진가를 알아보리라고 확신했어요. 편집장님은 그런 사람만 제 곁에 있다면, 저는 괜찮을 거라고 확신했어요. 편집장님은 제가 이곳에서 못 하는 일은 없다고 믿었어요.

편집장님의 말씀을 듣고 저는 마음속 깊은 곳에서 무언가 끓어오르는 것을 느꼈어요. 제 용기였어요. 마음속 깊은 상처 속에 숨은 용기가 제 안에서 뿜어 나왔어요. 그때부터 저는 능동적으로 제가 할 일을 찾았어요. 그리고 편집장님의 도움과 제 의지로 메디 씨의 밴드에 오게 된 거예요. 그리고 저는 밴드 활동을 통해 제 숨겨진 가치를 조금씩 발견했어요. 편집장님의 말처럼, 저는 이곳에서 못 하는 일이 없었어요. 페니 씨도 아시겠지만 저는 이곳에서 너무 좋은 사람들을 만났어요. 저는 제 진가를 알아봐주는 친구들을 만난 거예요. 제가 느끼기에 밴드 멤버들은 모두 자신감이 충만했어요. 메디 씨, 페니 씨, 베드로 씨 모두 다 용감했어요. 저는 밴드 멤버들의 자신감을 바라보며, 제 안에 숨은 용기를 더 빨리 끄집어냈어요. 그리고 저는 자신감이 야생마처럼 들끓어 오르는 베드로 씨와 사랑을 나눴어요. 과거의 저를 생각하면 전 정말 놀라운 일을 해온 거예요. 오직 제가 오로라이기 때문에 가능했어요. 저는 심연의 세계에서 성장해왔고 지금도 그렇다고 자부해요.>

나는 오로라의 진심 어린 이야기를 하나도 빠짐없이 경청했다. 오로라의 이야기가 끝나자 몇 초간의 정적이 흘렀다. 나는 그 정적을 낭비하고 싶지 않았다. 나는 바로 피아노 의자 위에 앉은 오로라에게 달려가 그녀를 안았다. 나는 힘겨운 인생을 산 오로라를 따스하게 위로했다. 그렇게 나는 이곳에서 끊임없이 발전한 오로라에게 힘을 줬다. 나는 밝게 미소 지으며 오로라와 함께 피아노를 바라봤다. 그 순간 오로라가 연주한 운명 교향곡이 다르게 보였다. 오로라가 연주한 그 곡에는 장엄한 음 뒤에 무언가 있었다. 바로 과거의 상처였다. 오로라는 이 연주를 통해 과거의 상처를 스스로 어루만졌다. 오로라는 하얀 빛줄기 아래에서 스스로 과거의 상처를 치료했다. 오로라는 그녀의 어두운 과거를 극복했다. 그리고 오로라는 그 대가로 그녀에게 숨겨진 당당함을 찾았다. 나는 내 친구인 오로라가 자랑스러웠다. 나는 오로라의 용기를 향해 박수를 보내려 했다. 그때 박수 소리가 들렸다. 나는 그 소리에 의아했다. 나는 아직 오로라에게 손뼉을 치지 않았기 때문이다. 잠시 후 한 사람이 갑자기 지하실의 악기 사이로 모습을 드러냈다.

8장: 마음 속 깨달음에 관한 이야기

그 사람은 우아한 백조처럼 하얀 옷을 입었다. 그의 수수하게 빛나는 흰 옷은 어두운 지하실을 밝혔다. 그는 서서히 우리에게 다가왔다. 그리고 우리는 서서히 그의 정체를 알아봤다. 우리는 그의 강렬하고 날카로운 눈빛을 봤다. 우리는 그의 강한 의지가 담긴 입술을 봤다. 그리고 우리는 그의 옷에 가려진 좋은 몸매를 엿봤다. 나는 그의 얼굴과 몸을 본 뒤 그의 정체를 겨우 알아봤다. 그랬다. 베드로가 이곳에 나타났다. 나는 베드로를 못 알아볼 뻔했다. 베드로는 예전과 사뭇 달랐다. 대표적인 변화가 그의 옷차림이었다. 그는 더 이상 찢어진 청바지를 입지 않았다. 그는 더 이상 강렬한 티셔츠를 입지 않았다. 그는 하얀 상의와 하얀 바지를 입었다. 그는 정갈하게 옷을 차려 입었다. 그는 정말 성서 속의 베드로로 같았다. 그는 정말 베드로로 답게 경건하게 나타났다. 그는 한 성인처럼 신비로운 눈빛을 품은 채 우리를 바라봤다. 나는 약간의 놀람을 뒤로 하고 그에게 이곳에 온 이유를 물었다.

베드로는 이미 우리보다 먼저 지하실에 왔었다고 했다. 그러면서 베드로는 그의 근황을 우리에게 말했다. 베드로는 밴드가 해체되고 난 뒤 우울했던 과거를 회상했다. 특히 베드로는 오로라와 헤어졌던 그 순간을 기억했다. 베드로는 그 순간이 그의 인생에서 가장 슬픈 나날이였다고 회상했다. 그래도 베드로는 시련의 연속 속에서 해결책을 찾았다고 했다. 당연하게도 술과 담배였다. 하지만 그런 유흥거리도 일시적인 쾌락에 불과했던 것일까? 베드로는 자꾸 밴드 생활이 그리웠다고 고백했다. 그래서 베드로는 오늘 아침부터 재빠르게 이 지하실을 방문했던 것이다. 베드로는 곧바로 지하실에서 드럼을 강렬하게 연주했다고 했다. 베드로는 강렬한 드럼 소리를 듣고 에너지를 얻었다고 주장했다. 그렇게 베드로는 많은 시간 동안 드럼에 매달렸던 것이다. 몇 시간이 흐른 뒤 베드로는 체력 소진으로 집에 돌아가려 했다고 했다. 그때 우리가 이곳에 들이닥쳤던 것이다. 그리고 베드로는 어둠이 뒤덮인 지하실에서 오로라의 목소리를 들었던 것이다. 당시 베드로는 전 여자친구와 다시 대면할지도 몰랐다. 그래서 베드로는 본능적으로 드럼 뒤로 몸을 숨겼다고 했다. 그렇게 베드로는 드럼 뒤에서 오로라의 진심을 들었던 것이다. 그 덕에 베드로는 오로라에게 박수를 보내며 등장했던 것이다. 베드로는 더 이상 오로라와 대면하는 것을 두려워하지 않는 듯했다. 나는 베드로의 용감한 태도를 쉽게 알아차렸다. 베드로는 강렬한 눈빛으로 오로라를 바라봤기 때문이다. 베드로는 오로라를 향해 진심 어린 사랑을 보냈다.

"저 오로라 씨에게 할 말이 있어요."

베드로는 더 이상 길들지 않은 야생마가 아니었다. 베드로는 오로라 씨라는 호칭 속에서 부드러움을 드러냈다. 베드로는 오로라를 향해 사랑스러운 눈웃음을 지었다. 오로라도 베드로의 색다른 변화가 좋은 듯했다. 오로라도 베드로를 향해 옅은 미소를 지었다. 곧이어 베드로는 피아노 의자를 향해 걸었다. 베드로는 조금 전까지 오로라가 앉은 피아노 의자로 걸어갔다. 베드로는 하얀 빛줄기가 비치는 피아노 의자에 앉았다. 하얀 빛줄기는 베드로의 수수한 흰옷과 잘 어울렸다. 베드로는 오로라가 이미 한 것처럼 이곳에서 그의 이야기를 전했다. 나는 베드로가 오로라를 바라보며 목을 가다듬는 모습을 봤다. 그 순간 베드로는 연극 무대 위의 로맨시스트 같았다. 베드로는 로맨틱한 연극의 주인공처럼 생생하게 그의 과거를 고백했다. 베드로는 정확하게 이렇게 말했다.

<아마 오로라 씨는 지금 제 모습을 보고 놀랐을 수도 있어요. 오로라 씨는 제가 야생마 같다고 얘기했으니까요. 오로라 씨는 제가 너무 거칠고 충동적이라고 말했어요. 근데 지금 저는 순수한 흰옷을 입고 오로라 씨와 페니 씨를 마주 보고 있죠. 분명 두

분은 제가 많이 변했다고 생각할 거예요. 하지만 이건 변화가 아니에요. 오히려 회귀에요. 오로라 씨와 이별을 한 뒤 저는 본래의 모습으로 돌아왔어요. 제 무의식 속에 갇혀 있던 제 본성을 끄집어냈어요. 아마 두 분은 지금 제 말이 이해가 안 될 거예요. 제가 천천히 설명할게요. 우선 저는 제 과거 이야기를 꺼내야 해요. 제 어린 시절 이야기로 돌아가요.

저는 독실한 기독교 가정에서 태어났어요. 아버지는 목사였고 어머니는 아버지가 계신 교회의 신도였어요. 집안 환경이 이렇다 보니 저는 자연스럽게 교회 속에서 성장했어요. 제가 처음 노래라는 것을 배운 곳도 교회였어요. 어린 저는 교회에서 찬송가를 열심히 부르곤 했어요. 그리고 제가 첫 친구를 사귄 곳도 교회였어요. 어린 저는 교회에서 친구들과 코코아를 마시거나 보드게임을 하곤 했어요. 당시 제 신앙심은 저희 부모님만큼 굳건했어요. 그 굳건한 신앙심이 깨진 것은 바야흐로 제가 초등학생 때였어요.

지금 사람들은 저를 보고 몸짱이라고 얘기해요. 저 보고 몸 키우는 비법을 알려 달라고 말한 적도 꽤 있어요. 하지만 초등학생 때 저는 몸짱과는 거리가 멀었어요. 저는 또래보다 몸이 왜소했어요. 운동도 제대로 못 했고요. 그래서 저는 체육 시간이 정말 괴로웠어요. 저는 평범한 여학생보다 달리기 기록이 처졌어요. 그때부터 아이들을 저를 보고 난쟁이라고 놀리거나 달팽이라고 놀렸어요. 아이들은 저에게 모욕감을 주며 깔깔 웃었어요. 하지만 저는 그 상황이 전혀 즐겁지 않았어요. 그때마다 저는 부모님이 해주신 말을 떠올리곤 했어요. 예수님이 저를 지켜준다는 말을요. 그래서 저는 놀림을 받을 때도 예수님께 진심으로 기도했어요. 그런데 아이들의 장난은 더 심해졌고 저는 가끔 아이들과 싸움에 말려들기도 했어요. 분명 저는 예수님께 열심히 기도했어요. 저는 잠자기 전 하루도 빼먹지 않고 예수님께 기도했어요. 그렇지만 저에게 되돌아온 것은 아이들의 비웃음이었어요. 그때부터 저는 기독교 자체를 증오하기 시작했어요.

그때부터 저는 자연스럽게 부모님을 증오했어요. 솔직히 지금도 부모님에 대한 증오심은 완전히 해소되지 않았어요. 제 생각에 부모님은 훌륭한 성직자가 아니에요. 부모님은 더러운 방식으로 돈을 벌었거든요. 아버지가 운영하던 교회는 신도들의 돈을 모으곤 했어요. 명분은 간단했어요. 신도들의 돈으로 하느님의 사랑 정신을 되살리겠다. 그 돈은 불우이웃 돕는 것에 쓰겠다. 그러면 우리 신도들은 모두 천국에 가는 것이다. 이런 식의 거짓말을 했어요. 천국의 유무는 둘째 치고 이 돈은 사랑의 정신이 묻지 않았어요. 부모님은 신도들의 돈을 빼돌렸으니까요. 그 돈은 한 번도 좋은 곳에 쓰이지 않았어요. 그렇게 부모님은 부를 취득해왔어요.

한 마디로 부모님은 친절한 말 뒤에 타락한 거짓을 숨겼어요. 실제로 부모님은 항상 신도들에게 이렇게 말했어요. 충동적으로 살지 마라. 돈을 밝히지 마라. 남에게 잘난 척을 하지 말라. 오직 예수만을 믿고 성서만을 믿어라. 그렇게 오직 신성함과 경건함이 우리의 몸과 정신을 채우도록 하라. 이런 말을 신도에게 계속 강조하고 어린 저에게도 강조했어요. 그런 우리 부모님은 신도들에게 돈을 갈취했던 거예요. 둘은 모든 것에 욕심을 품었어요. 심지어 부모님은 제가 보는 앞에서 문란한 행위를 하기도 했어요. 한 마디로 둘은 미친놈이었어요. 그래서 저는 부모님을 탐욕 주의자라고 부르기도 하며 그들을 증오했어요. 그리고 가정 내의 불화는 점점 심해졌어요.

결국, 불화의 끝은 가출이었어요. 저는 성경책을 쓰레기통에 버리고 가출했어요. 가출 후 제가 한 일은 다양했어요. 하지만 핵심은 딱 하나밖에 없었죠. 내 인생에서 한 번도 하지 않은 일을 해 보자. 이미 말했지만, 부모님은 신앙심이라는 무기로 저를 통제하곤 했으니까요. 그래서 저는 가장 먼저 버려진 술병을 찾았어요. 저는 술을 통해 금욕을 버리고 쾌락을 채우려고 했어요. 그때 저는 미성년자였기에 쓰레기통에 있는 술병만 찾았던 거예요. 사람들은 때때로 조금 남은 술병을 버리곤 했거든요. 그때 저는 정말 많은 술을 마셨어요. 맥주, 소주, 위스키까지 안 마셔 본 술이 없었어요. 그리고 헬스장에 가서 청소와 같은 허드렛일을 했어요. 제가 헬스장에 간 데에는 이유가 있었어요. 저는 왜소한 몸에 대한 콤플렉스가 있었으니까요. 저는 쉬는 시간 틈틈이 운동기구를 이용해 몸을 만들었어요. 그때부터 저는 흔히 말하는 몸짱이 됐어요. 몸짱이 되다 보니 저는 아주 쉽게 여자친구를 사귀었어요. 또 저는 멋진 남자와 함께 오토바이를 탔고요. 그렇게 저는 내일이 없는 것처럼 미친 인생을 살았어요.

그러던 어느 날 저는 딱 성인이 됐어요. 성인이 되고 처음 한 일은 공식적으로 술을 마신 거였어요. 그전까지 저는 쓰레기통을 뒤지며 몰래 술을 마셨으니까요. 저는 신분증을 보여주고 자연스럽게 술집에 갔어요. 그리고 미친 듯이 술을 마셨어요. 성인이 된 것에 대한 해방감 때문에요. 그때 저는 술을 너무 많이 마셨어요. 그래서 저는 길바닥에 쓰러졌어요. 제 기억의 필름은 여기에서 끊겼어요. 정신을 차려보니 저는 심연의 세계에 도착한 거예요. 저는 방에서 상의를 벌거벗은 채로 있었어요. 정신을 차려보니 제 이름은 베드로가 됐어요.

저는 처음에 베드로라는 이름을 좋아하지 않았어요. 저와 기독교의 악연은 꽤 오래전부터 있었으니까요. 제가 이곳에 처음 왔을 때는 사람이 별로 없었고 술이나 담배를 파는 곳도 없었어요. 그래서 저는 금단현상과 공허감 때문에 많이 힘들어했어요. 저는 사소한 일에도 짜증을 냈어요. 저는 화가 날 때 제 방의 벽을 주먹으로 쳤어요. 그 벽에 금이 갈 정도로요. 이곳은 한 마디로 지옥이었어요. 그러다가 제가 구세주를 만나게 된 거예요. 우연히 어느 날 저는 밴드 공고문을 봤던 거예요. 그 순간 저는 반항기가 넘치는 록 밴드를 떠올렸어요. 저는 그 밴드에 들어가서 제날것 그대로의 모습을 보여주리라 결심했어요. 저는 그곳에서 반항아가 되겠다고 다짐했던 거예요. 그리고 저는 그전까지 겪은 공허와 금단현상 따위를 드럼으로 해소했던 거예요. 저는 드럼을 통해 제 안에 있는 분노를 건전하게 표출했어요. 모든 것이 좋았어요. 특히 저는 이곳에서 오로라 씨와 사귀게 되었으니까요.

하지만 기쁨도 잠시 저는 오로라 씨와 헤어졌어요. 이미 말했지만, 그때 저는 인생에서 가장 큰 좌절을 맛봤어요. 저는 오로라 씨의 매몰찬 거절에 무너졌어요. 하지만 저는 완전히 무너지진 않았어요. 저는 오로라 씨가 저에게 남긴 마지막 말을 주의 깊게 들었어요. 당시 오로라 씨는 주저앉은 저를 보고 측은한 표정을 지었어요. 오로라 씨도 기억할지도 몰라요. 당시 오로라 씨는 이렇게 말했어요.

"앞으로 다른 사랑을 찾더라도 성급하게 행동하지 말아요. 때로는 천천히 뒤를 돌아 생각해봐요."

그 말을 듣고 나서 저는 깊은 생각이라는 것을 하게 됐어요. 내가 진짜 문제가 있는 걸까? 그것을 어떻게 해결해야 할까? 저는 이런 식으로 스스로 질문했어요. 하지만 문제는 해결되지 않았어요. 그래도 저는 정말 마음속의 문제를 풀고 싶었어요. 그렇게 저는 성숙해지고 싶었어요. 지금 돌이켜 보면 왜 그랬는지 모르겠지만 저는 한 교회를 찾았어요. 저는 제가 그토록 증오하던 교회를 방문했던 거예요. 처음에 그 교회를 방문한 순간 저는 바로 실망했어요. 그곳은 제가 다녔던 교회와 비슷했거든요. 우선 난해한 성경책이 그곳에 있었어요. 십자가에 매달린 예수상도 그곳에 있었어요. 저는 특히 예수상을 보고 실망했어요. 이미 설명한 대로, 예수는 어린 저를 배신했으니까요. 저는 그곳에 주저앉아 좌절했어요. 저는 그곳에서 고독하게 눈물을 흘렸어요. 이별의 아픔과 과거의 어둠이 저를 덮쳤으니까요. 그런데 갑자기 제 시야에 무언가 들어왔어요.

슬피 울던 저는 예수상을 자세히 살폈어요. 그 교회의 예수상은 제가 어릴 때 보던 예수상과 달랐어요. 그 교회의 예수상에는 흉부 쪽에 빨간색이 칠해졌어요. 그 덕에 저는 예수가 피를 흘리는 장면을 상상했어요. 예수를 매단 십자가에도 빨간색이 칠해졌어요. 빨간색과 예수의 찡그린 얼굴. 저는 두 가지 모습을 보고 무언가 깨달았어요. 예수는 인간적인 면모가 있다는 것을요. 예수도 저처럼 고통을 느끼고 수난의 피를 흘린다는 것을요. 하지만 저는 곧바로 화를 냈어요. 당시 저는 저와 비슷한 처지의 예수를 싫어했어요. 저는 예수와 같은 사람이 되고 싶지 않았거든요. 어린 시절부터 예수를 증오했으니까요. 그래서 곧바로 그 교회를 뛰쳐나왔어요.

한편으로 저는 여전히 제 안의 문제를 해결하고 싶었어요. 제 안의 번뇌를 해결하고 싶었어요. 그래서 이번에는 교회가 아닌 절로 갔어요. 당시 저는 단 한 번도 절에 간 적이 없었어요. 저는 절의 분위기를 잘 몰랐어요. 그냥 저는 텔레비전에서 보던 스님들의 행동을 따라 했어요. 그렇게 저는 부처님께 진심으로 기도했어요. 확실히 부처님은 예수와 달랐어요. 부처님은 예수와 다르게 인자한 미소를 지었어요. 저는 그 따스한 미소에 제 모든 아픔을 던졌어요. 저는 저를 치유해준 부처님의 능력을 존중했어요.

절에 갔다 온 이후로 저는 불교 서적에 심취했어요. 다양한 서적을 읽었지만, 제 눈에 들어온 것은 석가모니의 일대기를 다룬 책이었어요. 확실히 저는 예전부터 개척자나 창시자를 좋아하네요. 아무튼, 저는 석가모니의 모든 일생을 꼼꼼히 읽었어요. 왕자로 태어나, 호화로운 궁전에서 지낸 것부터 보리수나무에서 깨달음을 얻고 열반에 이른 것까지. 저는 석가모니가 일생에서 그가 느꼈던 감정과 생각을 상상했어요. 이를 통해 저는 단박에 한 가지 사실을 깨우쳤어요. 깨달음은 아무 대가 없이 얻는 게 아니라는 걸요. 석가모니는 병자와 시체 등을 보면서 삶에 대한 회의를 느꼈어요. 하지만 석가모니는 거기에서 멈추지 않았어요. 석가모니는 인생의 깨달음을 얻기 위해 수련했어요. 석가모니는 스스로 의지를 품고 가출을 단행했어요. 석가모니는 바늘방석에 앉고 세찬 불길을 견디고 마왕의 유혹을 모두 이겨냈어요. 그 후 석가모니는 깨달음을 얻은 거예요. 그때 석가모니는 네 가지 진리인 사성제 중 가장 먼저 고성제를 얘기해요.

"인생은 고통이다."

세상에서 뛰어난 한 현자가 이렇게 인생을 표현했던 거예요. 그때부터 저는 고통의 진리를 깨달았어요. 드디어 저는 저 자신을 반성했어요. 우선 저는 과거의 일탈을 쓰레기로 치부했어요. 생각해봐요. 저는 교회 생활을 삶에서 지우기 위해 온갖 향락에 취해왔어요. 저는 교회의 금욕주의를 탈피하기 위해 무의미한 쾌락주의를 택했어요. 하지만 그 삶은 타락한 교회의 흔적을 지우지 않았어요. 그 삶은 타락한 제 부모님의 자취를 지우지 않았어요. 오히려 저는 타락한 부모님과 비슷한 삶을 살아온 거예요. 저는 물욕에 집착하고 문란한 삶을 감행하던 부모님과 똑같은 삶을 살았어요. 이건 올바른 삶이 아니었어요. 저는 성인처럼 살아본 적이 없었어요. 저는 고뇌라는 십자가에 박혀 피를 흘린 적도 없었어요. 저는 고통 속에서 성장하고 수행하며 열반에 들지도 못했어요. 저는 그냥 타락하고 멍청했을 뿐이었어요. 저는 그 불편한 진실을 받아들였어요.

그때부터 저는 어릴 때 가졌던 신앙심을 되찾았어요. 저는 진정성이 가득하던 그 시절로 회귀했어요. 그래도 항상 변화가 있는 법이죠. 저는 신앙심의 방향을 예수나 부처로 돌리지 않았어요. 저는 신앙심의 방향을 저 자신으로 돌렸어요. 예수나 부처와 같은 훌륭한 삶을 사는 법. 그 첫걸음은 저 자신을 믿는 것으로 생각했어요. 정확하게는 저는 제가 고통 속에서 성장할 거라고 믿었어요. 저는 고통 속에서 성숙해질 미래의 저를 고대했어요. 저는 고통이라는 것을 느끼기로 했어요. 저는 시련을 제 성장의 원동력으로 만들리라 다짐했어요. 저는 스스로 예수나 부처와 같은 성인이 되기를 다짐했어요. 한편으로 저는 예수와 부처와는 다른 성인이 되리라 다짐했어요. 저는 저만의 색깔을 유지한 채 독특한 성인이 되고 싶었거든요. 실제로 저는 많이 노력해요. 저 스스로 그렇게 자부해요. 저는 이별이라는 시련 속에서 피를 흘렸어요. 하지만 지금 저를 봐요. 저는 다시 인생의 방향을 잡고 나아가요. 저는 그 속에서 성장했어요. 오로라 씨의 매몰찬 이별 통보 덕분에 저는 성장했어요.>

베드로는 선한 눈웃음을 지으며 오로라에게 감사를 표했다. 나는 베드로의 선한 표정에서 그의 진심을 느꼈다. 오로라도 베드로의 진심을 느낀 듯했다. 오로라는 바로 피아노 의자를 향해 달렸다. 그리고 오로라는 모든 힘을 다해 베드로를 꽉 껴안았다. 그렇게 오로라는 베드로의 변화와 그의 새 출발을 축하했다. 나는 훈훈한 포옹 장면을 보고 환하게 웃었다. 나도 베드로에게 달려갔다. 나도 베드로를 뜨겁게 포옹했다. 그렇게 나는 행복한 미소를 지으며 친구들과 함께했다. 하지만 이 행복은 오래가지 않았다. 누군가가 내 등 뒤에서 나를 덮쳤기 때문이다. 나는 깜짝 놀라 눈이 동그래졌다.

9장: 주체성의 새로운 정의에 관한 이야기

내 등 뒤에 있던 사람은 바로 메디였다. 메디는 갑자기 나타나 우리 세 명 모두를 껴안았다. 메디는 조금은 울먹이는 표정을 지었다. 메디는 분명 우리의 극적인 재회에 감동한 듯했다. 우리는 놀란 마음을 뒤로 하고, 메디가 언제부터 이곳에 왔는지 그녀에게 물었다. 메디는 어김없이 오늘도 음반 가게에서 장사를 했다고 말했다. 안타깝게도 오늘은 손님이 많이 안 왔다고 했다. 그때 메디는 지하실 방향에서 웅얼거리는 소리를 들었다고 했다. 메디는 그 소리 때문에 정신이 산만했던 것이다. 그래서 메디는 장사를 뒤로 하고 웅얼거리는 소리의 근원지를 찾았던 것이다. 메디는 정체불명의 소리에 조금 두려웠다고 고백했다. 그것도 그럴 것이 지하실은 어둠이 짙게 깔렸다. 나는 메디가 느꼈을 공포감을 충분히 이해했다.

그렇지만 한때 우리 밴드의 리더였다. 메디는 한숨을 크게 쉬며 그녀의 공포를 통제했다고 말했다. 메디는 입술을 다물고 결연하게 지하실을 향해 내려갔던 것이다. 그때 메디는 사랑의 연설을 하던 베드로의 모습을 봤다고 했다. 그때부터 메디는 우리를 계속 바라봤던 것이다. 메디는 조용히 지하실 계단에 걸터앉아 베드로의 진심 어린 이야기를 들었던 것이다. 메디는 그 과정에서 베드로의 고통과 그로 인한 성장에 감동했다고 베드로에게 고백했다. 그리고 메디는 고통과 성장 속에서 피어나는 우리 세명의 결속이 훌륭했다고 평가했다. 메디는 그때부터 참을 수 없는 감동의 눈물을 흘렸던 것이다. 그 덕에 메디는 계단에서 달려나와 우리를 껴안은 것이다. 메디는 행복한 미소를 지으며 우리셋을 바라봤다. 곧이어 메디는 주변을 살펴봤다. 메디는 이곳의여러 악기를 바라보며 우리의 추억을 바라보는 듯했다. 특히 메디는 하얀 빛줄기가 내리는 피아노 의자를 똑바로 응시했다. 그리고 메디는 옅은 미소를 지으며 나를 바라봤다.

"저도 이곳에서 모두에게 말할 게 있어요. 저도 베드로 씨처럼몇 가지 고백할게요."

메디는 결연의 한숨을 쉬며 말했다. 우리는 사뭇 진지한 메디를 바라봤다. 그리고 우리는 메디에게 말없이 고개를 끄덕였다.메디는 그렇게 오로라와 베드로처럼 자기 고백 시간을 가지려했다. 메디는 당당히 피아노 의자를 향해 걸어갔다. 메디는 진정한 자신을 드러낼 준비를 마쳤다. 메디의 당당한 용기는 피아노

의자 위의 하얀 빛줄기와 잘 어울렸다. 메디는 연극 무대 위의 용감한 웅변가 같았다. 메디는 강인하고 결단력 있는 목소리로 무대 위의 웅변을 시작했다. 메디는 정확히 이렇게 말했다.

<우리 네 명이 헤어지게 된 이유. 물론 멤버들 간의 몇 가지 소동이 있었어요. 그렇지만 가장 결정적인 이유는 저와 페니 씨 사이에서 일어난 불화였어요. 그 불화 이후로 우리는 모두 결합의 씨앗을 완전히 짓밟아 버렸어요. 왜 우리는 싸우게 됐을까? 한동안 저는 그 이유를 곰곰이 생각했어요. 마침내 저는 한 결론을 내렸어요. 가끔 저는 이기적이고 자기애가 지나쳤어요. 한 마디로 오직 저만 주인공이 되어야 한다고 생각한 거예요. 그래서 제 주장만이 옳다고 고집을 부렸던 거예요. 저는 제 거센 고집에 못 이겨, 페니 씨에게 화를 냈던 그 순간을 아직도 기억해요. 저는 리더로서 페니 씨의 주장을 경청하지 못했어요. 그렇게 저는 우리 밴드가 해체된 이유를 나름대로 분석했어요. 이후 저는 제 고집의 근원을 생각해봤어요. 결국, 저는 어린 시절을 회상하게 됐어요.

제 가족은 매우 평범했어요. 부모님은 평범한 공무원이었어요. 다만 부모님은 한 가지의 비밀이 있었어요. 두 분 모두 진정한 꿈을 이루지 못했다는 거예요. 원래 제 부모님은 화가를 꿈꾸곤 했어요. 실제로 두 분 모두 그림을 굉장히 잘 그렸어요. 하지만 부모님은 어린 시절 찢어지게 가난했어요. 그래서 두 분 모두 화가의 꿈을 접었던 거예요. 또 저를 비롯한 우리 형제들이 태어나

면서, 부모님은 집안을 먹여 살려야 했어요. 부모님은 그들의 꿈을 희생했던 거예요. 대신 부모님은 저를 포함한 제 형제들에게 화가의 꿈을 전가했어요. 그래서 저는 어릴 때부터 그림을 많이 그리곤 했어요.

어릴 때는 마냥 그림 그리는 게 좋았어요. 저는 두 손으로 꽃도, 나무도, 우주도 그릴 수 있었으니까요. 그런데 시간이 갈수록 제가 그림에 재능이 없다는 것을 느꼈어요. 초점 맞추기, 원근법을 포함한 각종 그림 기법은 저에게 어려웠어요. 저는 붓놀림을 통제하지 못했어요. 그래서 저는 정말 추악한 그림을 많이 그렸어요. 반면 제 형제들은 그들의 손으로 완벽한 작품을 창조했어요. 저는 제 그림들을 바라보며 자괴감이 들었어요. 하지만 부모님은 완고했어요. 두 분은 끝까지 저에게 미술 공부를 시켰어요. 그 노력 덕분일까요? 어린 저는 예고 입학에 성공했어요. 그리고 덩달아 미대 진학에도 초록불이 켜졌고요.

그렇지만 저는 불행했어요. 그림을 그리는 건 저에게 고통이었어요. 앞서 말했지만 저는 재능이 없었으니까요. 저는 또래보다 10배 이상은 노력해야 했어요. 저는 그렇게 해서라도 남에게 뒤처지지 않으려 했어요. 그러다 보니 저는 점점 압박감에 시달렸어요. 저는 휴식이 필요했어요. 저는 정말 쉬고 싶었어요. 그래서 저는 대학 원서를 내기 전 한가한 시간을 이용했어요. 저는 부모님께 혼자서 제주도 여행에 다녀오겠다고 말했어요. 그때 부모님은 완강히 제 계획을 반대했어요. 여자 혼자서 여행 가는 건 위험하다고 말이예요. 그래도 저는 끝까지 고집을 부렸어요. 결국, 부모님은 1박만 하고 오라고 말하며 제 계획을 허락했어요. 그렇게 저는 제주도 여행을 갔어요.

저는 제주도의 한 골목길을 걸었어요. 저는 무기력한 좀비처럼 그 거리를 거닐었어요. 그때 저는 그곳에서 한 전광판을 봤어요. 우울증 치료라는 글자가 제 시야에 들어왔어요. 저는 이 다섯 글자를 본 뒤 한 건물 안으로 들어갔어요. 돌이켜 생각해보면 그 행동은 모험이었어요. 그럼에도 제가 그렇게 할 수 있었던 것은 제 우울증 때문이었어요. 저는 수단과 방법을 가리지 않고 우울증을 물리치고 싶었어요. 그곳에는 우울증 환자를 위한 치료 세션이 있었어요. 그때가 지금으로부터 10년 전이에요. 그때는 정신과에 환자들이 많지 않았어요. 심리 상담 센터는 사람들에게 위험한 곳으로 여겨지곤 했어요. 그곳에 사람이 없었기에 저는 빠르게 치료를 받았어요. 심리 상담사는 제 상태를 1시간 동안 길게 진단했어요. 그러다가 시간이 흘러 저는 지쳤어요. 그때가 아마 점심 시간이었을 거예요. 상담사님은 바깥으로 나갈 채비를 했고 같이 나가자고 저에게 제안했어요. 그래서 저는 상담사님과 함께 바깥에 나갔어요.

곧이어 상담사님은 한 건물을 소개해줬어요. 바로 한 레코드 상점이었어요. 지금도 있을지는 모르겠네요. 10년이면 강산도 변하니까요. 아무튼, 저는 그 레코드 상점에 꽂혔어요. 저는 항상 음악 듣는 것을 좋아했거든요. 저는 음악으로 미술의 속박에서 벗어나곤 했어요. 아무튼 저는 음악에 대한 사랑으로 레코드 상점에 들어갔어요. 저는 그곳에서 좋은 노래를 듣고 잠시 화장실을 들렸어요. 저는 화장실에 있는 창문으로 제주 시내를 바라봤죠. 저는 혼자서 제주 시내의 활기찬 풍경을 봤어요. 그리고 저는 활기찬 풍경과 대비되는 우울한 제 모습을 한탄했어요. 그때 갑자기 뱀 그림이 그려진 화장실의 한쪽 벽이 드르륵 열렸어요. 지금 돌이켜 생각하면, 제가 몸을 미세하게 움직이다가 무언가를 눌렀나 봐요. 어쨌든 그렇게 저는 심연의 세계에 도착한 거예요.

페니 씨에게는 이미 언급했지만 저는 이곳에서 많은 일을 했어요. 제가 한 여러 일 중 하나가 레코드 상점을 만드는 거였어요. 저는 현실 세계에서 마지막으로 본 레코드 상점에 영감을 받았거든요. 그래서 저는 아주 쉽게 제 레코드 상점을 만들 수 있었어요. 저는 제 레코드 상점에서 행복을 키웠어요. 그곳은 오로지 저만의 공간이었으니까요. 제가 운영하고 제가 홍보하고 제가 만들어간 공간이었어요. 저는 이를 통해 경영의 맛을 알게 됐어요. 그리고 저는 주체성의 가치를 알게 됐어요. 저는 누군가의 통제에서 벗어났던 거예요. 저는 그런 자유를 좋아했어요.

하지만 그런 와중에도 저는 몇 가지 일에 과민하게 반응했어요. 제가 계획한 대로 삶이 흐르지 않을 때, 그리고 누군가가 저에게 시비를 걸 때였어요. 저는 그런 상황마다 부모님의 통제를 떠올렸어요. 부모님이 강제로 그림 그리기를 저에게 시켰던 그 순간을 말이에요. 그리고 페니 씨는 항상 제 의견을 순순히 따르지 않았어요. 페니 씨는 한때 제 자유의 방해물이었어요. 반면 저는 아주 손쉽게 베드로와 오로라 씨를 포섭했어요. 오로라 씨는 순수하고 때로는 연약했어요. 그리고 베드로 씨는 거칠지만,

음악에 대해 무지했어요. 그래서 저는 아주 손쉽게 우리 세 명 사이에서 리더로 떠올랐어요. 저는 강인했고 음악광이었으니까요. 그런 제가 유독 페니 씨를 잘 포섭하지 못했어요. 페니 씨도 아시겠지만 저는 끝까지 페니 씨에게 집착했어요. 저는 리더로서 위엄을 과시하고 싶었으니까요. 또 제가 머릿속에 생각했던 계획들을 실행에 옮기고 싶었고요. 그래서 페니 씨의 거절에도 저는 페니 씨에게 끝까지 도전했어요. 결국, 저는 페니 씨를 포섭했어요. 그렇게 페니 씨와 저는 좋은 인연이 될 것 같았어요. 그런데 또 다른 사건이 일어났던 거예요.

네. 페니 씨는 아시겠지만 저는 페니 씨의 듀엣 제안을 거절했어요. 그 사건이 벌어진 이후의 얘기를 페니 씨에게 말할게요. 저는 페니 씨의 제안을 거절한 이유를 안다고 믿었어요. 저는 모든 밴드 멤버들을 포용하는 것을 원했으니까요. 그런데 저는 듀엣 제안을 거절했던 또 다른 이유가 있다는 것을 깨달았어요. 페니 씨의 듀엣 제안을 받아들이는 순간, 제가 만들었던 밴드는 물거품이 되는 거예요. 분명 저는 온 마음을 다하여 스스로 밴드를 조직했어요. 그리고 저는 그 밴드에서 리더까지 맡으며 확연한 주체성을 느꼈어요. 저는 이런 밴드를 없앨 수 없었어요. 그렇게 된다면 저의 주체성은 산산조각이 나니까요. 저는 그런 상상을 하며 어린 시절을 자연스럽게 떠올렸어요. 저는 부모님이 저를 통제했던 순간을 떠올렸어요. 페니 씨의 제안은 제 아픈 과거를 건드렸던 거예요. 그래서 저는 페니 씨를 내쳤어요.

곧바로 저는 페니 씨를 내쫓았던 저 자신을 원망했어요. 페니 씨가 떠난 이후로, 저는 억지로 베드로와 오로라를 지하실에 끌고 왔어요. 그리고 저는 우리 밴드의 메인 보컬이 됐어요. 그렇게 우리 밴드는 3인조로 활동을 시작했어요. 하지만 활동은 순탄하지 않았어요. 곡의 메시지는 뒤죽박죽 섞였어요. 저는 제 앞에 쌓인 수많은 일에 압도당했죠. 그리고 저는 페니 씨만큼 좋은 목소리를 내지 못했어요. 그 결과 저는 바로 무너져 내렸어요. 그래도 저는 실패 속에서 한 가지 사실을 깨달았어요. 가끔은 상대방의 의견을 따르고 상대방의 도움을 받아야 한다는 것을요. 그것은 결코 종속적인 삶이나 나약한 삶의 지름길이 아니었어요. 그것은 하나의 원동력이었어요. 불완전한 우리 자신을 채울 수 있는 원동력이요. 게다가 주체성이라는 것은 제가 마음먹기에 달렸어요. 저는 스스로 도움을 구하겠다고 결심할 수 있어요. 저는 도움 속에서 성장할 기회를 얻는다고 생각할 수 있어요. 그렇게 저는 제힘으로 인생을 살아갈 원동력을 얻는 거예요. 그런 생각과 함께라면 저는 기꺼이 많은 사람과 손잡을 수 있어요. 저는 모든 사람과 함께 인생의 주인공이 될 수 있어요. 과거의 상처를 극복하고 깨달음을 얻는 데 오랜 시간이 걸렸어요. 저는 많은 시간을 낭비했지만 더 이상 그러고 싶지 않아요. 그래서 저는 페니 씨에게 사과하고 싶어요. 그동안 페니 씨에게 모질게 군 것을 사과하고 싶어요. 그리고 저는 여전히 우리 밴드를 원해요. 저는 여전히 우리 네 사람의 우정을 원해요. 저는 부디 이 밴드가 계속 진행되기를 희망해요.>

나는 진심으로 밴드의 결합을 소망하는 메디의 얼굴을 봤다. 얼핏 보면 메디는 나에게 거울과 같을지도 모르겠다. 나와 메디는 너무나 비슷한 인생을 살았기 때문이다. 현실세계부터 심연의 세계에 오기 전까지의 여정. 우리는 매우 비슷한 여정을 체험했고 이곳에 정착했다. 가장 결정적으로 나와 메디는 성격도 비슷했다. 나도 메디처럼 자율성을 중시하고 나를 세상의 중심으로 생각해왔다. 나는 내가 직접 쓰지 않은 내 첫 소설을 혐오했었다. 나는 내 경험이 확실히 담긴 가사를 좋아했었다. 나는 내 경험이 직접 담긴 하얀 노트를 자랑스럽게 여겼었다. 나는 나만 생각했을 뿐 남을 생각하지 않았다. 나는 혼자서도 모든 일을 할 수 있다고 생각하곤 했다. 하지만 그것은 착각이었다. 나는 밴드 활동을 하고 나서 본격적으로 글을 썼었다. 혼자 우울하게 있을 때 나는 노트에 글을 별로 쓰지 못했었다. 심지어 당시 나는 노트에 글을 아예 못 쓴 적도 있었다. 이제 나는 소중한 타인의 존재를 깨달았다. 나는 스프레이 사건 때 나를 간호해준 세 사람의 정성을 기억했다. 나는 내 경험을 다채롭게 해준 세 사람의 열정을 기억했다. 그리고 나는 그 경험을 시작하게 해준 메디의 노력을 기억했다.

나는 메디와 비슷하게 자만심의 덫에서 벗어나와 다른 사람의 가치를 인정했다. 나는 나와 비슷한 메디의 얼굴을 바라봤다. 메디는 더 이상 내 인생이 비친 거울이 아니었다. 메디는 내 미래의 가능성이었다. 메디는 자만심이라는 그녀의 어둠을 받아들였다. 메디는 그 어둠을 타인의 도움으로 비출 자신이 있었다. 나도 그런 메디의 모습을 본받아야 했다. 나도 메디처럼 내 불완전함을 타인의 도움으로 밝게 채워야 했다. 나는 그런 의지를 품은 채 메디를 꽉 껴안았다. 그렇게 나는 메디를 통해 내 어둠을 비추기로 결정했다. 나는 여기에 있는 세 친구를 통해 내 자신을 채우기로 결정했다. 나는 지하실에 있는 세 친구를 바라보며 한 가지의 진리를 되새겼다. 우리의 결속은 필연적일 수밖에 없다는 것을. 나는 서로를 한 명씩 바라보며 인생을 돌이켜봤다.

나는 오로라를 바라보며 나를 돌이켜봤다. 나는 내가 강하다고 착각하곤 했다. 나는 형이 납치된 상황에서 최대한 감정을 통제하고 납치범과 통화했었다. 나는 매운 스프레이가 내 눈을 덮친 상황에서 범인을 잡을 의지를 불태웠었다. 그렇지만 나도 오로라처럼 연약했다. 나는 밴드에 가입하라는 메디의 요구를 피했었다. 나는 솔로 활동을 통해 좌절감을 맛보기도 했었다. 이제 나는 연약함이라는 어둠이 내 안에 있다는 것을 알았다. 그리고 나는 연약한 오로라가 이 어둠을 채우리라 확신했다. 오로라는 겉으로는 연약해 보이지만 강인한 본성을 지녔다. 분명 오로라는 힘찬 손짓으로 강렬히 피아노를 연주했었다. 분명 오로라는 음악에 대한 강인한 용기로 과거의 좌절을 극복했었다. 나는 오로라라는 강인한 불빛으로 연약함이라는 내 어둠을 비추리라 확신했다. 나는 오로라와 함께할 미래를 기대했다.

나는 베드로를 바라보며 나를 돌이켜 봤다. 나는 내가 쾌락보다 고상한 정신을 추구해왔다고 착각하곤 했다. 대표적으로 나는 곽세웅을 혐오해왔다. 그 녀석은 출판사 편집장이라는 권력을 이용해, 상대방을 통제하며 쾌락을 추구했었다. 나는 그런 무분별한 권력욕을 혐오했었다. 그리고 나는 이 밴드에 처음 합류한 후 베드로를 혐오했었다. 베드로는 반항기 가득한 눈빛을 보인 채 술과 담배를 쫓았다. 나는 베드로의 무의미한 육체적 쾌락을 혐오했었다. 그렇지만 나도 베드로처럼 평범한 쾌락을 쫓았었다. 나는 돈을 쫓아 곽세웅과의 악연을 계속 참았었다. 나는 우리 밴드의 출세에 걸림돌이었던 오로라와 베드로를 쫓으려 했었다. 이제 나는 쾌락이라는 어둠이 내 안에 있다는 것을 알았다. 그리고 나는 또 다른 쾌락주의자인 베드로와 함께 쾌락이라는 내 어둠을 비출 것이다. 베드로는 겉으로는 쾌락만 쫓을 것 같지만 고상한 신념을 지녔다. 분명 베드로는 이별이라는 시련으로 한 뼘 성장했었다. 분명 베드로는 고통의 가치를 이해하며 성스러운 삶을 고취했다. 나는 고상한 베드로라는 불빛으로 쾌락이라는 내 어둠을 비추리라 확신했다. 나는 베드로와 함께할 미래를 기대했다.

나는 마지막으로 메디를 바라보며 우리 모두의 공통점을 발견했다. 메디, 오로라, 베드로, 나. 우리는 모두 빛과 어둠을 가졌다. 우리는 우리 안의 어둠과 대면할 만큼 용감했다. 우리는 우리 안에 있는 빛으로 서로의 어둠을 비췄다. 그렇게 우리는 서로의 손을 잡고 서로의 어둠을 헤치웠다. 우리는 서로의 눈을 마주치며 서로의 삶을 채웠다. 그렇게 우리는 다시 뭉쳤다. 우리는 고통을 뚫고 피어나는 우리의 우정을 토닥였다. 그렇게 우리는 지하실에서의 성공적인 회동을 마쳤다.

나는 정말 오랜만에 기쁜 표정을 지으며 집으로 돌아왔다. 나는 모든 것을 다 이룬 것 같았다. 나는 우리들의 재결합을 축하하며 흰 노트에 우리들의 추억을 채웠다. 그리고 나는 노트에 우리들의 미래를 채웠다. 나는 노트에 우리들의 희망을 적었다. 그리고 나는 노트를 흐뭇하게 바라봤다. 그렇게 나는 뿌듯한 하루를 뒤로하고 더 뿌듯한 내일을 맞이하기 위해 잠을 청했다. 나는 정말 오랜만에 아무 근심 없이 잠들었다. 나는 매우 만족스러운 잠을 잤다. 하지만 만족감은 오래가지 못했다. 곧바로 나는 침대에서 일어났다. 바깥에서 요란한 사이렌 소리가 들렸기 때문이다.

10장: 나에서 우리로

사이렌 소리와 함께 나는 유리창에서 어떤 소리를 들었다. 나는 본능적으로 침대에서 벗어나 커튼을 걷어 유리창을 바라봤다. 유리창 너머 오로라가 다급히 나에게 손짓했다. 나는 머리를 정리하지 않은 채 바깥으로 나갈 채비를 했다. 그렇게 나는 내 황금색 명찰이 걸린 잠옷을 입은 채 바깥에 나왔다. 나는 문 너머로 매캐한 연기 냄새를 맡았다. 나는 본능적으로 이곳에 불이 났다고 직감했다. 내 예상대로 오로라는 이곳 어딘가 불이 났다고 말했다. 오로라는 우선 출판사로 몸을 피해야 한다고 주장했다. 또 오로라는 출판사 안에 밴드 멤버들과 출판사 편집장님이 있다고 했다. 이 세계의 관리자인 출판사 편집장님은 우리 모두의 안전을 점검하려는 듯했다. 그렇게 우리 둘은 출판사를 향해 다급히 달렸다.

잠시 후 우리는 뽀얀 연기를 피해 출판사에 다다랐다. 다행히 출판사 직원을 비롯하여 우리 밴드 멤버가 이곳에 있었다. 메디, 베드로는 이곳에서 오로라와 나를 기다린 듯했다. 우리는 서로의 안전을 확인하며 안도했다. 하지만 우리는 안도할 시간이 없었다. 이 세계는 혼란으로 뒤덮였다. 모든 출판사 직원들은 이미 정신을 잃고 발을 동동거렸다. 그들은 더 이상 평온하게 컴퓨터 앞에 앉아 작업에 매달리지 않았다. 그들은 죽음이라는 공포에 압도당했다. 그들은 정신을 잃고 소리를 질렀다. 오직 출판사 편집장님만이 그의 직원들을 토닥이며 그들을 안심시켰다. 하지만 그런 출판사 편집장님도 얼굴이 창백했다. 연기는 점점 더 높이 치솟아 올랐다. 높이 피어오르는 연기는 거대한 쓰나미 같았다. 연기는 점점 더 고약한 냄새를 풍겼다. 나는 선명한 연기 냄새를 맡으며 우리의 위기를 확연히 느꼈다. 설상가상 우리는 아무것도 할 수 없었다. 소방 시설이 이곳에 없었기 때문이다. 우리는 이 연기를, 그리고 그 뒤에 숨은 거대한 불길을 못 막았다. 우리는 이곳에 있을 시간이 없었다.

"자, 이제 천천히 나갈게요. 제가 있으니 걱정하지 말아요."

우리가 고약한 연기에 기침을 내뱉는 동안, 출판사 편집장님은 최대한 평정심을 유지했다. 편집장님은 심연의 세계의 리더로서 우리 모두를 안심시켰다. 그렇게 우리는 리더의 지시에 따라 출판사 바깥으로 질서 있게 이동했다. 하지만 우리는 곧바로 혼돈에 빠졌다. 우리의 예상보다 불길이 컸기 때문이다. 출판사 안에 있을 때 나는 불의 형태를 잘 못 봤다. 나는 그곳에서 연기 기둥만 봤다. 그만큼 당시 불은 멀리 있었다. 하지만 지금 나는 짙은 연기 사이로 빨간 형체의 무언가를 봤다. 나는 직감적으로 이것이 불꽃이라고 생각했다. 그리고 다른 사람도 나와 생각이 같았다. 우리 모두는 불꽃의 등장에 당황했다.

특히 출판사의 직원들은 전부 다 미친 듯했다. 그들은 이미 출판사 내부에서 정신을 놓았다. 불꽃이 서서히 조여오자 그들의 이성은 말끔히 타 버렸다. 그들은 본능적으로 미지의 넓은 공간을 향해 미친 듯이 달렸다. 그들은 치타를 피해 내달리는 날렵한 초식동물 떼 같았다. 출판사 편집장님은 그의 직원 모두를 안심시키려 했다. 하지만 그들은 이미 우리의 시야에서 사라졌다. 결국, 우리는 출판사 직원들이 갔던 방향으로 달렸다. 그리고 치타 같은 불꽃은 우리를 향해 재빨리 쫓아왔다.

이곳의 모든 것들은 불길로 인해 자취를 감췄다. 이제 나는 더이상 환한 출판사 건물을 볼 수 없었다. 그 건물의 빛나는 자태는 불길과 만나 새까만 재로 변했다. 이제 나는 더 이상 메디의 음반 가게를 볼 수 없었다. 음반 가게의 친숙한 풍경은 불길을 만나 어둡고 무시무시한 자태만 드러냈다. 이 밖에 나는 많은 것들을 잃었다. 이제 나는 더 이상 심연의 세계에 있는 내 집을 볼수 없었다. 그 집과 함께 내가 이곳에 정착했던 기억도 서서히사라질 것이다. 이제 나는 우리 밴드를 결속해준 지하실의 흔적을 볼 수 없었다. 이제 나는 더 이상 출판사 근처의 무대 스테이지를 볼 수 없었다. 그리고 그 스테이지와 함께 우리 밴드의 첫 공연의 흔적도 서서히 사라질 것이다. 이제 나는 더 이상 내 좌절과 성장이 담긴 방송국 건물을 볼 수 없었다. 이제 나는 오로라를 나와 연결해준 애덤의 피아노를 볼 수 없었다. 이제 나는 심연의 세계를 더 이상 볼 수 없을 것이다. 심연의 세계는 결국, 과거 속에 묻힐 것이다. 나는 한순간에 사라지는 모든 것들에 한탄하며 미친 듯이 내달렸다. 불길은 이미 무서운 속도로 우리를 뒤쫓았다. 우리는 불에 타 죽을지도 몰랐다.

다행히 우리는 서로를 도왔다. 편집장님은 이 어지러운 순간 속에서도 끊임없이 우리 모두를 바라봤다. 그렇게 편집장님은 우리의 안위를 살폈다. 메디는 이곳을 가득 채운 연기 사이로 나를 바라보며 내 손을 잡았다. 메디는 나에게 힘을 불어넣었다. 베드로는 피어오르는 연기 사이로 오로라가 넘어진 것을 봤다. 그때 베드로는 그의 등을 희생하여 오로라를 들쳐 업었다. 오로라는 이 위기의 순간에서 우리 모두를 향해 소리쳤다. 오로라는 우리를 위해, 특히 베드로를 위해 희망의 응원을 했다. 나는 우리의 결속을 바라보며 의지를 다졌다. 나는 반드시 여기 있는 모두와 이곳을 벗어나리라 확신했다. 우리의 강인한 의지 덕분에 불길은 서서히 자취를 감췄다. 다행히 불길은 우리의 의지를 따라잡지 못했다. 그렇게 우리는 힘차게 미지의 공간을 내달렸다.

어느덧 우리는 목적지에 다다른 듯했다. 빨간색 커튼이 내 시야에 들어왔기 때문이다. 육상 경기의 결승선처럼 빨간색 커튼이 우리 앞에서 존재감을 과시했다. 우리는 출판사 편집장님을 따라 빨간색 커튼 너머의 공간으로 들어갔다. 나는 커튼 뒤 공간에서 그림 속 그 사내를 떠올렸다. 나는 연극 무대 뒤에서 무대를 향해 나아가는 그 사내를 기억했다. 그랬다. 나는 이 순간 그 사내가 되었다. 나는 가면극 무대 뒤에 있는 것 같았다. 더불어 나는 다른 세계에 온 것 같았다. 이곳은 심연의 세계와 달랐다. 무대와 무대 뒤의 공간이 크게 다른 것처럼 두 세계는 달랐다. 심연의 세계는 어둡고 복잡했다면 이곳은 매우 밝고 깔끔해 보였다. 지금 우리가 있는 이 세계는 깔끔하게 정돈된 창고 같았다. 우리는 이 세계에 있는 깔끔한 물건들을 천천히 둘러봤다.

우선 다양한 색깔과 재질의 옷이 이곳에 있었다. 이곳의 옷들은 배우들의 분장실에 있는 옷들만큼 다양했다. 나는 여러 옷들 사이에서 몇 가지 친숙한 옷들을 봤다. 찢어진 청바지와 신비로운 보라색 티셔츠가 이곳에 있었기 때문이다. 이 옷들은 각각 베드로와 오로라가 주로 입었던 것이다. 먹음직스러운 음식들은 냉장고에 보관되었다. 나는 여러 음식을 보며 왠지 모를 친숙함을 느꼈다. 나는 냉장고 안에서 빵과 시리얼을 봤다. 나는 그 빵을 메디에게 받은 적이 있었다. 나는 그 시리얼을 아침마다 먹곤 했다. 그 외에도 수많은 생필품들이 이곳에 있었다. 이곳은 거대한 생필품 창고였다. 나는 이곳에 있는 많은 물건을 바라보며 무언가 짐작했다. 분명 출판사 편집장님은 심연의 세계와 현실 세계를 오갔을 것이다. 그리고 출판사 편집장님은 현실 세계의 물건을 이곳에 저장했을 것이다. 그렇지 않다면, 경제 활동이 미미한 이곳에 어떻게 많은 물품이 유통될 수 없었다. 나는 그럴 듯한 상상을 하며 이곳을 둘러봤다. 나는 이곳을 두리번거리며 반가운 인물들을 찾았다. 출판사 직원 모두가 이곳에 있었다. 출판사 직원들은 안도의 한숨을 쉬며 이곳에 주저 앉았다. 나는 마음의 안정을 되찾은 그들을 보며 안도했다. 내가 안도의 미소를 짓는 동안 편집장님은 한 붙박이장을 열었다. 편집장님은 우리 모두를 불렀다. 그리고 우리는 붙박이장 안에 있는 것들에 감탄했다.

여러 옷이 그 붙박이장 안에 걸렸다. 그리고 여러 신발도 여러 옷 밑에 가지런히 진열되었다. 나는 왠지 모르게 몇몇 옷이 친숙했다. 그 밑의 몇몇 신발도 왠지 모르게 친숙했다. 나는 붙박이장에 걸린 검은색 티셔츠와 검은색 바지를 집었다. 그리고 나는 몸을 숙여 붙박이장 안의 검은색 신발을 집었다. 나는 신발과 옷에서 뿜어져 나오는 무미건조한 검은색을 바라봤다. 곧이어 나는 한 가지 사실을 발견했다. 그랬다. 나는 이 신발과 옷들을 현실 세계에서 입었다. 심연의 세계에 오기 직전까지도 나는 이 옷을 입고 이 신발을 신었었다. 나는 오랜만에 현실 세계의 자취를 느꼈다. 나는 이 상황이 꽤 흥미로웠다. 한편으로 나는 씁쓸했다. 나는 이제 이곳을 떠나 현실 세계로 돌아가야 했다. 그리고 이별은 항상 씁쓸했다.

"빨리 입어요. 우리는 이제 현실 세계로 돌아가야 해요."

출판사 편집장님은 우리가 재빨리 행동할 것을 촉구했다. 곧이어 편집장님은 이곳에 있는 네 개의 검은색 커튼을 가리켰다. 각자의 탈의실이 이 검은색 커튼 뒤에 있었다. 메디와 베드로는 빠르게 커튼 안으로 들어가 현실 세계로 돌아갈 준비를 했다. 반면 오로라와 나는 잠깐동안 붙박이장을 바라봤다. 출판사 편집장님은 가만히 있는 우리 둘에게 탈의실에 들어가라고 손짓했다.

그러자 오로라는 그녀가 현실 세계에서 신었던 신발이 안 보인다고 말했다. 오로라의 말에 출판사 편집장님은 붙박이장을 탐사했다. 편집장님은 붙박이장의 깊은 곳까지 살피며 남은 물건이 있는지 점검했다. 잠시 후 편집장님은 시간이 진짜 없다고 생각한 듯했다. 곧바로 편집장님이 붙박이장에서 빠져나왔기 때문이다. 심지어 편집장님은 식은 땀을 줄줄 흘렸다. 편집장님은 힘차게 붙박이장을 닫았다. 편집장님은 오로라를 향해 시간이 촉박하다는 것을 강조했다. 편집장님은 이제 더 이상 붙박이장을 점검할 수 없다고 했다. 따라서 오로라는 지금 신은 이 신발을 계속 신어야 했다.

출판사 편집장님의 당부에 오로라는 빠른 걸음으로 탈의실을 향해 달렸다. 나도 잠깐 닫힌 붙박이장을 바라보다가 탈의실을 향해 달렸다. 나는 재빨리 환하게 빛나는 잠옷을 벗고 무미건조한 검은색 옷과 신발로 갈아입었다. 나는 페니 나르시스가 입은 잠옷을 손에 쥐고 바깥으로 나갈 채비를 마쳤다. 그 순간 나는 거울 속에 비친 내 모습을 바라봤다. 나는 거울에 비친 무미건조한 검은색을 바라봤다. 나는 거울에 비친 무미건조한 내 몸짓을 바라봤다. 나는 거울에 비친 무미건조한 내 과거를 바라봤다. 나는 한동안 거울 속에서 페니 나르시스가 아닌 과거의 나를 바라봤다.

"페니 씨. 빨리 나와요! 서서히 연기 냄새가 선명해지고 있어요!"

출판사 편집장님의 다급한 외침에, 나는 정신을 차리고 탈의실 밖으로 뛰쳐나왔다. 출판사 편집장님은 손으로 일일이 우리를 지목하며 인원을 점검했다. 그리고 편집장님은 손으로 붙박이장 옆에 있는 바구니를 가리켰다. 편집장님은 그 바구니에 필요 없는 옷들을 던지라고 지시했다. 우리는 거추장스럽게 몇몇 옷들을 움켜쥐며 달아나면 안 되었다. 그래서 편집장님은 우리가 몇몇 옷들을 처분하기를 원했다. 대다수는 이러한 편집장님의 지시를 따랐다. 그들은 과감하게 그들의 추억이 담긴 옷들을 바구니에 버렸다. 하지만 나는 다른 사람들만큼 단호하지 못했다. 나는 여전히 내가 입었던 잠옷을 바라봤다. 특히 나는 그 잠옷에 붙어 있는 황금색 명찰을 바라봤다. 나는 황금색 명찰에 적힌 페니 나르시스라는 이름을 응시했다. 다른 사람들은 모든 옷을 바구니에 버렸다. 이제 사람들의 시선은 나에게 향했다. 사람들은 그들의 따가운 시선으로 나를 재촉했다. 나는 그 시선에 과감하게 결단을 내렸다. 나는 그 잠옷과 황금색 명찰을 분리했다. 그리고 나는 황금색 명찰을 내 검은색 티셔츠에 걸었다.

"이건 제가 가져가도 괜찮을까요?"

나는 진지한 표정을 지으며 출판사 편집장님에게 진심을 표현했다. 나는 정말 페니 나르시스의 황금 명찰을 버리기 싫었다. 나는 이곳의 추억을 끈질기게 간직하고 싶었다. 이제 이곳은 불길이 덮치게 된다. 심연의 세계는 새까만 재로 변할 것이다. 우리는 이제 심연의 세계에 못 올 것이다. 이 상황에서 나는 이곳과 관련된 물건 하나쯤은 간직하고 싶었다. 그 물건이 크든 작든 그것은 중요하지 않았다. 게다가 이미 밴드 멤버들은 이곳의 흔적을 몸 속에 간직했다. 메디는 그녀의 강인한 이름을 팔뚝 위에 간직했다. 베드로는 그의 강렬한 이름을 가슴팍에 간직했다. 오로라는 그녀의 신비로운 이름을 신발 뒤쪽에 간직했다. 이곳의 모든 사람은 저마다의 방식으로 이곳의 추억을 새겼다. 나도 그들처럼 이곳의 추억을 끝까지 간직하고 싶었다. 이런 이유로 나는 페니의 황금 명찰에 열의를 보였다. 출판사 편집장님은 내 열의에 고개를 끄덕였다. 나는 편집장님의 승인에 속으로 방방 날뛰었다. 나는 무척 기뻤다.

하지만 기쁨은 오래 가지 못했다. 강렬한 불빛이 우리 시야에 들어왔기 때문이다. 그랬다. 불길이 다시 이 창고를 덮쳤다. 새빨간 불꽃은 새빨간 커튼을 만나 더 선명하고 강력한 자태를 과시했다. 우리는 새빨간 불꽃이 주는 무시무시한 위력에 압도당했다. 불꽃의 등장에 출판사 직원들이 가장 먼저 반응했다. 그들은 새빨간 열기에 다시 이성을 잃었다. 그들은 생명에 대한 의지만큼 강렬한 비명을 지르며 비상구로 달아났다. 출판사 편집장님은 이번에도 직원들을 통제할 수 없었다. 결국, 우리는 다시 출판사 직원을 따라 비상구로 달렸다.

곧이어 우리는 가파른 계단이라는 복병을 만났다. 그 순간 계단의 경사는 하나의 절벽과 같았다. 불길은 우리 뒤를 재빠르게 쫓았다. 새빨간 죽음이 우리 뒤를 바짝 쫓았다. 그래서 계단의 경사는 더 가팔라 보였다. 우리는 계단의 높이가 주는 압도감에 서서히 지쳐갔다. 하지만 우리는 끝까지 포기하지 않았다. 우리는 이번에도 서로에게 의지하며 젖 먹던 힘을 다해 계단을 올랐다. 우리는 불꽃의 열기보다 더 뜨거운 우리의 우정으로 위기를 탈출했다. 그렇게 우리는 계단을 정복했다. 하지만 곧이어 또 다른 난관이 우리를 기다렸다.

6개의 출입구가 우리 앞에 있었다. 나는 출입구의 개수에서 과거의 일이 떠올랐다. 나는 심연의 세계에 들어서기 전 마주쳤던 그 6개의 출입구를 기억했다. 당시 나는 6시를 가리키는 출입구로 들어갔다. 그때 나는 6이라는 숫자에 운명을 맡겼었다. 결국, 나는 행운을 맛봤었다. 하지만 나는 지금 섣불리 6을 선택하지 못했다. 과거와 현재는 다른 법이다. 과거의 6은 행운의 숫자였지만, 현재의 6은 불운의 숫자일지도 몰랐다. 우리 모두는 6개의 경로를 두고 안절부절못했다. 우리는 본능적으로 한 사람을 바라볼 뿐이었다. 바로 이 세계를 관장하는 출판사 편집장님이었다.

"편집장님 어디로 가야 하죠?"

메디는 다급한 목소리로 편집장님께 물었다. 그런데 편집장님은 아무 말도 안 했다. 편집장님은 두 손으로 머리를 움켜쥘 뿐이었다. 편집장님은 뒤돌아서서 뜨거운 열기를 바라볼 뿐이었다. 편집장님은 두 다리를 벌벌 떨 뿐이었다. 그랬다. 편집장님은 더이상 용감하지 않았다. 원래 위급한 상황이 되면 사람들은 항상 당황하는 법이다. 편집장님도 예외가 아니었다. 우리를 침착하게 통솔하던 편집장님도 사람이었다. 편집장님은 하필 이런 순간에 이성을 잃었다. 편집장님이 가만히 있는 동안 불길은 서서히 우리를 조여왔다.

"안 되겠군요. 우리 각자 다른 출구를 택해요. 생명의 위험부담을 같이 질 순 없어요. 한 명이라도 살아야 해요."

메디는 리더쉽을 발휘하며 합리적인 해결책을 제안했다. 하지만 동시에 이것은 합리적이지 않았다. 우리는 직감대로 한 출입구를 정해야 했기 때문이다. 나는 다시 내 운명을 전부 걸어야 했다. 나는 다시 본능적으로 6이라는 숫자를 응시했다. 나는 다시 6을 믿기로 했다. 그리고 6을 고른 또 다른 이유가 있었다. 6번 출입구는 나에게 가장 가까이 있었기 때문이다. 그리고 나는 그 가까운 거리에 근거해 출판사 직원들을 떠올렸다. 나는 출판사 직원들이 6번 출입구로 달아났다고 확신했다. 출판사 직원들은 불길을 보고 정신을 잃은 상태였다. 그들의 이성은 이미 뜨거운 불길에 소거되었다. 그런 그들은 분명 그들과 가까운 출입구로 몸을 던졌을 것이다. 만약 내 추론이 옳다면 내 생존 가능성은 높아졌다. 나는 6번 출입구로 이동하며 출판사 직원들의 생존을 확인할지도 몰랐다. 그들이 만일 탈출했다면 그 순간 그들의 이성은 돌아왔을 것이다. 그러면 그들은 그들이 탈출했던 출입구를 향해 생사를 알릴지도 몰랐다. 나는 이런 식으로 결정을 합리화했다. 한편 나는 홀로 살아남기 싫었다. 나는 이곳의 모든 사람들과 같은 운명을 걸고 싶었다. 우리들의 결속은 그 정도로 단단했다. 그래서 나는 6번 출입구로 이동하며 소리쳤다. 나는 출판사 직원들의 희망찬 소리를 들을 수 있기를 희망했다.

하지만 나는 특별한 소리를 듣지 못했다. 나는 모든 사람들에게 6번 출입구를 배제하자고 제안했다. 결국, 남은 것은 다섯 개의 출입구였다. 밴드 멤버들은 나처럼 다섯 개의 출입구를 향해 소리쳤다. 하지만 우리는 모든 출입구에서 소리를 못 들었다. 우리가 간절히 소리치는 동안 불길은 더 거세졌다. 우리는 살기 위해 어떤 출구라도 가리지 않고 도망쳐야 했다. 우리는 반드시 한 출입구를 결정해야 했다. 메디는 마지막으로 한 가지를 제안했다. 메디는 심연의 세계에 온 순서에 맞는 번호를 각자 택하자고 제안했다. 우선 태초로 이곳에 온 출판사 편집장님은 1번 출구로 가야 했다. 두 번째로 이곳에 온 메디는 2번 출구로 가야 했다. 나는 가장 나중에 이곳에 왔으므로 5번 출구로 가야 했다. 문제는 베드로와 오로라였다. 우리 밴드 멤버들은 두 사람 중 누가 이곳에 먼저 왔는지 몰랐다. 오직 출판사 편집장님만이 이 사실을 알았다. 다만 지금 출판사 편집장은 정신이 혼미했다. 우리는 출판사 편집장님에게 어떠한 질문도 못 했다. 이때 베드로가 한 출구를 향해 섰다.

"제가 4번으로 가죠."

베드로는 당당한 태도를 간직한 채 4번 출구로 향했다. 사실 누구도 이 순간에는 4번으로 가기 싫었을 것이다. 4는 죽을 사를 뜻하기도 했다. 물론 이것은 미신이었다. 그래도 원래 위급한 상황일수록 사람들은 미신에 의존하는 법이다. 그럼에도 베드로는 당당하게 4번 출구를 선택했다. 베드로는 지금 이 상황을 두려워하지 않는 듯했다. 베드로는 지금 미신에 신경 쓰지 않았다. 베드로는 당당하게 그의 운명을 믿는 듯했다. 베드로는 당당하게 생사의 운명을 맞이할 준비가 되었다. 우리 5명의 운명은 정해졌다. 우리의 미래는 정해졌다. 이제 우리는 미래를 향해 나아가야 했다. 우리는 심연의 세계를 과거로 내보내야 했다. 우리는 서로의 눈을 바라보며 출구를 향해 달렸다. 우리는 서로의 모습을 바라보며 결연하게 앞으로 나아갔다.

나는 가파른 계단을 향해 계속 나아갔다. 나는 여전히 가파른 계단을 향해 계속 나아갔다. 나는 여전히 어둠이 깔린 계단을 향해 계속 나아갔다. 모든 것이 어두웠다. 나는 짙은 어둠 속 죽음의 공포를 두려워했다. 나는 전혀 바깥을 볼 수 없었다. 그런 불안 속에서 나는 어쩔 수 없이 앞으로 나아가야 했다. 이미 강렬한 불길은 내 등 뒤에 있었다. 나는 용감한 페니 나르시스처럼 두려움을 통제해야 했다. 나는 셔츠에 강렬히 걸린 페니 나르시스의 황금 명찰을 기억했다. 나는 용감히 앞으로 나아갔다. 그때 강렬한 섬광이 내 눈에 비췄다. 나는 강렬한 섬광에 압도당한 채 눈을 질끈 감았다. 나는 강렬한 섬광에 눈을 못 떴다. 나는 나를 향해 들어오는 섬광에 저항한 채 눈을 감을 뿐이었다. 나는 아무것도 못 봤다. 나는 발의 감각에 생사를 걸어야 했다. 나는 실낱같은 가능성에 의지해야 했다. 나는 삶의 의지를 되새기며 그렇게 한 걸음 앞으로 나아갔다.

드디어 나는 가파른 계단에서 벗어났다. 나는 발에서 편안함을 느꼈다. 나는 발에서 평지의 감각을 느꼈다. 내가 해냈다. 나는 다시 안전한 공간에 도달했다. 그리고 서서히 내 눈도 회복되었다. 나는 화장실에 있는 벽화를 어렴풋이 봤다. 나는 뱀이 그려진 그 벽화를 다시 봤다. 나는 이제 현실로 돌아왔다. 이 순간 나는 어떠한 생각도 들지 않았다. 오직 안도감만이 내 머릿속을 가득 채웠다. 나는 행복한 미소를 지으며 바깥으로 내달렸다. 나는 강렬한 고함을 치며 화장실을 빠져나왔다. 나는 페니 나르시스라는 명함을 달고 길가로 빠져나왔다. 분명 지금 나는 페니 나르시스의 황금 명찰을 단 채 길가에 서 있다. 그럼에도 나는 심연의 세계에서 사는 동안 잊을 뻔한 이름을 다시 기억한다. 내 이름은 다시 김민혁이 되었다.

3부: 가면극 무대 뒤로

1장: 요란한 복귀

　세찬 경적이 내 귓가에 들렸다. 이제서야 나는 정신을 차리고 횡단보도 뒤로 물러섰다. 거대한 경적 덕분에 나는 이곳이 현실 세계라고 직감했다. 그 소리 덕분에 나는 생존에 대한 과도한 희열감에서 벗어났다. 나는 정신을 차리고 주변을 둘러봤다. 오직 나만 이곳에 있었다. 페니 나르시스라고 적힌 명찰을 단 나만 이곳에 있었다. 나는 혹시나 하는 마음에 주변을 두리번거렸다. 하지만 오직 길거리를 바삐 움직이는 사람들만 이곳에 있었다. 나는 친구들을 못 봤다. 나는 메디, 베드로, 오로라, 그리고 편집장님의 생사를 몰랐다. 나는 그들의 부재에 잠깐 좌절했다. 그래도 나는 페니의 황금 명찰을 가졌다. 나는 이대로 낙담하면 안 되었다. 나는 다시 용기를 내야 했다. 나는 반드시 친구들을 찾아야 했다. 그리고 나는 반드시 친구들을 찾으리라 다짐했다.

나는 나에게 가까운 곳이라면 어디든 가서 친구들을 찾으려 했다. 우선 나는 넓은 광장 일대나 큰 건물부터 살폈다. 그리고 나는 명상센터에서 시작되는 후미진 골목길을 탐사했다. 나는 후미진 골목길 속 불 꺼진 가게들을 탐사했다. 심지어 나는 곳곳에 있는 맨홀 뚜껑도 탐사했다. 나는 조그마한 가능성이라도 붙잡으려 했다. 하지만 여러 노력에도 불구하고 나는 친구들을 찾지 못했다. 나는 그들의 부재에 저절로 힘이 빠졌다. 나는 터덜터덜 큰길을 향해 걸어갔다. 그때 놀라운 일이 벌어졌다.

사람들이 한곳에 서서히 모였다. 사람들은 오직 한 건물만 바라봤다. 나도 사람들을 따라 그 건물을 향해 고개를 돌렸다. 그 건물은 무미건조한 다른 건물 사이에서 새하얀 자태를 뽐냈다. 그랬다. 분명 내가 한 번 가본 적이 있던 그 서점이었다. 그리고 나는 그 서점 안을 거닐다가 심연의 세계로 갔었다. 나는 아직도 그 서점 안 화장실의 뱀 벽화를 기억했다. 심지어 현실 세계에 막 돌아왔을 때 나는 그 벽화를 봤었다. 그런데 사람들이 이 서점에 시선을 집중했다. 사람들이 현실 세계와 심연의 세계를 잇는 그 건물에 집중하는 것이다. 나는 본능적으로 하얀 서점을 향해 달렸다. 나는 많은 인파 속을 헤치고 서점 건물에 안 기다란 복도를 향해 달렸다. 그리고 수많은 기자가 그 긴 복도에 서서 사진기의 셔터를 눌렀다.

노란색과 검은색으로 이루어진 띠가 기자단 앞쪽을 가로막고 있었다. 수사 중, DANGER라는 글씨가 그 띠 안에 적혔다. 나는 띠에 적힌 무서운 글씨를 통해 이 상황을 천천히 파악했다. 그리고 나는 무언가 발사되는 것 같은 힘찬 소리를 들었다. 나는 위험성을 알리는 띠 너머로 하얀 연기와 새까만 연기 같은 것을 봤다. 나는 급박해 보이는 풍경에 점점 더 긴장했다. 그리고 이 안의 소방관과 경찰관들은 매우 긴박해 보였다. 소방관들은 소화기를 이용하여 화장실에 난 화재를 진압했다. 경찰관들은 이곳을 매의 눈으로 관찰하며 지금 상황을 파악하는 듯했다. 곧이어 기자들은 카메라의 셔터를 열렬히 눌렀다. 화재 진압을 마친 한 소방관이 화장실에서 나왔기 때문이다. 그리고 화장실 근처를 살피던 한 경찰관도 그 소방관을 따라 나왔다. 기자들은 그들의 본분을 다하며 질문을 퍼부었다.

"잠시 진정해주세요. 현재까지 사망자는 발견되지 않았습니다. 다만 몇 가지 주목할 게 있습니다."

소방관은 미친 듯이 질문하는 기자들을 진정시키고 현재 상황을 설명했다. 소방관은 주목할 것에 대해 자세히 말했다. 소방관은 화장실 너머에 어떤 공간이 있다고 했다. 소방관은 그 공간으로 들어가 몇 가지 특이점을 발견했다고 했다. 소방관은 그곳에서 건물 네 채의 흔적을 발견했다고 했다. 소방관은 그 건물 모두 침대 다리 및 탁자의 흔적이 있었다고 했다. 이에 기초하여, 소방관은 그곳에 주거 공간이 네 채 정도 있었을 것으로 추정했다. 그 추정과 함께, 나는 우리가 심연의 세계에서 머물렀던 집들을 기억했다. 곧이어 소방관은 그곳에서 본 또 다른 건물에 관해 얘기했다. 소방관은 그 건물에서 프린터기의 파편과 불에 탄

종잇조각을 봤다고 했다. 이에 기초하여, 소방관은 그곳에 출판업이나 언론사 등이 있었을 것으로 추정했다. 그 추정과 함께, 나는 심연의 세계에서 빛났던 하얀 출판사 건물을 기억했다. 마지막으로 소방관은 LP판 파편이 가득한 건물을 봤다고 했다. 소방관은 그 건물 안 지하 공간에 여러 악기의 흔적들이 있었다고 했다. 이에 기초하여, 소방관은 그곳에 음반을 파는 가게가 있었을 것으로 추정했다. 그 추정과 함께, 나는 메디의 음반 가게와 우리의 지하 연습실을 기억했다. 소방관은 여러 상황을 종합하여 완벽한 결론을 내렸다. 이곳에 사람이 산 흔적이 있다. 따라서 우리는 최선을 다해 사상자가 있는지 수색할 것이다. 소방관은 강인한 어투로 그의 주장과 결론을 내비쳤다. 나는 소방관의 강인한 수색 의지에 안도했다. 나는 그 수색을 통해 내 친구들을 찾기를 바랐다.

곧이어 경찰관이 소방관의 앞으로 나와 얘기를 이어 나갔다. 경찰관은 매우 날카롭게 눈을 뜬 채 수사 상황을 보고했다. 경찰관은 단도직입적으로 그가 도출한 결론을 얘기했다. 이것은 방화범의 소행이다. 경찰관은 바로 이렇게 결론지었다. 경찰관은 화장실 너머의 공간에서 자연 발화가 일어날 가능성은 작다고 주장했다. 곧이어 경찰관은 그 근거를 합리적으로 제시했다. 우선 경찰관은 그곳에 빛이 거의 안 들어온다고 주장했다. 경찰관은 햇빛이 그곳에 들어오지 않아 그곳이 서늘했을 것이라고 봤다. 또 경찰관은 심연의 공간에 소방 시설의 흔적이 보이지 않는다고 했다. 사람들은 소방 시설이 없는 곳에서 불장난을 쉽게 못

하는 법이다. 그래서 경찰관은 그곳 사람들이 위험한 물건을 조심해서 다뤘을 것이라고 봤다. 나는 경찰관이 내린 합리적인 결론에 속으로 박수를 보냈다. 놀랍게도 경찰관의 주장은 모두 사실이었다. 나는 그 경찰관은 만족스럽게 바라봤다. 경찰관은 그에 보답하듯 그의 강렬한 눈빛을 나에게 보냈다. 그때 그 경찰관은 깜짝 놀라며 눈을 크게 떴다.

"어, 야! 저놈 잡아!"

경찰관은 날카로운 눈매만큼 날카로운 손끝으로 나를 가리켰다. 그 순간 이 일대의 모든 경찰관이 나에게 수갑을 채웠다. 그들은 나에게 미란다의 원칙을 들먹였다. 변호사를 선임할 수 있고 불리한 진술에 묵비권을 행사할 수 있다는 등의 말이 들렸다. 나는 드라마가 아닌 현실에서 이 말을 들을 줄 생각도 못 했다. 나는 두 눈을 동그랗게 뜨고 당혹스러운 표정을 지었다. 나는 이게 무슨 일인지를 한 경찰관에게 물었다. 경찰관은 내가 이번 방화 사건의 유력 용의자라고 말했다. 그렇게 나는 경찰차 뒷좌석에 앉아 경찰관과 동행했다. 현실 세계에 복귀한 후, 곧바로 나는 경찰서로 가야 할 운명에 처했다. 나는 갑작스러운 날벼락에 어안이 벙벙했다. 잠시 후 나는 경찰서에서 경찰관과 마주 보고 앉았다. 나는 생애 처음으로 경찰서에서 서면조사를 받게 되었다.

"도대체 왜 저를 의심하는 겁니까!"

나는 당당한 태도로 경찰관에게 억울함을 밝혔다. 나는 당연히 당당했다. 나는 방화범이 절대 아니기 때문이다. 오히려 나는 불구덩이에서 겨우 살아 돌아온 희생자였다. 경찰관은 한 화면을 손가락으로 가리켰다. 그것은 한 CCTV 영상이었다. 그리고 낯익은 인물이 그 영상 속에 있었다. 바로 나였다. 나는 그 화면 속에서 뿌연 연기 사이 두 팔을 벌려 환호했다. 나는 생명의 기쁨을 만끽하며 마구 달렸다. 당시 나는 생존의 기쁨에 도취되어 앞을 향해 내달렸다. 하지만 경찰관은 그 행동을 조금 다르게 본 듯했다. 경찰관은 그 장면을 보고 방화범의 포효를 떠올린 듯했다. 경찰관은 이 장면을 보고 사이코패스의 범죄 행위를 생각한 듯했다. 그들은 내가 불꽃을 바라보며 파괴의 기쁨을 만끽했다고 믿었다. 경찰관은 내가 미쳤다고 생각하는 듯했다.

　나는 경찰관의 의심을 안심으로 바꿔야 했다. 나는 자연스럽게 경찰관의 주장을 반박했다. 우선, 나는 CCTV 영상을 통해 결백을 주장했다. 일반적으로 방화범은 햇볕이 내리쬐는 대낮에 범죄 행위를 드러내지 않는 법이다. 그리고 방화범은 CCTV의 존재를 항상 기억하는 법이다. 정상적인 방화범은 어두운 밤에 범행을 저지르고 범행 장소에서 나와야 하는 법이다. 게다가 철두철미한 방화범이라면, CCTV의 사각지대로 움직이는 법이다. 나는 이러한 논리를 들어 결백을 주장했다. 또 나는 화재현장에서 빠져나온 또 다른 생존자가 있다고 주장했다.

　물론 나는 내 친구 모두가 화재현장에서 무사했는지 몰랐다. 나는 개인적인 희망을 담아 다른 생존자의 존재를 주장했을 뿐이다. 나는 희망을 담아 다른 CCTV 영상도 보라고 경찰관에게 지시했다. 나는 부디 인근 CCTV 영상에서 낯익은 사람을 보기를 바랐다. 그리고 나는 다른 CCTV 영상에서 진짜 방화범을 보고 싶었다. 나는 반드시 그 녀석을 찾고 싶었다. 그 녀석은 우리 모두를 위험에 빠뜨렸고 나에게 누명을 씌웠기 때문이다. 하지만 경찰관은 그건 나중에 할 문제라며 내 조언을 무시했다. 나는 경찰관의 무심한 태도에 솔직하게 진실을 말했다. 나는 심연의 세계의 모든 정보를 경찰관에게 얘기했다. 나는 밴드 멤버들과 출판사 편집장님은 물론이고, 출판사의 직원들까지 얘기했다. 나는 솔직한 감정을 경찰관에게 드러냈다. 나는 그들의 생사를 인근 CCTV에서 확인하고 싶다고 얘기했다. 하지만 경찰관은 내 말을 참고하는 척만 할 뿐이었다. 경찰관은 생존자의 문제는 소방관이 처리할 것이라고 말했다. 경찰관은 나를 계속 의심했다.

"일단 그냥 이름부터 얘기하세요! 빨리 조사 좀 합시다."

경찰관은 날카로운 말투로 나에게 명령했다. 나는 경찰관의 위엄에 압도당해 그들의 명령을 따랐을 수도 있었다. 하지만 나는 쉽게 명령을 따르지 않았다. 우선 나는 너무 억울했다. 나는 예전과 많이 달라졌다. 나는 더 이상 소심하지 않았다. 나는 내 티셔츠에 걸린 황금 명찰을 계속 응시했다. 나는 그 황금 명찰에서 뿜어져 나오는 힘찬 용기를 기억했다. 페니 나르시스가 준 용기 덕분에 나는 당당히 결백을 주장했다. 하지만 경찰관도 호락호락하지 않았다. 경찰관은 내 황금 명찰을 들여다봤다. 경찰관은 실눈을 뜨며 황금 명찰에 적힌 글자를 읽었다. 페니 나르시스. 그는 황금 명찰에 적힌 6글자를 또박또박 읽었다. 경찰관은 내 이름이 페니 나르시스인지 물었다. 나는 경찰관의 질문에 고개를 좌우로 흔들었다. 그리고 나는 경찰관에게 또 다른 이유를 들어, 끝까지 결백을 주장하려 했다.

"명찰 가지고 장난치지 마! 이름!"

분노가 폭풍처럼 휘몰아쳤다. 나는 경찰관이 내뱉은 이름이라는 단어에 많은 것을 느꼈다. 우선 경찰관의 새빨간 분노가 그 단어에서 느껴졌다. 경찰관은 어려운 상황 속 그 단어를 뱉으며 나에게 화풀이했다. 그리고 경찰관의 의지가 그 단어에서 느껴졌다. 경찰관은 나의 계속된 항변에도 굴하지 않았다. 경찰관은 그 단어로 나를 찍어 누르겠다고 다짐한 듯했다. 나는 경찰관의 입에서 표출된 위압감에 압도당했다. 그래도 나는 겉으로 겁내지 않았다. 나는 황금 명찰에 깃든 페니의 영혼을 바라봤다. 나는 이런 식으로 공포를 통제했다. 곧이어 나는 날카롭게 눈을 뜬 경찰관을 침착하게 바라봤다. 나는 크게 한숨을 쉬었다. 나는 지금 상황이 억울했지만, 한숨을 쉬며 마음을 가라앉혔다. 나는 한숨을 쉰 뒤 침착하게 경찰관을 다시 바라봤다. 결국, 나는 경찰관과 기 싸움을 잠시 중단했다. 나는 경찰관에게 내 이름을 말했다. 나는 김민혁이라는 세 글자를 내뱉었다.

곧이어 나는 여러 인적 사항을 얘기했다. 나이, 거주지 주소 등. 나는 내 정보를 거침없이 드러냈다. 경찰관의 표정이 약간 누그러졌다. 경찰관은 순조로운 상황에 만족하는 듯했다. 경찰관은 거침없이 키보드를 통해 내 말을 받아 적었다. 그런데 갑자기 경찰관이 그의 재빠른 타이핑을 멈췄다. 경찰관은 컴퓨터 화면에 비친 무언가를 바라봤다. 경찰관은 한동안 컴퓨터 화면을 계속 바라봤다. 곧이어 경찰관은 내 얼굴을 뚫어지게 바라봤다. 경찰관은 더 이상 화난 것 같지 않았다. 그보다 경찰관은 당혹스러운 듯했다. 경찰관은 한동안 아무 말 없이 내 얼굴을 바라봤다. 나는 갑작스럽게 바뀐 경찰관의 모습에 당황했다. 그렇지만 나는 최대한 평정심을 드러내려고 애썼다. 나는 여전히 침착하게 경찰관의 얼굴을 바라봤다.

"혹시 책 쓰신 적 있으십니까?"

경찰관은 나를 향해 정중히 질문했다. 나는 갑작스러운 어투 변화에 조금 당황했다. 분명 조금 전까지 경찰관은 나에게 반말했다. 조금 전까지 경찰관은 반말 속에 강력한 분노를 드러냈다. 그런 경찰관이 갑자기 나에게 정중한 태도를 보였다. 경찰관은 독특한 내 정체가 궁금한 듯했다. 나는 좋아진 분위기에 긴장을 조금 풀었다. 나는 예전에 책을 쓴 적이 있다고 친절하게 답변했다. 나는 북쇼출판사를 언급하고 내 이름을 다르게 얘기했다. 나는 더 이상 경찰관에게 김민혁이 아니었다. 이제 나는 김민혁 작가였다. 경찰관은 작가라는 단어에 활짝 미소지었다.

알고 보니 그 경찰관은 내 팬이었다. 경찰관은 그의 취미가 독서라고 말했다. 경찰관은 내 책 속 인상 깊은 구절 몇 마디를 읊조렸다. 나는 친숙한 구절에 안도하며 경찰관에게 옅은 미소를 지었다. 경찰관은 급기야 내 손까지 붙잡았다. 경찰관은 내가 반가운 듯 잡다한 얘기를 퍼부었다. 가령 내 소설은 잠복수사 때 시간 때우기 용으로 알맞다는 식의 얘기였다. 물론 나는 잡담을 싫어했다. 그래도 이제 경찰관은 나에게 호감을 표시했다. 나는 어렵게 찾아온 경찰관의 호의를 잘 받아줘야 했다. 나는 경찰관에게 밝은 미소로 맞장구를 치며, 이 상황을 잘 넘겨야 했다. 그래서 나는 최선을 다해 밝게 미소 지었다. 경찰관은 그에 힘입어 수다스럽게 여러 대화를 이어갔다.

"아, 참. 작가님 최근에 신작 내셨죠? 저 그거 잘 읽고 있습니다."

나는 최근이라는 말에 책상에 배치된 달력을 바라봤다. 시간은 적당한 속도로 흘러왔다. 달력을 보니 나는 5개월이 흐른 후 현실세계로 돌아온 듯했다. 그 순간 나는 경찰관이 말한 최근이라는 단어에 당황했다. 분명 나는 최근에 책을 내지 않았다. 나는 최근에 불길과 사투했을 뿐이었다. 물론 나는 침착하게 여러 방식으로 생각했다. 어쩌면 최근의 기준은 주관적일지도 몰랐다. 누구는 1주 전 상황을 최근으로 여길지도 몰랐다. 한편 누구는 10년 전의 사건이 최근으로 여길지도 몰랐다. 그만큼 시간 개념은 주관적이었다. 나는 그 사실을 머릿속에 되새긴 뒤 경찰관에게 미소 지었다. 그리고 나는 5년 전에 책을 낸 사실을 경찰관에게 말했다. 그리고 나는 5년 전 일이 최근 일인지 몰랐다며 놀라움을 표시했다.

"아뇨. 어제 신작 내셨잖아요."

나는 경찰관이 얘기하는 어제라는 단어에 당황했다. 나는 정확히 어제 무엇을 했는지 몰랐다. 나는 최근에도 시간표나 달력이 전혀 없었던 세계에 있었기 때문이다. 하지만 한 가지는 확실했다. 나는 어제 소설을 쓰지 않았다. 나는 어제 책을 출판하지 않앗다. 나는 경찰관이 말한 어제라는 말을 되새기며 당혹스러운 표정을 지었다. 그동안 경찰관은 서랍 속에서 무언가를 꺼냈다. 잠시 후 경찰관은 책 한 권을 들었다. 경찰관은 그 책 표지에 있는 몇 개의 글자를 손으로 가리켰다. 김민혁 지음. 북쇼출판사. 경찰관은 차례대로 그 글자를 손으로 짚었다. 나는 친숙하면서도 낯선 김민혁이라는 글자를 하염없이 바라봤다. 내 이름이 왜 이 책 표지에 있는 걸까? 나는 당혹감을 드러내며 예상치 못한 현실을 곰곰이 생각했다.

잠시 후 나는 분노했다. 나는 드디어 모든 상황을 완벽히 파악했다. 범죄자 곽세웅이 나를 배신했다. 곽세웅은 1년이라는 시간을 의미 없게 만들었다. 곽세웅은 1년이 다 흘러가기 전, 그에게 돈을 줄 누군가를 찾아간 것이었다. 그것 외에는 지금 일어난 이상한 상황을 설명하지 못했다. 곽세웅이라면 당연히 그럴 만했다. 나는 그 책에 커다랗게 써진 글자를 하염없이 바라봤다. 부활. 나는 그 책의 제목으로 추정되는 그 단어를 속으로 되뇌었다. 그리고 나는 내 속에 끓어오르는 무언가를 느꼈다. 나는 뜨거운 무언가를 자유롭게 흐르도록 내버려 뒀다. 내 분노는 제주도의 한 경찰서에서 부활했다.

2장: 배신자들

수갑은 내 분노를 옥죄지 못했다. 나는 수갑을 찬 두 손으로 경찰서의 탁자를 쿵 내리쳤다. 내 팬인 경찰관은 나를 진정시키려 애썼다. 나는 경찰관의 차분한 태도에 겨우 분노를 통제했다. 곧이어 경찰관은 증거 불충분이라는 이유로 내 수갑을 풀었다. 나는 자유의 몸이 되었다. 하지만 내 정신은 자유롭지 않았다. 나는 여전히 곽세웅에게 커다란 분노를 느꼈기 때문이다. 나는 이 분노를 반드시 해소해야 했다. 나는 경찰관에게 잠시 휴대폰을 빌렸다. 경찰관은 내가 휴대폰이 없다는 것을 알았기에, 흔쾌히 그의 휴대폰을 빌려줬다. 곧바로 나는 이 휴대폰으로 전화번호를 눌렀다. 나는 손가락에 분노를 담아 전화번호를 입력했다. 나는 곽세웅에게 전화를 걸었다.

하지만 곽세웅은 아무런 응답이 없었다. 아마 곽세웅은 모르는 전화번호를 가볍게 무시하는 듯했다. 곽세웅은 모르는 전화번호를 스팸 전화로 오인한 듯했다. 그래도 나는 포기하지 않았다. 나는 전화 연결이 안 되면 재차 전화를 걸었다. 나는 귓가에 계속 울리는 전화벨 소리에 신경 쓰지 않았다. 나는 오로지 곽세웅에게 집중했다. 나는 반드시 곽세웅에게 연락해야 했다. 오직 그 방법으로만 나는 분노를 해소할 수 있었다. 오직 그 방법으로만 나는 정신적 자유를 되찾을 수 있었다. 경찰관은 내 끈기에 다소 당황한 듯했다. 그때마다 나는 잠시만 기다려 달라는 말을 하며 경찰관을 안심시켰다. 그렇게 나는 전화벨 소리와 끝까지 사투했다. 그리고 마침내 전화벨 소리가 멈췄다.

"전화 잘못 거신 것 같습니다."

분명 그 녀석의 목소리였다. 곽세웅의 목소리가 귓가에 들렸다. 나는 그 기분 나쁜 목소리를 듣자마자 휴대폰의 스피커폰 기능을 가동했다. 이 행동에 특별한 이유는 없었다. 나는 그저 수많은 경찰관에게 곽세웅의 실체를 알리고 싶었다. 나는 수많은 경찰관에게 곽세웅의 악행을 알리고 싶었다. 나는 수많은 경찰관에게 곽세웅의 악랄한 목소리를 들려주고 싶었다. 이런 목적을 달성하기 위해 나는 스피커폰 기능을 과감히 켰다. 나는 경찰관의 휴대폰을 탁자 위에 가볍게 올려놓았다. 나는 분노를 담아 소리쳤다.

"야, 이 개새끼야! 1년도 안 됐잖아! 약속은 지켜야지!"

곽세웅의 전화를 받은 그 순간 나는 더 이상 무미건조한 김민혁이 아니었다. 나는 더 이상 소심한 김민혁이 아니었다. 그보다 나는 강렬한 페니에 가까웠다. 그보다 나는 불의를 못 참는 페니에 가까웠다. 나는 페니의 영혼을 상기하며 시원한 욕설을 곽세웅에게 내뱉었다. 곽세웅은 내 욕설에 많이 당황한 듯했다. 이때까지 나는 곽세웅에게 욕한 적이 없었다. 그런 곽세웅이 처음으로 내 욕설을 들은 것이다. 곽세웅은 지금 내 모습에 당황한 듯 아무 말없이 가만히 있었다. 약간의 시간이 흐른 뒤 곽세웅은 본연의 모습으로 돌아왔다. 곽세웅은 휴대폰 너머로 악랄한 웃음소리를 남발했다. 그의 악랄한 웃음소리가 경찰서 전체에 퍼졌다.

"바보 같은 놈, 사람 한 명 죽이라는 게 그렇게 어렵나? 제법 이군. 아직 살아있다니."

곽세웅은 스산한 웃음소리를 유지한 채 내 생존을 기분 나쁘게 축하했다. 바보 같은 곽세웅은 내가 경찰서에 있는 줄도 몰랐다. 멍청한 곽세웅은 전화기로 그의 범행을 자백했다. 심지어 곽세웅은 공범의 존재도 자백한 듯했다. 곽세웅은 원망하는 목소리로 바보 같은 놈에 대해 분노했기 때문이다. 경찰관들은 바보 같은 놈이라는 말로 공범의 존재에 대해 확신했다. 이제 사건은 거의 마무리되었다. 경찰관들은 곽세웅과 또 다른 공범을 잡으면 되었다. 두 사람의 신원을 파악하고 수색하는 것은 경찰관에게 쉬웠다. 경찰관은 곧바로 그의 휴대폰에 적힌 곽세웅의 전화번호를 확인했다. 그런 뒤 경찰관은 컴퓨터에 앉아 곽세웅의 신원을 조회했다. 그동안 나는 휴대폰 너머 들려오는 곽세웅의 근황 이야기를 들었다. 사건은 내가 곽세웅의 범행 사실을 알게 된 이후부터 시작되었다.

곽세웅은 끔찍한 범행을 나에게 밝힌 이후 곧바로 한 통의 전화를 받았다고 했다. 곽세웅은 그 전화를 곧바로 받았다고 했다. 곧이어 누군가가 곽세웅에게 구체적인 이야기를 꺼냈다고 했다. 곽세웅은 그 의문의 인물이 소설 창작에 관심이 많았다고 했다. 곽세웅은 그 사람의 문학 지식이 해박했다고 했다. 그래서 곽세웅은 단번에 그 녀석에게 호감을 가졌던 것이다. 곽세웅은 그 녀석이 대중의 니즈를 잘 파악했다고 했다. 곽세웅은 그 녀석의 드라마틱한 전개 능력을 아직도 존경하는 듯했다. 한 마디로 곽세웅과 그 녀석은 비슷한 문학적 철학을 공유했던 것이다. 그래서 곽세웅은 그 녀석을 내 빈 자리에 채웠다고 했다. 곽세웅은 그 녀석을 통해 새로운 김민혁을 만들었던 것이다. 곽세웅은 기묘한 방법으로 여전히 돈과 명성을 얻어온 것이다. 나는 악랄한 곽세웅의 행적에 분노했지만 최대한 그 분노를 통제했다. 아직 밝혀지지 않은 중요한 사실이 있었기 때문이다. 나는 형의 생사를 확인해야 했다.

"그럼 이제 형은 풀어줘. 넌 이제 모든 것을 다 이뤘잖아. 가짜 김민혁으로 돈도 벌고 친분도 유지하잖아."

내 진심 어린 목소리에 곽세웅은 악랄한 목소리로 화답할 뿐이었다. 나는 그 웃음소리에서 단번에 불길한 기운을 느꼈다. 그리고 내 예상대로 곽세웅은 내 형을 여전히 놓지 않으려 했다. 곽세웅은 여전히 나를 이용할 구석이 있다고 했다. 곽세웅은 가짜 김민혁을 대신할 인터뷰이로 형을 낙점했다고 했다. 나는 그 이유를 바로 간파했다. 나와 형은 일란성 쌍둥이였기 때문이다. 그러므로 일반인들은 나와 형의 외모 차이를 모를 것이다. 그래서 형을 인터뷰이로 낙점한 곽세웅의 선택은 그럴 듯했다. 그런데 이제 상황이 바꼈다. 곽세웅은 내가 인터뷰이가 되기를 원했다. 나는 당연히 곽세웅의 입장에서 최선의 선택지였다. 나는 진짜 김민혁이기에 사람들의 의심을 살 일이 없었다. 반면 형이 김민혁으로서 인터뷰에 선다면 약간 위험할지도 몰랐다. 혹시 내 열렬한 팬 일부가 나와 형의 외모를 간파할지도 몰랐다. 그래서 곽세웅은 그의 원래 계획이 약간 불안했다고 했다. 그런데 내가 이 상황에서 버젓이 통화를 한 것이다. 이제 곽세웅은 나와 거래했다. 곽세웅은 내가 인터뷰에 꾸준히 참가해준다면, 형의 목숨을 살려주겠다고 약속했다. 결국, 곽세웅은 나를 이용할 구석을 찾았다. 나는 예상을 뛰어넘는 곽세웅의 악랄함에 혀를 내둘렀다. 곽세웅이 악랄한 계획을 말하는 동안, 휴대폰 너머로 부산스러운 소리가 들렸다.

"지금 들리다시피 내가 좀 바빠. 이제 끊자고. 현실 세계로 복귀한 것을 다시 환영한다."

곽세웅은 끝까지 나를 비꼬며 전화를 끊었다. 곽세웅이 전화를 끊기 전 나는 이런 말을 시원하게 내뱉고 싶었다. 나는 지금 경찰서에 있다고 소리치고 싶었다. 그래도 나는 바로 이성을 되찾고 분노를 마음속에 넣어 뒀다. 나는 이전에 곽세웅이 경고했던 것을 기억했다. 나는 경찰에 곽세웅을 신고할 시 일어날 불행에 대해 상기했다. 나는 이성을 잃을 곽세웅이 내 형에게 할 짓을 상상했다. 나는 나쁜 일을 상상하며 자연스럽게 분노를 통제했다. 나는 분노를 통제하여 형의 생존 가능성을 높여야 했다. 내가 침착하게 이성을 되찾는 동안, 경찰관은 곽세웅의 신원을 파악했다. 그들은 서울에 있는 북쇼 출판사의 위치를 파악했다. 나는 노력하는 경찰관들을 돕고 싶었다. 나는 경찰관들을 도와 곽세웅의 악행을 처벌하고 싶었다. 그래서 나는 곽세웅의 거주지와 회사 위치를 경찰관에게 더 자세히 설명했다. 나는 휴대폰의 지도 앱에서 여러 위치를 손가락으로 표시하며, 경찰관들을 도왔다. 마침내 우리의 노력은 결실을 보았다. 경찰관들은 서울 인근 경찰서에 연락해 곽세웅을 잡기 위해 준비했다.

나는 경찰관이 분주히 행동하는 동안 한 가지 사실을 기억했다. 경찰관이 곽세웅을 수사하게 된다면, 곽세웅은 내 형을 처참히 살해할 것이 분명했다. 나는 그 사실을 머릿속에 정확히 박아뒀다. 그래서 나는 마지막까지 모든 경찰관에게 당부했다. 나는 곽세웅의 섬뜩한 경고를 모든 경찰관에게 전했다. 그래서 나는 여러 경찰관에게 함정수사를 추천했다. 경찰관들은 최대한 곽세웅의 눈에 띄지 않아야 했다. 경찰관들은 최대한 자연스럽게 곽세웅에게 접근하여 그를 생포해야 했다. 그런 상황에서 함정수사는 꽤 괜찮았다. 경찰관은 내 조언을 상기하며 본격적으로 수사를 진행했다.

한편 내 열렬한 팬인 경찰관과 나는 한 가지를 곰곰이 생각했다. 바로 공범의 존재였다. 우리는 아직 공범의 정체에 대해 정확히 몰랐다. 우리는 철저히 곽세웅의 진술에 의존하여 공범의 정체를 밝혀야 했다. 우선 나는 그 공범이 나를 죽이려고 했던 것을 알았다. 곽세웅은 사람 한 명도 못 죽이는 그 공범을 비난했었다. 그렇다면 그 녀석은 곽세웅을 돕기 위해 나를 살인하려했을 것이다. 내 생각이 옳다면, 그 녀석은 심연의 세계를 파괴한 방화범일 가능성이 높았다. 그때 나는 거의 죽을 뻔했기 때문이다. 그리고 나는 심연의 세계에서 살아남은 생존자로서 한 가지 가설을 믿었다. 심연의 세계 방화범과 페니 나르시스를 괴롭힌 그 기자는 동일 인물일 것이다. 기자의 악랄한 태도는 방화범의 악랄한 범행에 맞먹었기 때문이다. 그 가설이 옳다면, 공범찾기는 나 김민혁은 물론이고 페니에게도 뜻깊을 것이다. 그 가설이 옳다면, 나는 페니를 괴롭혔던 그 기자에게 복수할 기회가생길 것이다. 그래서 나는 나 김민혁을 위해, 그리고 페니를 위해 공범에 대해 생각했다. 우선 우리는 공범의 몇 가지 특징을밝혀냈다.

분명 공범은 문학에 관심이 많았을 것이다. 그 녀석은 곽세웅과 첫 통화에서 분명히 이렇게 말했다. 소설 작품을 쓰고 싶다. 분명 그 녀석은 소설가가 되고 싶어 했다. 게다가 곽세웅은 그녀석의 해박한 문학 지식에 감탄했다고 회상했다. 그 해박한 문학 지식의 결과로 <부활>이라는 책이 탄생했다. 그 해박한 문학지식은 <부활>이라는 두꺼운 책에 가득 담겼다. 나는 그 책의두께를 보고 그 녀석의 문학 지식을 가늠했다. 그 녀석은 두꺼운책만큼 많은 양의 문학 지식을 소유했을 것이다.

공범은 내 지인일 가능성도 있었다. 물론 이는 추정에 불과했다. 하지만 공범은 충분히 내 지인일 수 있었다. 나는 공범의 행동 시점을 보고 그 특징을 추측했다. 우선 공범이 곽세웅에게 전화를 건 시점이었다. 곽세웅은 나와 전화를 끊고 나서, 곧바로 그 녀석에게 전화를 받았다고 얘기했다. 나는 공범이 그토록 빠르게 전화를 건 사실이 의아했다. 공범은 나에게 벌어진 상황을 알고 곽세웅에게 통화한 것 같았다. 혹시 그 녀석은 내가 심연의 세계에 간 것을 알았을까? 당시 그 녀석은 내 자리가 비었다는 것을 알았을까? 그래서 그 녀석은 곧바로 내 자리를 차지하려 했던 걸까? 정말 그 녀석은 수상하게도 내가 처한 상황을 잘 아는 듯했다.

나는 그 공범이 방화범일 가능성도 기억했다. 더불어 나는 그 방화범이 페니를 괴롭혔던 기자일 가능성도 고려했다. 여러 가능성에 근거하여 나는 이런 가설을 만들었다. 곽세웅의 조력자와 페니를 괴롭히는 그 기자는 동일 인물이다. 그 녀석은 방화범이자 기자였다. 그렇다면 의문의 그 녀석은 기자로서 정보력이 뛰어났을 것이다. 그 녀석은 뛰어난 정보력을 바탕으로 우리 밴드의 재결합 소식을 알았을 것이다. 그 녀석은 재결합 이후 내가 행복했다는 사실을 알았을 것이다. 페니를 괴롭혀오던 그 녀석으로서는 안 좋은 소식이었을 것이다. 그래서 그 녀석은 심연의 세계를 방화했을 것이다. 그 녀석은 우리 밴드의 재결합을 앞두고 이 세계를 소거했던 것이다. 그 녀석은 눈엣가시인 나를 죽이고 곽세웅과 돈을 처먹었던 것이다. 그 녀석은 곽세웅과 함께 문학적 야망을 얻었던 것이다. 그 가설을 생각하며 나는 그 녀석의 또 다른 특징을 떠올렸다. 그 녀석은 분명 돈과 야망에 미쳤을 것이다. 그 녀석은 이미 자신의 책에 내 이름을 이용했다. 그 녀석은 인기작가인 내 지위를 이용했다. 그 녀석은 살인을 통해 문학계에서 최고가 되려 했다. 분명 그 녀석은 야망이 있었다.

문학. 지인. 야망. 세 단어가 머릿속에서 맴돌았다. 나는 최대한 머릿속에서 이 세 단어를 조합하려고 노력했다. 나는 최대한 이 세 단어가 가리키는 사람을 찾으려고 노력했다. 그때 나는 자리에서 벌떡 일어났다. 곧이어 나는 경찰서의 탁자를 손으로 내리쳤다. 이 행동은 분노에서 비롯된 것이 아니었다. 그보다는 기쁨에서 비롯된 것이었다. 나는 머릿속에서 한 사람을 떠올렸다. 나는 머릿속에서 가장 그럴 듯한 사람을 떠올렸다. 곧바로 나는 지금 시간이 촉박한지 경찰관에게 물었다. 내 앞에 있는 경찰관은 시간이 괜찮다고 했다. 다른 경찰관은 곽세웅의 수색에 바빴지만, 내 팬인 그 경찰관은 그렇게 안 바빴다. 곧바로 나는 어딘가로 같이 갈 수 있냐고 경찰관에게 물었다. 내 간곡한 요청에 경찰관은 자리에서 벌떡 일어섰다. 곧이어 나와 경찰관은 경찰차를 향해 나아갔다.

우리는 경찰차를 타고 신나게 달렸다. 길가의 푸른 나무들은 잎사귀를 살랑였다. 나무들은 우리의 여정을 환대하는 듯했다. 우리 옆의 바다는 차창 너머로 광활한 푸른빛을 뿜냈다. 바다는 우리의 새로운 여정을 보듬는 듯했다. 나는 제주도의 깨끗한 자연을 눈에 담았다. 내가 수갑을 벗고 자유인이 되자마자, 이 자연 풍경은 비로소 진가를 드러냈다. 제주도의 자연은 내 진정한 자유를 축복하는 듯했다. 우리는 제주도의 아름다운 자연을 눈에 담으며 목적지에 도착했다. 나는 차에서 내려 목적지의 주변을 둘러봤다.

제주도의 풍경만큼 다채로운 대문이 내 앞에 있었다. 노란색, 초록색, 분홍색 등 여러 색깔이 대문에서 자신의 영역을 드러냈다. 대문은 살아 숨 쉬는 자연과 같았다. 그 정도로 대문에 묻어 있는 다채로움은 생기가 넘쳤다. 하지만 내 표정은 무미건조했다. 그보다 나는 대문을 보고 당황했다. 이 대문은 내가 예상한 것과 달랐기 때문이다. 나는 당황한 눈빛을 감추지 않고 대문 주변을 둘러봤다. 대문 주변을 바라본 뒤 나는 목적지에 도착했다고 느꼈다. 대문 주변의 모습은 내가 예상한 것과 비슷했기 때문이다. 나는 당당하게 다채로운 대문 앞에 섰다. 나는 자신 있게 대문 옆의 초인종을 눌렀다. 한동안 어색한 정적이 흘렀다. 나는 최대한 초인종에 가까이 서서 내 모습을 드러냈다. 나는 최대한 초인종에 가까이 서서 경찰관의 모습을 숨겼다. 사람들은 경찰관을 항상 경계하니 말이다. 잠시 후 다채로운 대문은 천천히 열렸다. 그리고 나는 경찰관과 함께 대문 너머의 세계로 들어갔다.

대문 너머의 풍경은 나에게 당혹스러웠다. 다채로운 대문만큼 다채로운 색깔의 집 한 채가 이곳에 있었다. 그 집은 다채로움을 넘어 굉장히 화려했다. 그 집은 다양한 물감이 흩뿌려진 한 팔레트 같았다. 나는 예상과 다른 그 집의 화려한 풍경에 당황했다. 하지만 나는 그 집을 자세히 살펴보면서 내 당혹감을 서서히 지웠다. 그 집은 화려했지만 난잡하지는 않았다. 비록 무수히 많은 색깔이 그 집에 칠해져 있었지만, 여러 색깔들이 조화를 이뤘다.

그 집은 일곱 가지 색깔이 알맞게 섞인 무지개처럼 아름다운 조화를 자아냈다. 나는 여러 색깔이 조화롭게 감응하는 풍경을 바라보며 안심했다. 나는 예술적인 조화를 예상했기 때문이다. 더불어 나는 집 주변의 여러 물체를 보며 마음을 놓았다.

반듯한 조각품이 이곳에 있었다. 조각품은 이 집의 대문처럼 다채로웠다. 이 집의 전경처럼 다채로운 색깔들이 이 조각품에서 알맞게 조화를 이뤘다. 나는 알록달록한 조각품을 자세히 바라봤다. 그 조각품은 반듯한 형태를 가졌다. 그 조각품은 완벽한 구형태를 띠거나, 완벽한 정육면체의 형태를 띴다. 나는 구의 매혹적인 곡선과 정육면체의 반듯한 직선에 감탄했다. 나는 조각품을 손으로 천천히 만지며 이곳에 담긴 예술을 만졌다. 나는 예술가의 혼이 담긴 여러 조각품과 천천히 교감했다. 나는 이곳의 예술품에 너무 집중해서 경찰관의 존재를 깜빡 잊을 뻔했다. 나는 겨우 뒤를 돌아보며 경찰관의 존재를 되새겼다. 경찰관도 나처럼 천천히 훌륭한 예술작품을 바라보며 앞을 향해 나아갔다. 그렇게 나는 경찰관의 존재를 확인한 뒤 앞으로 나아갔다.

우리는 한 현관문 앞에 섰다. 나는 현관문의 초인종을 누르기 전에 주변을 살폈다. 나무 현판이 초인종 앞에 있었다. 나는 그 나무 현판 속 한 이름을 읽었다. 김성준. 그랬다. 이곳은 김성준의 집이었다. 이곳은 내가 편히 머문 적이 있는 김성준의 집이었다. 나는 나무 현판을 보며 확신했다. 나는 알맞은 목적지에 왔다. 나는 경찰관과 내 티셔츠에 걸린 페니의 황금 명찰을 바라보며 자신했다. 자신감에 넘치는 나는 당당하게 초인종을 눌렀다.

약간의 정적이 지나고 문이 열렸다. 그 문 뒤로 김성준이 옅은 미소를 지으며 우리 앞에 섰다.

3장: 심연 속에 숨겨진 역사

곧이어 김성준의 미소는 굳었다. 김성준은 내 뒤에 있는 낯선 사람을 바라봤다. 당연하게도 한 경찰관이 내 뒤에 있었다. 김성준은 이 상황에 당혹감을 감추지 못했다. 사실 내 팬인 경찰관과 나는 이 상황을 예상했다. 김성준은 이 상황을 이상하다고 여길 수밖에 없었다. 갑자기 경찰관이 그의 집에 들이닥쳤기 때문이다. 우리는 이미 이 상황에 대한 대비책을 마련했다. 경찰관은 김성준에게 다가가 편하게 말했다. 그렇게 우리의 계획은 시작되었다. 경찰관은 현재 내가 처한 위기를 김성준에게 보고했다. 나는 하얀 서점 근처에서 힘겹게 구출되었고 나는 방화 사건의 피해자라는 식이었다. 그래서 경찰관은 내 신변 보호를 위해 지금 내 곁에 있다고 주장했다. 그렇게 김성준은 경찰관으로부터 내 근황을 들었다. 김성준은 내 탈출기를 경청했다. 항상 공감능력이 좋던 김성준은 내 근황을 듣고 나에게 다가왔다. 그리고 김성준은 뜨겁게 나를 포옹했다. 김성준은 내가 무사귀환한 사실에 안도한 듯했다. 그렇게 훈훈한 분위기가 감돌았다. 그리고 우리 셋은 훈훈한 분위기를 느끼며 집 안으로 들어갔다.

김성준은 그의 집에 들어오자마자 부엌으로 향했다. 김성준은 우리 두 명을 위해 따뜻한 커피를 내렸다. 경찰관과 나는 거실에 있는 푹신한 소파에 앉았다. 그리고 우리는 따스한 미소를 김성준에게 보내며 그를 안심시켰다. 하지만 우리는 속으로 눈빛 교환을 했다. 우리는 다음 해야 할 일을 상기했다. 그동안 김성준은 우리에게 따스한 커피를 대령했다. 경찰관은 조심스럽게 입을 뗐다. 경찰관은 방화 사건의 유력한 용의자를 김성준에게 말했다. 경찰관은 곽세웅이라는 이름 석 자를 꺼냈다. 경찰관은 곽세웅의 모든 것을 말했다. 곽세웅이 북쇼출판사의 편집장인 것, 곽세웅이 나와 일한 것, 그리고 곽세웅이 누구에게 방화를 지시한 것까지. 경찰관은 방화 사건의 모든 것을 얘기했다.

그 순간 김성준은 당황한 듯 커피잔을 내려놨다. 김성준은 그를 뚫어지게 쳐다보는 경찰관을 조심스럽게 바라봤다. 김성준은 그를 날카롭게 쳐다보는 경찰관을 향해 식은땀을 흘렸다. 나는 그런 그의 모습을 보고 확신이 들었다. 김성준은 확실히 방화 사건의 공범이었다. 우리는 결정적으로 한 사진을 그에게 내밀었다. 곽세웅의 악랄한 모습이 그 사진에 고스란히 담겼다. 김성준은 그 사진을 바라봤다. 김성준은 두 눈을 비비고 자세히 그 사진을 바라봤다. 곧이어 김성준은 그 사진을 손으로 구겼다. 김성준은 분노를 담아 그 사진의 형체를 망가뜨렸다. 그리고 김성준은 분노의 한숨을 내쉬었다.

"곽세웅, 이 자식."

김성준은 분노를 담아 손을 책상으로 내리쳤다. 김성준은 주먹을 쥐었다. 우리는 김성준의 주먹에서 분노를 느꼈다. 우리는 그 분노에서 한 가지 사실을 다시 확신했다. 김성준은 분명 우리가 찾는 공범이었다. 김성준 말고는 다른 유력한 용의자가 없었다. 경찰관도 나와 비슷하게 생각한 듯했다. 경찰관은 그가 들고 온 수갑을 김성준에게 채웠다. 경찰관은 김성준을 방화사건의 유력한 용의자로 체포한다고 말했다. 그 순간 김성준의 눈이 커졌다. 김성준은 눈을 동그랗게 뜨고 놀란 마음을 표현했다. 김성준이 이 사실이 믿기지 않은 듯했다. 그리고 나는 자리에서 일어서서 거실 중앙으로 향했다. 나는 김성준이 범죄자인 이유를 천천히 설명했다.

나는 거실을 성큼성큼 활보하며 책꽂이를 향해 나아갔다. 나는 책꽂이 속 책 한 권을 집었다. 나는 이 책꽂이에서 헨리크 입센의 책을 집었다. 곽세웅은 그와 연관된 공범이 문학에 관심이 많다고 했다. 나는 그 사실을 똑똑이 기억했다. 그런 내가 김성준의 집에서 헨리크 입센의 책을 집었다. 헨리크 입센은 김성준의 놀라운 문학 지식을 입증하기에 충분했다. 그리고 그 책 외에 수많은 문학책과 인문학 서적이 이곳에 있었다. 경찰관과 나는 그 방대한 서적에서 김성준의 박학다식한 면모를 알아차렸다.

나는 거실을 성큼성큼 활보하며 김성준을 향해 다가갔다. 나는 김성준의 주머니를 뒤졌다. 나는 김성준의 주머니에서 그의 휴대폰을 집었다. 곽세웅은 나에게 범행 사실을 알린 뒤, 곧바로 한 전화를 받았다고 했다. 나는 그 말을 똑똑히 기억했다. 그런 내가 김성준의 휴대폰에서 5개월 전 통화 기록을 찾았다. 나는 그 휴대폰에서 두 개의 똑같은 전화번호를 찾았다. 두 개 모두 북쇼 출판사의 전화번호였다. 심지어 두 전화번호는 연달아 통화 기록란에 위치했다. 나는 김성준의 통화 기록에서 그의 대담한 행동력을 알아차렸다.

나는 거실을 성큼성큼 활보하며 걷힌 커튼을 향해 다가갔다. 나는 그 커튼을 두 손으로 활짝 열어 유리창을 바라봤다. 나는 그 유리창 너머로 김성준의 여러 조각품을 바라봤다. 곽세웅은 가짜 김민혁과 돈을 많이 번다고 했다. 나는 돈과 야망이 가득한 가짜 김민혁을 똑똑이 기억했다. 그런 내가 김성준의 놀라운 조각품을 바라봤다. 나는 그 조각품에 담긴 김성준의 예술가적 야망을 포착했다. 반듯한 곡선과 반듯한 직선은 모두 김성준의 야망에서 비롯되었다. 게다가 나는 또 다른 사실을 기억했다. 나는 이 집에서 하룻밤을 보낸 뒤 다음 날 아침의 풍경을 기억했다. 당시 김성준은 정말 분주했다. 그리고 김성준은 분주한 와중 한 물건을 소중히 움켜줬다. 김성준은 두둑한 흰 봉투를 소중히 움켜줬다. 당시 나는 그 흰 봉투의 정체가 의아했다. 하지만 돌이켜 생각해보니, 나는 모든 의구심을 풀 수 있었다. 그것은 돈봉투였다. 하얗고 두둑하며, 사람이 두 손으로 꽉 움켜질 정도로 소중한 것. 그것은 딱 봐도 돈봉투였다. 즉 김성준은 물욕이 많고 예술적 야망이 넘쳤다.

　나는 거실을 성큼성큼 활보하며 다시 거실 중앙으로 갔다. 나는 거실 중앙에서 손가락으로 김성준을 지목했다. 나는 김성준을 손으로 지목한 뒤 큰소리로 외쳤다. 나는 김성준의 고향을 큰소리로 외쳤다. 분명 김성준은 제주도민이었다. 나는 김성준의 고향을 똑똑히 기억했다. 나는 김성준이 제주도의 모든 길에 해박하다는 것을 기억했다. 김성준은 제주도의 지리에 밝았다. 김성준의 해박한 지식은 한 휜 서점 속 심연의 세계를 만들기에 충분했다. 지리에 밝은 사람은 항상 쉽게 일을 처리하는 법이다. 그래서 김성준은 아주 쉽게 심연의 세계에 나를 가뒀을 것이다. 김성준은 아주 쉽게 심연의 세계를 불태운 뒤, 유유히 그곳을 빠져나왔을 것이다. 한 마디로 김성준은 방화 사건의 범행을 일으켰을 자질이 충분했다. 내 말을 들은 김성준은 이해할 수 없다는 표정을 지었다. 김성준은 어이없다는 듯이 내 추론을 비웃었다. 나는 김성준의 호탕한 비웃음에 기분이 나빴다. 그렇지만 나는 김성준의 정체를 안 것에 기뻤다. 나는 기쁜 마음으로 경찰관과 함께 경찰서로 가려 했다.

　"작가님께 오해가 많으시군요."

　김성준의 집에서 이 말을 들었을 때 내 기쁨은 곧바로 사라졌다. 나는 정체불명의 큰 목소리에 당황했다. 분명 이곳은 세 사람밖에 없었다. 나, 경찰관, 그리고 김성준이 전부였다. 하지만 지금 한 남녀가 내 눈앞에 있었다. 그들은 방문을 박차고 우리 세 명 앞에 있었다. 나는 그 둘을 향해 어안이 벙벙하다는 듯이 표정을 지었다. 경찰관도 갑작스러운 상황에 나처럼 당황했다. 얼마 뒤 나는 정신 차렸다. 정신을 차린 나는 그들을 자세히 바라봤다.

그들은 정갈하게 옷을 입었다. 나는 그들의 옷차림 속에서 그들의 차분함을 엿봤다. 한편 그들은 차분함과 동시에 날카로웠다. 그들은 날카로운 눈빛으로 나를 바라봤다. 그들은 날카로운 눈빛을 통해 김성준의 결백을 당당히 주장했다. 특히 나는 당당한 한 여성을 자세히 바라봤다. 그녀의 신발은 나에게 친숙했다. 그랬기에 나는 내 앞에 있는 그녀에게 눈이 갔다. 그녀의 신발은 그저 평범한 검은색 신발이었다. 하지만 그 검은 신발은 나에게 특별했다. 그 신발은 매우 당당한 자태를 뽐냈다. 그 신발은 피아노 페달을 거침없이 밟을 만큼 강인했다. 그랬다. 나는 분명 두 사람을 알았다. 그들은 바로 심연의 세계의 출판사 편집장님과 오로라였다.

곧이어 두 사람만큼 당당한 남녀가 한 방에서 나왔다. 방금 방에서 나온 두 사람은 각자의 손에 사진들을 들었다. 그들은 출판사 편집장님과 오로라만큼 당당한 발걸음으로 나에게 다가왔다. 나는 그 당당한 발걸음 속에서 그들의 정체를 간파했다. 그들은 바로 메디와 베드로였다. 그들은 심연의 세계에서 항상 그랬듯이 당당한 태도를 보였다. 그들은 손에 쥔 사진들을 시원하게 전부 공개했다. 나는 반가운 재회를 뒤로 하고 이 사진들을 천천히 살펴봤다.

문학 시상식이라는 현수막이 한 사진 뒷배경에 걸렸다. 사진의 뒷배경은 시상식이라는 글자만큼 화려했고 웅장했다. 그리고 나는 화려한 시상식 무대에 선 두 남자를 봤다. 나는 시상식 무대에 당당히 선 젊은 작가를 바라봤다. 사진 속 젊은 작가는 수줍게 미소 지으며 그의 업적을 즐기는 듯했다. 그 젊은 작가는 압도적인 분위기를 두 발로 서서 느끼는 듯했다. 한편 그 젊은 작가 옆에 한 사람이 그의 어깨에 손을 댔다. 그 사람은 젊은 작가의 업적을 축하하며 흐뭇하게 미소 지었다. 그렇지만 그 사람의 흐뭇한 미소 뒤에는 강렬한 명예욕이 들끓는 듯했다. 그 사람은 시상식의 영광에 도취된 듯했다. 나는 그 사람을 잘 알았다. 바로 곽세웅이었다. 나는 순간적으로 곽세웅이 했던 말을 기억했다. 나는 곽세웅의 첫 번째 악연을 기억했다. 곽세웅은 나를 처음 만났을 때 분명 이렇게 말했다. 내 곁에는 신인상을 받을 만큼 출중한 기량을 가진 작가 한 명이 있었다. 그런데 그 작가는 나를 오래 전에 배반했다. 나는 곽세웅의 그 말을 기억하며 다시 그 작가를 바라봤다. 그리고 난 그 작가의 이목구비와 김성준의 이목구비를 비교했다. 그랬다. 나는 김성준의 정체를 착각했었다. 김성준은 더 이상 악랄한 방화범이 아니었다. 그보다 김성준은 악랄한 곽세웅을 피해 다닌 작가였다. 곽세웅과 악연이 깊던 그 신인작가는 바로 김성준이었다.

충격적인 진실을 알게 된 나는 곧바로 경찰관에게 자초지종을 설명했다. 나는 경찰관에게 김성준 작가님의 수갑을 풀어 달라고 했다. 나는 김성준 작가님이 나를 해치지 않을 것이라고 확신했다. 작가님은 악랄한 곽세웅과 악연을 맺었기 때문이다. 작가님은 내 편에 서기에 충분한 서사를 갖췄다. 결국, 작가님은 자유의 몸이 되었다. 하지만 작가님은 여전히 정신적 자유를 찾아 헤맸다. 작가님은 방금 전까지 일어난 갑작스러운 일에 당황한 듯했다. 우리는 그런 작가님을 바라보며 그가 진정하기를 기다렸다. 잠시 후 작가님은 크게 한숨을 내쉬었다. 작가님은 천천히 가슴을 움켜잡았다. 작가님은 이런 식으로 놀란 가슴을 진정시키는 듯했다. 마침내 작가님은 정신적 자유를 되찾았다.

나는 김성준 작가님에 대한 의심을 거의 지웠다. 하지만 그럼에도 의심의 파편이 내 마음 속에 남았다. 아직 풀리지 않은 문제가 많았기 때문이다. 아직도 여러 의심의 씨앗이 내 머릿속을 맴돌았다. 작가님의 방에 있는 여러 책들, 작가님의 휴대폰에 있는 전화번호, 작가님이 예전에 쥔 돈봉투까지. 나는 여전히 작가님의 방에 있는 물건을 유심히 살폈다. 나는 여전히 작가님의 행적이 의심스러웠다. 우선 나는 작가님의 말을 듣기로 했다. 나는 작가님이 명확하게 알리바이를 입증하길 원했다. 그리고 정신적으로 자유의 몸이 된 작가님은 천천히 주장을 펼쳤다.

우선 작가님은 집에 있는 책에 관해 얘기했다. 작가님의 집에는 헨리크 입센, 칼 융과 같은 유명 작가의 책이 있었다. 그리고 작가님은 집에 있는 책들의 공통점을 큰 소리로 말했다. 작가님은 큰 목소리로 한 단어를 외쳤다. 주체성. 작가님은 집에 있는 책들을 주체성의 원천으로 여겼다. 나는 작가님의 당당한 주장에 동의했다. 나는 작가로서 헨리크 입센의 철학을 조금 알았다. 나는 입센이 그의 글로 당당하고 주체적인 여성 노라를 만들었다는 것을 알았다. 나는 칼 융이라는 위인의 업적도 조금 알았다. 나는 항상 주체적으로 자신을 탐구해온 칼 융의 업적을 알았다. 그들은 모두 주체적인 삶을 살았다. 아마 작가님은 그들의 주체적인 삶에 감명을 받았을 것이다. 특히 작가님은 곽세웅에게 들들 볶인 경험이 있었다. 그런 작가님에게 주체성은 하나의 오아시스처럼 다가왔을 것이다.

  그리고 작가님은 휴대폰에 있는 통화기록에 대해 말했다. 작가님의 휴대폰에는 북쇼출판사의 전화번호가 두 개나 있었다. 작가님은 두 전화번호 속에 숨겨진 이야기를 말했다. 우선 작가님은 곽세웅의 목소리를 들은 적이 없다고 했다. 오히려 작가님은 그때 한 여성의 목소리를 들었다고 회상했다. 작가님은 그녀가 자신을 내 친구로 소개했다고 했다. 여성의 친근한 목소리에 작가님은 그녀를 크게 의심하지 않았다고 했다. 그래서 작가님은 그 전화를 받자마자 바로 휴대폰을 나에게 준 것이었다. 물론 당시 나는 휴대폰 너머로 여성의 목소리를 듣지 못했다. 나는 북쇼출판사의 여직원이 아닌 곽세웅의 목소리를 들었다. 그랬다. 곽세웅은 그의 여직원을 이용해 김성준 작가님께 접근했던 것이다. 그 뒤 곽세웅은 나에게 정체를 드러냈던 것이다. 당시 나는 당연히 우울했다. 나는 약간의 눈물을 보였다. 그런 나를 보고 작가님은 나를 걱정했다고 했다. 그래서 작가님은 다시 북쇼 출판사의 한 여직원에게 전화했던 것이다. 이를 통해 작가님은 내가 우울했던 이유를 알아내려 했던 것이다. 물론 작가님은 그 이후로 북쇼출판사와 연락을 못했다고 했다. 한 마디로 그동안 작가님은 곽세웅의 목소리를 들은 적이 없었다.

마지막으로 작가님은 그가 소중히 다뤘던 그 흰 봉투에 대해 말했다. 작가님은 돈 봉투에 담겼던 그의 숨은 동기를 얘기했다. 작가님은 자산 대부분을 심연의 세계를 위해 사용했다고 했다. 작가님은 내 내적 성장을 위해 돈을 썼던 것이다. 심연의 세계의 출판사 편집장님은 작가님의 주장에 맞장구 쳤다. 편집장님은 작가님으로부터 모든 물건을 조달 받았다고 말했다. 작가님은 심연의 세계의 번영을 위해 많은 물건을 직접 구입해왔던 것이다. 그리고 그 물건은 전부 그곳에 전달되었다. 그 물건들은 내 내적 성장을 크게 도왔다. 나는 작가님의 논리적인 반박을 통해 확신했다. 작가님은 나를 죽이기 위해 심연의 세계를 소거하지 않았다. 그보다는 작가님은 내 성장을 위해 심연의 세계를 만들었던 것이다.

이제 대부분의 매듭이 지어졌다. 하지만 나는 여전히 무언가 궁금했다. 나는 작가님의 뒤에 있는 네 사람이 의아했다. 나는 메디, 베드로, 오로라, 그리고 출판사 편집장님의 정체가 궁금했다. 어떻게 네 사람은 불길이 가득했던 심연의 세계를 빠져나왔을까? 그리고 왜 네 사람은 작가님의 집에 있는 걸까? 나는 아직도 많은 것이 혼란스러웠다. 우선 네 사람은 간단하게 그들의 탈출기를 말했다. 그 탈출기는 정말 친숙했다. 그들은 나와 똑같은 경로로 탈출했기 때문이다. 그들은 흰 서점 복도에 있는 화장실을 통해 현실 세계와 마주했다고 했다. 나도 그랬다. 다만 그들은 각자 다른 곳에 위치한 화장실을 통해 현실 세계와 마주했다고 했다. 알고 보니 여섯 개의 화장실이 그 복도에 있었던 것이다. 그 덕에 출입구의 위치에 상관없이 우리는 모두 살아남았던 것이다. 나는 우리 모두 생존한 것에 대해 기뻤다. 그럼에도 나는 다음 질문을 머릿속에 되새겼다. 왜 네 사람은 작가님의 집에 있는가? 작가님과 네 사람은 어떤 관계인가? 그리고 그 질문의 답변자는 자연스럽게 작가님에게 돌아갔다.

작가님은 네 사람과 그의 관계를 말하는 참에 심연의 세계에 관해 얘기했다. 정확하게 말하면 작가님은 심연의 세계의 역사에 관해 얘기했다. 작가님은 여기 네 사람이 심연의 세계의 역사와 함께 성장했다고 말했다. 즉, 작가님과 네 사람의 관계에 대한 답은 심연의 세계의 깊은 심연 속에 있었다. 나는 심연의 세계에 정착한 이래로 항상 그곳을 궁금해했다. 나는 항상 저 깊은 심연 속에 파묻힌 그곳의 역사가 궁금했다. 따라서 나는 매우 기쁜 마음으로 작가님에게 집중했다. 나와 함께 있는 경찰관도 중요한 이야기에 귀를 기울였다. 심연의 세계에서 버팀목을 담당했던 네 사람도 작가님에게 주의를 기울였다. 소파에 앉은 작가님은 유독 얼굴이 빛났다. 거실 천장에 있는 등이 소파 아래를 비췄기 때문이다. 그 순간 소파에 앉은 작가님은 연극 무대 위에 선 베테랑 배우 같았다. 작가님은 베테랑 배우처럼 조목조목 신비로운 역사를 얘기했다. 작가님은 정확하게 이렇게 말했다.

<이제 민혁 씨도 나와 곽세웅의 악연을 잘 알겠군요. 그러니 내가 곽세웅과 헤어진 바로 그날로 시계를 되돌려보죠. 곽세웅이

내 근황을 민혁 씨에게 조금 말했는지는 모르겠군요. 저는 그 놈과의 관계를 정리하고 강원도로 갔어요. 이유는 간단했어요. 강원도는 내 고향이었고, 풍부한 자연환경이 살아 숨쉬는 곳이니까요. 나는 사회에서 받았던 스트레스를 자연 속에서 해소하고 싶었던 거예요. 그래서 나는 그곳에서 자연과 더불어 살았어요. 낚시하고 잡초를 캐고 농사도 지었어요. 그런데도 나는 그곳에서 생각보다 외로웠어요. 깊은 산골에는 나 말고 아무도 없었거든요. 게다가 나는 그곳에서 글을 하나도 안 썼어요. 글쓰기를 하면 곽세웅 그 녀석의 악랄한 얼굴이 떠올랐거든요. 나는 그곳에서 단조로운 인생을 살았던 거예요.

나는 그곳에 있으면서 여러 참신한 활동을 생각해봤어요. 그중하나가 바로 템플스테이였어요. 아마 내가 민혁 씨에게 말한 적이 있을 거예요. 내가 템플스테이에 갔던걸요. 기억나죠? 내가 그곳에서 민준이를 만났다고 말했잖아요. 아무튼, 나는 템플스테이에 가서 정신 수련을 했어요. 그리고 나는 여러 사람과 정겹게 얘기를 나누곤 했어요. 나는 사람들과 얘기하며 한 가지 사실을 깨달았어요. 나 말고도 정신적으로 고통을 받는 사람이 많다는걸요. 사람들은 정도의 차이만 있을 뿐 각종 마음의 병에 압도당했어요. 분노, 슬픔, 무기력함, 질투 등 수많은 마음의 병을 짊어졌던 거예요. 그때 나는 결심했어요. 내가 더 이상 작가가 될 수없다면 사람들의 마음을 보듬어주자. 그렇게 나는 작가 일을 그만둔 이래로 새로운 목표가 생겼던 거예요.

나는 목표를 실행에 옮기기 위해 곧바로 행동했어요. 나는 짐을 모두 다 싸서 제주도로 향했어요. 돌이켜 생각해보면 내가 왜 제주도에 갔는지 모르겠군요. 내가 서울에서 최대한 멀리 떨어지고 싶었나 봐요. 곽세웅이 서울에 버젓이 버티고 있었으니까요. 또 나는 예전부터 아름다운 자연환경을 좋아했어요. 그래서 내가 제주도로 갔나 봐요. 아무튼, 나는 제주도에서 많은 일을 했어요. 우선 나는 심리상담사가 되기 위한 수많은 교육을 받았어요. 그리고 제주도를 돌아다니며 많은 친구를 사귀었어요. 그중 제일 먼저 사귄 친구가 한 정신과 의사였어요. 이유는 간단했어요. 나는 심리상담과 관련된 교육을 받았으니까요. 그때 그 친구는 한 골목길에서 우울증을 전문으로 하는 병원을 운영했어요. 위치를 굳이 말하자면 지금 흰 서점 건너편에 있는 곳이네요. 메디 씨가 그 병원에 다녔었죠? 아무튼, 나는 그곳에서 심리상담을 위한 목표를 세웠고, 마침내 그 목표를 이뤘어요. 지금으로부터 15년 전 나는 내 집을 개조해서 한 심리상담소를 만들었죠.

그 과정은 분명 즐거웠어요. 사람들을 좀 더 나은 사람으로 만드는 건 뿌듯했어요. 그렇지만 항상 좋은 일만 있지는 않잖아요? 나는 심리상담소에서 수많은 시련을 경험했어요. 그중 가장 심각한 것은 시선이었어요. 다른 사람들의 시선이요. 다시 한번 말하지만, 그때는 지금으로부터 15년 전이었어요. 그때는 심리상담이나 정신과에 대한 의식이 매우 안 좋았어요. 사람들은 그곳을 미치광이의 소굴로 여기곤 했어요. 내 주변에 살던 사람들은 단도직입적으로 나에게 말했어요. 그 일 좀 그만해라. 미친놈 마주칠까 무섭다. 사람들은 다름을 인정하지 않았어요. 나는 그 정신과

의사 친구와 함께 시선의 폭력성을 한탄했어요. 하지만 나는 더 이상 한탄하고 싶지 않았죠. 나는 곽세웅과 맺은 악연으로 큰 실패를 경험했으니까요. 나는 더 이상 무너지고 싶지 않았어요. 그래서 그 친구와 함께 해결책을 모색했어요.

그 결과 우리는 기막힌 아이디어를 떠올렸어요. 우리는 아이들이 주로 만들곤 하던 아지트를 떠올렸어요. 그것을 이용해서, 우리는 마음이 아픈 사람들을 위한 아지트에 대한 계획을 세웠어요. 그 비밀 아지트를 만들기 위해 우리는 한 사람을 찾아갔어요. 그 사람은 내 정신과 의사 친구와 친했어요. 그리고 그 사람은 한 레코드 상점의 직원으로 일했어요. 그 레코드 상점은 정신과 의사 친구가 일하던 병원 근처에 있었거든요. 우리는 자연스럽게 그 친구와 친해졌어요. 그리고 그 친구가 바로 여기 정갈하게 옷을 입은 녀석이에요. 아마 민혁 씨는 출판사 편집장님으로 알고 있겠죠? 아무튼, 우리는 그 친구에게 우리의 계획을 설명했어요. 이 착한 친구는 흔쾌히 우리의 계획에 동의했어요. 우리는 수개월 동안 공간을 물색하고 공간을 만들었어요. 그 덕에 심연의 세계가 탄생했고요.

심연의 세계를 만들고 나서 우리 세 명은 역할을 분담했어요. 우선 나와 정신과 의사 친구는 심연의 세계에 적합한 사람들을 물색했어요. 그 덕에 메디 씨는 정신과 의사 친구를 만나 그곳에 발을 들이게 됐죠. 그리고 나는 민혁 씨를 비롯해 많은 사람을 찾아냈어요. 심연의 세계에 어울릴 사람들을 말이에요. 나는 바닷가 근처에 쓰러졌던 오로라를 목격했어요. 나는 술에 만취했던 베드로를 목격했어요. 마지막으로 나는 페니 씨를 만났고요. 나는 마음이 병든 사람들을 곧바로 심연의 세계에 데려갔어요. 한편 나는 몇몇 사람들과 시간을 보낸 뒤, 나중에 그 사람을 그곳에 인도하기도 했어요. 민혁 씨가 대표적이었어요. 날카롭고 분석적인 민혁 씨는 나와 처음 만났을 때 이상함을 느꼈을 거예요. 그때 나는 민혁 씨에게 질문을 폭격했어요. 나는 민혁 씨의 형 민준이와의 친분을 이용해 질문 폭격을 할 수 있었어요. 나는 의도적으로 민혁 씨에게 질문했어요. 나는 민혁 씨의 모든 것을 알아야 했어요. 심연의 세계는 사람들의 마음을 치유하고 내적 성장을 도모하는 곳이거든요. 내적 성장을 위해서 자신을 알 필요가 있는 법이죠. 그래서 나는 반드시 김민혁이라는 인간을 알아야 했어요. 민혁 씨를 잘 안다면, 나는 민혁 씨의 자아실현을 위해 도울 수 있었으니까요. 이렇게 나와 정신과 친구는 열심히 심연의 세계에 여럿을 인도했어요.

지금 여기 레코드사 친구는 물자 공급 측면에서 나를 많이 도왔어요. 우선 이 친구가 레코드사 직원이었잖아요. 그래서 나는 이 친구가 재고 처리와 물자 공급에 재능이 있다고 믿었어요. 내 예상대로 이 친구는 맡은 역할을 잘 해냈어요. 그뿐만 아니라 이 친구는 사람들이 심연의 세계에 정착하는데 크게 기여했어요. 대표적으로 이 친구는 사람들에게 특정한 이름을 부여했어요. 페니 나르시스와 같은 이름을요. 사람들에게 새로운 이름을 붙이는 것은 중요했어요. 새로운 이름은 새로운 시작과 같았으니까요. 게다가 사람들이 과거에 경험한 심리적 고통도 그 이름들 속에 있었어요. 자신의 새로운 미래를 이끌기 위해서는 과거의 고통을 극복해야 하니까요. 한 마디로 새 이름은 한 사람의 내적 성장을 위한 원동력이었어요. 그랬기에 작명은 굉장히 중요했어요. 그래서 내가 이 친구에게 그 일을 맡긴 거예요. 이 친구는 책임감도 있지만, 레코드사에서 많은 음반의 참신한 이름을 봤잖아요. 저는 이를 토대로 이 친구가 참신한 작명을 하리라 믿었어요. 그리고 이 친구는 내 믿음에 부응했던 거예요. 이 친구는 참 멋진 사람이에요. 그래서 페니 씨를 포함한 심연의 세계 멤버들이 이 친구를 존경하는 거예요.

아무튼, 심연의 세계의 원년 멤버인 메디, 베드로, 오로라는 그곳에서 성장했어요. 초반의 심연의 세계는 매우 단순했어요. 나와 정신과 의사 친구는 그곳에서 전문적인 심리상담을 해줬어요. 한편 여기 이 레코드사 친구는 좋은 음악을 틀어주고 사람의 아픔을 보듬어줬어요. 물론 이런 활동은 즐거웠어요. 하지만 이 활동은 특별함이 없었어요. 그래서 나는 한 가지 방법을 고안했어요. 내 문학적 역량을 이용했던 거예요.

바로 역할극이었어요. 나, 정신과 의사 친구, 그리고 레코드사 친구가 각자 그곳에서 역할 분담을 했다고 방금 말했죠? 그처럼 원년 멤버 세 명에게도 역할을 줬던 거예요. 가령 메디가 음반 가게를 운영하는 식으로요. 한편 베드로와 오로라는 하고 싶은 일이 없었어요. 그래서 이 레코드사 친구는 둘에게 예전과 똑같이 행동하라고 했어요. 처음부터 행동가지를 바꾸는 건 어려운 법이니까요. 그와 동시에 여기 이 친구는 둘에게 그곳에서 새로움을 찾아보라고 했어요. 왜냐하면 심연의 세계는 새로운 자신을 찾고 내적 성숙을 이루는 곳이니까요. 그렇게 그들은 현실 세계와 똑같이 행동하면서 새로운 일을 찾아냈고, 메디의 밴드를 찾아냈어요. 여기 이 세 원년 멤버들은 주체적으로 자신을 찾았던 거예요. 그들은 연극 무대 위의 배우들처럼 다 함께 멋진 인생을 살았어요. 이 세 명의 멤버들은 페니 씨라는 새로운 멤버가 올 때도 마찬가지로 행동했어요. 항상 남을 도왔고 자신을 찾기 위해 도전했어요. 그랬기에 심연의 세계는 어둡지만 또 밝았죠. 그곳의 사람들은 다채로운 자신을 찾았으니까요. 심연의 세계는 여러 사람의 다채로운 빛깔로 채워졌어요.>

나는 작가님의 조곤조곤한 말소리에서 그의 명확한 철학을 느꼈다. 나는 다른 사람들의 성장을 도운 작가님의 업적을 존경했다. 나는 존경의 의미를 담아 작가님을 따뜻하게 포옹했다. 나는 작가님을 한동안 의심한 것에 대한 미안함을 담아 그의 품 속에 안겼다. 그리고 나는 거실 중앙 쪽에 선 네 명의 친구를 바라봤다. 나는 심연의 세계에서 만난 네 명의 친구에게 미소 지었다. 친구들도 나를 향해 웃었다. 나는 작가님의 따스한 말과 친구들의 따스한 미소를 머리에 각인했다. 나는 친구들의 멋진 성장과 아름다운 배려심에 감동했다. 나는 소파에서 일어나 그들에게 다가갔다. 나는 차례대로 친구들을 꼭 껴안았다. 나는 뜨거운 포옹을 통해 친구들의 생존을 축하했다. 나는 뜨거운 포옹을 통해 친구들에게 감사를 전했다. 나는 뜨거운 포옹을 통해 친구들과 나눈 우정에 존경을 보냈다. 나는 우리라는 이름 안에서 다시 성장했다.

훈훈한 분위기가 흐르던 찰나 전화 벨 소리가 울렸다. 벨 소리는 경찰관의 휴대폰에서 들렸다. 경찰관은 휴대폰에 적힌 전화번호를 눈으로 확인했다. 경찰관은 이 전화가 중요하다고 직감한 듯했다. 경찰관은 침을 꿀꺽 삼키고 한동안 전화기에서 울리는 소리를 내버려뒀다. 그 후 경찰관은 마음을 다잡고 전화를 받았다. 경찰관은 심각한 표정을 지으며 전화를 받았다. 그런데 곧 경찰관은 표정을 다시 고쳤다. 경찰관은 더 이상 진지한 표정을 짓지 않았다. 오히려 경찰관은 우리를 향해 활짝 웃고 있었다. 경찰관은 깊은 만족감을 드러내며 전화를 끊었다. 경찰관은 곧 나를 바라보며 웃었다.

"범인 잡았습니다!"

나는 경찰이 곽세웅을 잡았다는 소식에 환호했다. 동시에 나는 그 다음 일을 걱정했다. 과연 내 형은 어떻게 되었을까? 나는 불안했다. 곽세웅은 내가 경찰에 그를 신고하는 순간 형을 무참히 죽인다고 했다. 나는 곽세웅의 사악한 그 말을 아직도 기억했다. 나는 형에 대한 걱정이 가득했다. 나는 걱정을 덜기 위해 여기 모두에게 형의 납치 사실을 전했다. 나는 그 끔찍한 사실을 모든 이에게 말했다. 나는 한숨을 내쉬며 이렇게 말했다. 형이 제발 목숨이 붙은 채로 밧줄에 묶여 있었으면! 나는 목숨이나 밧줄과 같은 잔인한 단어로 형의 참혹한 상황을 암시했다. 그러자 작가님은 다시 두 눈을 크게 뜨며 당혹감을 드러냈다. 작가님은 그의 휴대폰을 바라봤다. 작가님은 휴대폰을 바라보며 고개를 갸우뚱했다. 나는 그런 작가님의 모습에 덩달아 고개를 갸우뚱했다. 잠시 후 작가님은 그의 휴대폰을 나에게 보여줬다.

"민준이가 밧줄에 묶였다는 게 무슨 소리죠? 여기 봐요. 나는 어제도 민준이와 통화했어요. 심지어 나는 어제 하루 종일 민준이와 함께 이곳에 있었다고요."

작가님이 말하자마자 나는 한 피아노 의자를 떠올렸다. 나는 곽세웅의 음악 스튜디오에서 형과 함께 피아노 의자에 앉았던 일을 회상했다. 그리고 나는 심연의 세계에 있던 한 의자를 떠올렸다. 나는 심연의 세계에서 복면왕과 마주 보고 앉았던 그 의자를 떠올렸다. 그리고 나는 형의 몸집과 복면왕의 몸집을 떠올렸다. 나는 하얀 종이 위의 글씨를 떠올렸다. 나는 작가님의 집주소를 썼던 형을 떠올렸다. 동시에 나는 심연의 세계에서 본 한 기사를 떠올렸다. 나는 심연의 세계에서 한 기자가 나에 관한 기사를 쓴 것을 기억했다. 나는 형의 필체와 그 기자의 필체를 떠올렸다. 나는 한 목소리를 떠올렸다. 나는 형의 자상한 목소리를 떠올렸다. 동시에 나는 심연의 세계에서 복면왕의 친숙하면서도 걸걸한 목소리를 떠올렸다. 그때 나는 복면왕의 말투를 이렇게 평가했다. 내 할아버지 같은 목소리라고. 그리고 내 할아버지 같은 목소리를 낼 수 있는 사람은 한 사람밖에 없었다. 그리고 지금 현재 곽세웅과 범죄를 저지른 유력한 공범은 한 사람밖에 없었다.

4장: 현재와 과거 그리고 대면

지금 내 형 김민준은 어디에 있는가? 나는 이 질문을 스스로 되물었다. 나는 작가님이 말한 충격적인 사실을 듣고 이성을 잃었다. 어떻게 형이 어제 제주도에 온 걸까? 나는 도무지 그 사실을 믿을 수 없었다. 나는 현관문을 향해 뒤돌아섰다. 나는 현관문을 향해 달려갔다. 나는 반드시 형을 찾아야 했다. 그때 누군가 내 팔을 잡았다. 나는 다시 뒤돌아섰다. 작가님이 내 팔을 잡으며 나를 진정시켰다. 작가님은 지금 형이 서울에 있다고 말했다. 작가님은 형이 이곳에 짧게 머무른 뒤, 오늘 이른 아침에 이곳을 떠났다고 말했다. 이제 퍼즐 조각이 맞춰졌다. 형은 <부활>이라는 신작을 집필하고 휴식 겸 가볍게 제주도에 왔던 것이다. 그러므로 형은 서둘러 제주도를 떠났던 것이다. 나는 지금 형의 부재에 안타까웠다.

그래도 나는 마음을 다잡았다. 나는 안타까워할 시간이 없었다. 나는 경찰관과 방화 사건을 새롭게 봐야 했다. 이제 새로운 인물이 이 사건 속에 추가되었다. 이제 나는 곽세웅을 비롯해 형의 존재를 상기해야 했다. 그래서 나는 곽세웅과 형의 복잡한 관계를 파악해야 했다. 나는 형을 찾아야 했다. 나는 형이 온전하게 살아 있는지 확인해야 했다. 그리고 나는 형과 대화해야 했다. 나는 형의 숨겨진 의도를 알아야 했다. 이제 나는 서울로 가야 했다. 나는 서울에서 형을 만나야 했다. 나는 현관문을 향해 달려갔다.

하지만 곧 나는 발걸음을 멈췄다. 나는 이성을 되찾았다. 나는 지금 내 처지를 확실히 알았다. 나는 아무것도 할 수 없었다. 우선 휴대폰이 나에게 없었다. 나는 휴대폰을 형에게 맡겼다. 현대인의 필수품인 휴대폰이 없다는 것. 그것은 치명적이었다. 돈도 나에게 없었다. 나는 이미 제주도행 비행기에 돈을 많이 썼다. 그리고 심연의 세계에 도달한 이래로 나는 돈의 존재를 까먹었다. 그곳은 자본의 흔적이 안 묻었기 때문이다. 자본주의 사회에서 필수품인 돈이 없다는 것. 그것은 최악이었다. 이처럼 단한 개의 필수품조차 나에게 없었다. 그렇지만 나는 반드시 형과 재회해야 했다. 나는 이미 형을 만나리라 다짐했기 때문이다. 그렇다면 나는 도우미가 필요했다.

나는 지금 주변을 돌아봤다. 도우미를 찾는 것은 매우 어려웠다. 우선 나는 심연의 세계 멤버들과 서울로 갈 수 없었다. 물론 그들은 남에게 배려심이 깊고 나와 우애가 끈끈했다. 하지만 나는 그 이유로 그들에게 무리한 부탁을 할 수 없었다. 그들은 곽세웅을 몰랐다. 그들은 내 형인 김민준을 몰랐다. 그들은 오직 심연의 세계에 화재가 난 사실만 알았다. 한 마디로 그들은 내가 엮인 문제와 큰 접점이 없었다. 그리고 나는 내 팬인 경찰관과 서울로 갈 수 없었다. 물론 그는 내 팬으로서 나에 대한 신뢰나 충성심이 높았다. 하지만 나는 그 이유로 그에게 무리한 부탁을 강요할 수 없었다. 물론 그는 다른 세계 멤버들보다 이 방화 사건과 큰 접점이 있었다. 그는 이 사건을 담당하는 경찰관이기 때문이다. 하지만 그는 내 문제를 해결하기에 너무 바빴다. 그는 제주도의 경찰관이었다. 그는 경찰관으로서 제주도의 치안과 질서를 지켜야 했다. 그는 제주도를 위해 바쁘게 일해야 했다.

결국, 나에게 남은 인물은 김성준 작가님이었다. 다행히 작가님은 이 방화 사건과 접점이 있었다. 작가님은 곽세웅을 잘 알았다. 작가님은 내 형과 깊은 친분을 유지했다. 그래서 작가님은 나, 내 형 그리고 곽세웅으로 이어지는 복잡한 악연 관계를 잘 알았다. 또 작가님은 시간이 꽤 한가했다. 작가님은 이미 조각상을 다 완성했다. 게다가 작가님이 운영하던 심연의 세계는 이미 불타 소거되었다. 작가님은 나와 서울로 갈 시간이 충분했다. 하지만 문제가 있었다. 나는 작가님과 곽세웅의 악연을 기억했다. 분명 작가님은 곽세웅과 심하게 다퉜다. 나는 그 일이 작가님에게 큰 트라우마라고 확신했다. 서울에 가서 곽세웅과 마주하는 것. 작가님은 어두운 과거에 대면할 용기가 필요했다. 그것은 당연히 힘든 법이다. 그랬기에 나는 대놓고 작가님께 부탁할 수 없었다. 나는 작가님의 얼굴을 바라볼 뿐이었다.

작가님은 내 열의에 찬 눈빛을 한동안 말없이 바라봤다. 작가님은 내 간절함을 내 눈빛을 통해 천천히 살피는 듯했다. 작가님은 천천히 나에게 다가왔다. 작가님은 다시 내 뜨거운 눈빛을 바라봤다. 작가님은 나를 향해 옅은 미소를 지었다. 작가님은 나를 바라보며 천천히 고개를 끄덕였다. 나는 그 행동에 담긴 작가님의 용기를 느꼈다. 나는 작가님의 용기를 존경하며 밝게 미소 지었다. 나도 작가님을 향해 고개를 끄덕였다. 그렇게 내 귀환 여정이 시작되었다. 작가님도 과거로의 귀환을 준비했다. 우리의 귀환 여정이 시작되었다. 우리는 친구들에게 가볍게 인사하고 길을 떠났다. 우리는 공항을 향해 출발했다.

우리는 곧 어두운 과거와 대면할 것이다. 우리는 앞으로 일어날 일이 싫지 않았다. 그보다 우리는 설레었다. 우리는 눈 깜짝할 새도 없이 공항 터미널에 도착했다. 우리는 공항 터미널 앞 야자수를 바라봤다. 우리는 야자수가 선사하는 이국적인 풍경을 바라봤다. 이제 우리는 그 이국적인 풍경을 잠시 잊어야 했다. 우리는 이국적인 제주도를 떠나야 했다. 우리는 친숙한 서울로 향해야 했다. 공항 안은 수많은 사람으로 붐볐다. 많은 사람은 너도나도 할 것 없이 많은 짐을 끌었다. 형형색색의 캐리어가 모델의 런웨이처럼 우아하게 지나갔다. 반면 우리는 이런 짐이 필요 없었다. 우리는 우리를 짓눌렀던 짐들을 버렸다. 우리의 여정은 특별했다. 우리는 우리의 과거와 대면하는 여행을 해야 했다. 짐은 그런 여행에 필요 없었다. 오직 우리 자신과 우리의 용감한 영혼만이 필요했다. 우리는 용감한 영혼이 이끄는 대로 현장에서 표를 예약했다. 이 행위는 다소 무모했다. 우리는 사전에 표를 예약하지 않았기 때문이다. 한 마디로 우리는 무작정 여행을 떠났다. 그렇지만 우리는 용기가 있었다. 우리는 특별한 여정에 대한 강인한 의지가 있었다. 그랬기에 우리는 당당하게 비행기에 몸을 실었다.

우리는 서로에게 용기를 불어줬다. 시간은 빠르게 흘렀다. 우리는 매우 빠르게 김포 공항에 도착했다. 사람들은 빠르게 흘러가는 시간만큼 재빠르게 자리에서 일어났다. 우리는 서로의 얼굴을 바라봤다. 우리는 서로를 바라보며 서로의 표정 속 용기를 느꼈다. 우리는 담담하게 서로를 향해 고개를 끄덕였다. 우리는 당당하게 자리에서 일어났다. 우리는 당당한 발걸음으로 비행기 안을 빠져나왔다. 비행기에서 벗어나자마자, 우리는 유리 통로를 통해 여러 비행기를 바라봤다. 이제 우리는 사실상 목적지에 착륙했다. 우리의 과거가 깃든 서울이 코앞에 있었다. 우리는 제주도와 사뭇 다른 풍경을 바라보며 지금 이 현실을 즐겼다. 우리는 기쁜 마음으로 유리 통로를 빠져나왔다.

어느덧 우리는 공항 안의 무빙워크에 다다랐다. 여러 사람이 이곳에 붐볐다. 우리는 이곳의 다양한 사람들을 바라봤다. 한 사람은 선글라스를 이마 위에 올리며 한껏 여행 분위기를 냈다. 그는 설레는 발걸음으로 이곳을 탐색하는 듯했다. 또 많은 사람이 깔끔히 옷을 입고 무거운 발걸음을 뗐다. 그들은 지친 몸을 이끌고 귀가하는 듯했다. 한편 몇몇 사람은 말끔한 정장을 입은 채 누구와 바삐 통화했다. 그들은 출장을 마치고 회사를 향해 복귀하는 듯했다. 이처럼 이곳의 수많은 사람이 다르게 행동했다. 한편 이곳의 수많은 사람은 한 공통점을 공유했다. 그들은 모두 어떠한 목적을 품고 무빙워크를 걸었다. 여행, 귀가, 회사 복귀까지. 그들은 목적을 향해 나아갔다. 우리도 그들처럼 강인한 목적을 가지고 무빙워크를 걸었다. 어디로 가든 우리는 우리의 목적을 기억했다. 우리는 과거와의 대면을 각오한 채 지하철 플랫폼에 다다랐다.

잠시 후 우리는 지하철에 내려 한 출입구를 빠져나왔다. 우리는 신기한 지상 세계를 목격했다. 이곳은 칙칙하고 어두운 지하와 달랐다. 우선 매우 넓은 공원이 있었다. 우리는 이곳에서 산책하며 도란도란 이야기를 나누는 사람들을 봤다. 우리는 이곳에서 해맑게 뛰어노는 아이들을 봤다. 우리는 공원에 놓인 철도의 흔적을 봤다. 이 철도는 너무 낡아 지금은 쓰지 않는 듯했다. 그래도 우리는 오래된 철도를 감싸는 새로운 활기를 봤다. 작은 책방, 작은 전시회, 말끔한 벤치, 그리고 일상 속의 소소한 행복을 느끼는 사람까지. 우리는 과거가 현대적인 감각 속에 새로워진 순간을 목격했다. 우리는 과거와 현재의 신비로운 조화를 바라보며, 우리의 상황을 생각했다. 지금 우리도 과거의 우리와 조화를 이뤄야 했기 때문이다. 우리는 독특한 상황을 곱씹으며 공원 밑으로 내려갔다. 우리는 공원 근처의 활기찬 거리로 향했다.

나는 그 활기찬 거리가 어디인지 바로 알아차렸다. 나는 예전에 그 거리를 걸은 기억을 되살렸다. 그랬다. 이곳은 바로 홍대 거리였다. 나는 홍대 거리에서 많은 시간을 보내곤 했다. 나는 서울 생활의 동반자였던 이곳을 여전히 기억했다. 이곳은 여전히 감각적이었다. 감각적이고 아름다운 카페들이 사람들의 이목을 사로잡았다. 메디의 음반 가게처럼 옛날의 손때 묻은 인테리어가 카페에 즐비했다. 반듯한 목조 인테리어와, 클래식한 조명, 그리고 타자기를 비롯한 여러 잡동사니까지. 한 마디로 과거가 여러 카페 안을 가득 채웠다. 한편 이곳 카페는 현대적이었다. 밝은 LED 조명과 사람들이 손에 쥔 스마트폰, 심지어 키오스크까지. 이곳은 21세기 그 자체였다. 현재와 과거가 이곳에서 알맞게 조화를 이뤘다. 우리는 홍대 거리의 활기를 바라보며 미소 지었다. 이제 우리는 한 건물을 바라봤다. 우리는 홍대 거리의 활기와 동떨어진 평범한 5층짜리 건물을 바라봤다. 우리는 그 무색무취한 건물에 붙은 칙칙한 간판을 읽었다. 북쇼출판사라는 단어가 우리 눈에 들어왔다. 마침내 우리는 결전의 장소에 도착했다. 우리는 결연하게 건물로 들어갔다.

우리는 당당하게 엘리베이터를 타고 마음의 준비를 했다. 우리가 마음의 준비를 하는 동안 엘리베이터 문은 서서히 열렸다. 북쇼출판사라는 글씨가 적힌 한 유리문이 우리 앞에 있었다. 우리는 이 유리문의 의미를 잘 알았다. 북쇼출판사의 사무실이 이 유리문 뒤에 있었다. 사악한 곽세웅은 이 얇은 유리문 너머에 있을 것이다. 우리는 한동안 유리 문창을 바라보며 마음을 다잡았다. 잠시 후 우리는 천천히 사무실로 들어갔다.

출판사 사람들은 이 광경에 깜짝 놀란 듯했다. 사람들은 오직 우리 둘에게만 시선을 집중했다. 우리는 눈을 동그랗게 뜬 사람들의 표정으로 그들의 놀란 마음을 읽었다. 한편 어떤 이들은 우리에게 반가움을 표시했다. 대표적인 사람이 중년의 한 편집자였다. 나는 당연히 그 경험 많은 편집자를 알았다. 이 편집자는 내가 첫 책을 썼을 때도 북쇼출판사에 있었다. 그보다 놀라운 점은 따로 있었다. 이 편집자는 김성준 작가님과 친분이 있는 듯했다. 편집자는 놀라움과 반가움을 담은 오묘한 표정을 지으며 작가님에게 다가갔다. 편집자는 작가님의 이름을 불렀다. 작가님도 이 편집자를 향해 옅은 미소를 지었다. 한 마디로 둘은 북쇼출판사의 살아있는 역사였다. 편집자는 작가님의 안부를 물으며 조심스럽게 이곳에 온 이유를 작가님에게 물었다. 그러자 작가님은 아무 말 없이 한곳을 향해 시선을 집중했다. 작가님의 시선을 따라 한 인물이 모습을 드러냈다. 그 사람은 수갑을 찼다. 그 사람은 기분 나쁜 웃음을 지었다. 그랬다. 곽세웅이 우리 앞에 있었다. 우리는 수갑을 찬 곽세웅을 향해 천천히 다가갔다.

"결국, 이렇게 됐군. 축하해. 너희들이 이겼어. 하지만 완전히 이겼을까? 특히 너 김민혁. 너는 잘 알겠지?"

곽세웅은 사악한 웃음소리를 남발하며 수갑 찬 손을 목에 가져다 댔다. 곽세웅은 수갑 찬 손으로 목을 베는 시늉을 했다. 나는 그 행동이 내포하는 의미를 잘 알았다. 곽세웅은 내 형의 목을 베었다고 말하고 싶었을 것이다. 하지만 나는 그 말의 진실을 잘 알았다. 그것은 당연히 거짓말이었다. 우리는 당당하게 곽세웅에게 다가갔다. 우리는 사악한 미소를 짓는 곽세웅에게 당당히 미소 지었다. 우리는 곽세웅에게 작가님의 휴대폰을 보여줬다. 곽세웅은 그 휴대폰의 통화 기록을 천천히 살폈다. 여러 기록 사이로 작가님과 형이 최근에 통화한 흔적이 보였다. 이제 우리 모두는 형이 자유롭다는 것을 알았다.

곽세웅은 작가님의 휴대폰을 바라보고 당혹감을 감추지 못했다. 곽세웅은 수갑에 속박된 채로 식은땀을 흘렸다. 이제 우리가 주도권을 쥐었다. 우리는 곽세웅을 눈빛으로 제압했다. 우리는 곽세웅이 진실을 얘기하기를 원했다. 우리는 방화 사건의 진실을 들어야 했다. 그리고 나는 내 형의 진실을 알아야 했다. 하지만 곽세웅은 호락호락하지 않았다. 곽세웅은 우리의 성난 얼굴을 바라보며 입을 다물었다. 곽세웅은 사악한 미소를 지었다. 곽세웅은 끝까지 악랄했다. 곽세웅은 고개를 저으며 진실을 입 속에 막아 뒀다. 아마 곽세웅은 진실 폭로에 대한 보상을 원하는 듯했다. 물론 보상에 대한 욕구는 사악한 곽세웅에게 당연했다. 하지만 우리는 함부로 달콤한 보상을 제시하지 않았다. 우리는 범죄자가 쉽게 넘어가기 싫었다. 우리는 곽세웅에게 분노하면서 달콤한 보상을 입 속에 막아 뒀다. 그러자 곽세웅의 옆에 선 경찰관이 나섰다. 경찰관도 우리와 곽세웅의 실랑이에 답답한 듯했다. 경찰관은 진실 폭로에 대한 보상을 곽세웅에게 약속했다. 또 경찰관은 자백이 형량을 낮춰주는 사실을 덧붙였다. 경찰관 덕분에 곽세웅의 눈빛은 반짝거렸다. 곽세웅은 진실 폭로로 얻는 달콤한 보상을 머릿속에 그린 듯했다. 곽세웅은 차례대로 경찰관의 얼굴과 우리의 얼굴을 바라봤다. 곽세웅은 천천히 목을 가다듬었다.

그렇게 곽세웅은 형량을 낮추려고 과거의 일을 얘기했다.

　곽세웅은 우리의 생각보다 일찍 범행을 계획한 듯했다. 곽세웅은 내가 제주도로 도피했을 때보다 더 옛날 일을 얘기했다. 사건은 곽세웅이 내 형에게 급히 전화를 걸었을 때부터 시작되었다. 곽세웅이 내 행방을 형에게 묻던 때 말이다. 곽세웅은 형이 무언가를 얼버무리며 당황한 것 같았다고 했다. 그런데 얼마 뒤 형의 목소리는 차분해졌다고 했다. 그리고 곽세웅은 내 형이 나에 대한 모든 것을 밝혔다고 했다. 내가 신작을 쓰는 일에 흥미를 잃은 점, 내가 곽세웅을 싫어하는 점, 그리고 내가 제주도로 도피한 것까지. 형은 나에 대한 모든 것을 곽세웅에게 폭로했던 것이다. 그리고 곽세웅은 내 형이 침착하게 어떤 계획을 말했다고 했다.

　곽세웅은 내 형이 책 쓰기를 갈망했다고 했다. 그리고 곽세웅은 내 형이 첫째로서 서러움을 토로했다고 했다. 곽세웅의 말을 듣자마자 나는 형의 서러움을 조금 이해했다. 형은 예전부터 소설가의 꿈을 품었기 때문이다. 형은 예전부터 글의 즐거움을 알아 왔다. 형은 소설 집필에 대한 열의를 품어왔다. 하지만 형은 부모님 다음으로 가정을 이끌어갈 맏이였다. 그래서 형은 소설가라는 불안정한 꿈을 접게 되었다. 형은 남들처럼 안정적인 직장을 가지고 가정을 부양해야 했다. 나는 이상을 버리고 현실과 타협할 때 느끼는 슬픔을 잘 알았다. 그래서 나는 형의 처지를 공감하며 다시 곽세웅의 말을 집중했다.

곽세웅은 내 형이 돈과 유명세에 대한 욕구가 컸다고 했다. 그리고 형이 소설가의 꿈을 재고했다고 했다. 그런 욕구와 함께 곽세웅은 형이 가짜 김민혁이 되었다고 했다. 한편 곽세웅은 형과 함께 나를 어떻게 처리할지 논의했다고 했다. 나는 그 논의가 자연스러웠다고 생각했다. 형이 가짜 김민혁이 되어야 했다면, 진짜 김민혁인 내가 없어져야 했기 때문이다. 이제 나는 형이 나를 작가님의 집으로 보낸 이유를 알았다. 우선 작가님은 심연의 세계 창시자였다. 게다가 작가님은 형과 친분이 있어 형을 의심하지 않았다. 한 마디로 둘은 작가님을 통해 나를 쉽게 제거했던 것이다. 그렇게 나는 한동안 현실세계로부터 격리됐던 것이다.

심지어 곽세웅은 내 형이 작가님과 친분을 이용해 더 많은 일을 했다고 했다. 곽세웅은 형이 작가님과 친분을 이용해 심연의 세계로 들어갔다고 했다. 곽세웅은 형이 그곳에서 기자로 변장했다고 했다. 그 말을 듣자마자 나는 페니를 괴롭혔던 그 기자를 떠올렸다. 그랬다. 형이 바로 그 기자였다. 곽세웅은 형이 내 소식을 전부 그에게 제공했다고 했다. 곽세웅은 형과 이 일을 벌인 유일한 목적에 대해 얘기했다. 나를 심연의 세계에 최대한 오랫동안 박아 두기. 한 마디로 둘은 내 존재를 지운 동안 승승장구했던 것이다.

이제 나는 형이 심연의 세계에서 취했던 이중적 태도를 이해했다. 형은 기자로 변장한 뒤, 출판사 편집장님과 함께 기절한 나를 치료하기도 했다. 그 행동의 이유는 간단했다. 형은 심연의 세계에서 나에게 좋은 기억을 심어주고 싶어 했다. 선의의 행동을 통해 형은 나를 심연의 세계에 정착시켰다. 한편 형은 악질 기자로서 나에게 분노를 안기기도 했다. 나는 그것 때문에 비참해지곤 했다. 비참해진 나는 공허하게 가만히 있곤 했다. 나는 그 악질적인 행위 때문에 그곳에서 무기력했다. 그 전략은 꽤 합리적이었다. 형은 나에게 무력감을 줘서 그곳을 탈출할 기력조차 안 줬기 때문이다. 곽세웅은 한동안 그 전략이 성공적이었다고 했다. 그들은 수월히 <부활>이라는 신작을 썼다고 했다.

하지만 곽세웅은 그 계획이 어느 순간 꼬였다고 했다. 우리 밴드가 재결합했을 때였다. 물론 나는 아직도 그때를 기억했다. 나는 그때 느낀 황홀한 행복을 아직도 기억했다. 그 정도로 그 사건은 나에게 활기를 줬었다. 하지만 당시 곽세웅은 기분이 우울했다고 했다. 곽세웅은 강인한 페니 나르시스를 싫어했기 때문이다. 그래서 곽세웅은 그가 생각했던 한 가지 계획을 토로했다. 당연하게도 그것은 방화였다. 곽세웅은 심연의 세계에 불을 질러 나를 제거하려 했던 것이다. 그리고 곽세웅은 또 다른 사람에게 그 계획을 얘기했다고 폭로했다.

"잠깐. 방화 사건을 일으킨 사람은 따로 있었단 말이야?"

곽세웅은 내 질문에 곧바로 고개를 끄덕였다. 곽세웅은 내 형이 이 계획에 반대했다고 했다. 나는 동그랗게 눈을 뜨며 또 다른 진실을 목격했다. 나는 신분 미상의 누군가로 인해 충격을 받았다. 방화 서건의 범인은 형이 아니었다. 형은 나를 죽이지 않았다. 곽세웅의 이 폭로와 함께, 사건은 다른 국면으로 전환되었다. 우리는 다시 곽세웅의 폭로에 주목해야 했다. 우리는 새 인물을 알아야 했다. 한편 나는 곽세웅의 말에서 형의 진심을 느꼈다. 분명 형은 곽세웅의 범행에 깊게 관여했다. 분명 형은 나를 질투했다. 하지만 분명 형은 나를 사랑했다. 분명 형은 동생인 나를 사랑했다. 만약 형이 나를 사랑하지 않았다면, 형은 아무 죄책감 없이 나를 죽였을 것이다. 형은 아무 죄책감 없이 심연의 세계에 불을 질렀을 것이다. 그런데 형이 그 일에 손을 뗐던 것이다. 나는 그 결정에 감동했다. 이제 나는 형의 진심을 완전히 이해했다. 내가 형의 진심을 깨닫는 동안, 곽세웅은 천천히 또 다른 인물을 폭로하려 했다.

그 순간 갑자기 곽세웅의 휴대폰에서 벨 소리가 울렸다. 경찰관은 수갑을 찬 곽세웅 대신 그의 휴대폰을 꺼냈다. 김민혁 2라는 이름이 그 휴대폰에 보였다. 나는 김민혁 1로서 김민혁 2의 정체를 바로 알았다. 김민혁 2는 바로 내 형 김민준이었다. 우리는 조용히 전화벨 소리를 들었다. 우리는 그 전화를 매우 중요하게 여겼다. 우리는 형이 많은 정보를 휴대폰을 통해 밝히리라 짐작했다. 그리고 우리는 그 전화를 통해 형이 어디에 있는지 알아차릴지도 몰랐다. 우리는 침을 삼키고 그 중요한 전화를 받으려 했다. 우리는 결연하게 통화 버튼을 눌렀다.

"곽 편집장 지금 내 땜빵 구했어? 내 인터뷰 대신할 사람 말이야."

곽세웅의 휴대폰 너머로 친숙한 목소리가 들렸다. 분명 내 형이었다. 형의 목소리에는 생기가 있었다. 우리는 그 목소리를 들으며 한 사람을 응시했다. 우리는 날카로운 눈빛으로 곽세웅을 노려봤다. 우리는 곽세웅에게 무언의 경고를 했다. 경고는 단순했다. 경찰에 잡혔다는 말을 하지 말 것. 곽세웅은 우리의 경고를 이해한 듯했다. 곽세웅은 자연스러운 목소리로 형과 함께 대화를 나눴다. 곽세웅은 인터뷰를 대신할 사람을 구하지 못했다고 답했다. 형은 전화기 너머로 크게 아쉬워했다. 형은 아쉬움을 뒤로 하고 전화기를 통해 형의 인터뷰 일정을 물었다. 곽세웅은 사무실의 한쪽 벽에 걸린 스케줄표를 살펴봤다. 곧이어 곽세웅은 일정에 관한 정보를 최종 정리했다. 곽세웅은 국회로 가라고 형에게 지시했다. 곽세웅은 국회에서 기자들과 인터뷰를 하라고 형에게 말했다. 곽세웅은 국회 앞에서 예술 정책에 대한 의견을 말하라고 했다. 형은 확실하게 일정을 확인하고 전화를 끊었다.

전화가 끊기자마자 나는 결심했다. 나는 홀로 국회로 가기로 결심했다. 이것은 나와 형의 문제였다. 내가 형의 진심을 몰라줬기에 이 사단이 일어났다. 이 문제를 풀기 위해 나는 당장 형에게 가야 했다. 나는 당장 국회로 가서 형과 화해해야 했다. 나는 이런 이유를 들어 홀로 국회로 가겠다고 작가님께 의사를 밝혔다. 작가님도 고개를 끄덕이면서 한 사람을 쳐다봤다. 작가님은 그와 친분이 있는 편집자를 바라보며 말했다.

"나도 이곳에서 할 일이 있어요. 나도 내 오랜 문제를 처리해야 해요."

작가님은 편집자와 수갑에 묶인 곽세웅을 차례대로 쳐다보며 말했다. 나는 작가님이 할 행동을 대충 짐작했다. 나는 작가님이 문제를 잘 매듭지으리라 확신했다. 나는 작가님을 향해 고개를 끄덕였다. 나는 정의 구현을 이룩한 경찰관에게 감사를 표했다. 마지막으로 나는 곽세웅에게 다가갔다. 내 당당한 발걸음에 곽세웅은 당황한 듯했다. 곽세웅은 나의 날카로운 눈빛을 피했다. 나는 그런 곽세웅을 흥미롭게 쳐다보며 이 말을 꺼냈다. 나는 보통 사람이 아니라고 말이다. 나는 곽세웅과 처음 만났던 그 순간을 아직도 기억했다. 나는 곽세웅이 나에게 했던 말을 끄집어서 그에게 통쾌히 복수했다. 그렇게 나는 홀가분하게 출판사 건물을 빠져나왔다. 나는 홀가분하게 행선지를 정했다. 이제 나는 형을 만나러 간다.

5장: 가면극 무대 뒤로

　나는 수많은 인파를 헤집고 버스에 몸을 실었다. 그렇게 내 형을 만나기 위한 여정은 시작되었다. 시시각각 변하는 버스 바깥 풍경은 여정을 더 실감나게 했다. 나는 버스 창문에 몸을 기대며 다채로운 서울 풍경을 바라봤다. 우선 나는 수많은 젊은 학생들을 바라봤다. 어떤 학생은 친구들과 행복한 미소를 지었다. 또 다른 학생은 아름다운 벚꽃을 향해 다가가며 생기 있는 봄을 만끽했다. 그리고 많은 학생들이 수업에 지각하지 않기 위해 빠르게 길을 건넜다. 나는 이런 역동적인 풍경을 바라봤다. 내 여정도 이런 학생들과 같이 역동적이었다. 나는 활기찬 학생들처럼 형을 향해 힘차게 달려갔다.

　어느덧 버스는 한강을 가로질렀다. 버스가 다리를 건너는 그 순간, 나는 버스 창문을 통해 한강 근처 공원을 바라봤다. 물론 나는 그 공원을 명확하게 바라보지 못했다. 버스가 너무 빨리 달렸기 때문이다. 그래도 나는 부모와 아이로 추정되는 사람들을 바라봤다. 아이들은 공원을 마구 내달렸다. 몇몇 부모들은 아이들을 껴안았다. 나는 이런 조화로운 순간들을 바라봤다. 그리고 나는 마음속에서 과거와 현재 그리고 미래의 조화를 느꼈다. 나는 마음속 깊이 박힌 아픈 과거를 상기했다. 그리고 지금 나는 아름다운 풍경을 바라보며 행복한 감정을 느꼈다. 마지막으로 나는 형과 함께 이루게 될 조화를 기대했다. 부모와 아이의 끈끈한 관계처럼, 여러 시간과 상황이 내 마음속에서 잘 어우러졌다.

곧이어 높은 건물들이 눈에 들어왔다. 나는 높게 솟은 아파트와 여러 건물을 바라봤다. 그리고 여러 건물 사이로 거대한 돔형 지붕이 모습을 드러냈다. 나는 그 돔형 지붕이 친숙했다. 그랬다. 국회를 웅장하게 지키는 돔형 지붕이 나타났다. 이제 나는 목적지에 다 왔다. 목적지에 거의 도달하자 나는 약간 긴장했다. 이제 나는 인생의 시험대에 오를 것이다. 이제 나는 진심을 다해 나와 형의 문제를 해결해야 했다. 나는 곧 닥쳐올 미래의 압박감에 고생했다. 그래도 나는 마음을 다잡았다. 이 여정은 곧 막을 내릴 것이다. 그래서 나는 더 마음을 단단히 먹어야 했다. 나는 정신을 차리고 내가 이곳에 온 목적을 되새겨야 했다. 나는 여정을 성공적으로 마쳐야 했다. 나는 마음을 다잡고 온갖 걱정을 최대한 통제했다. 드디어 나는 버스에서 내렸다.

버스에서 내린 뒤 나는 한 공원 주위를 돌았다. 시간은 이른 오후였다. 시간이 시간인 만큼, 오직 노인들만 이 공원에 있었다. 어떤 노인은 친구들과 함께 인생에 대해 얘기를 나눴다. 또 다른 노인은 가만히 벤치에 앉아 명상을 하는 듯했다. 노인들은 얼굴에 깊게 팬 주름만큼 지혜롭게 사는 듯했다. 나는 지혜로운 노인들을 바라보며 왠지 모르게 동질감을 느꼈다. 나도 노인들의 주름만큼 깊은 경험을 했기 때문이다. 나는 내적 성장을 내 마음속 깊이 느끼며 사색에 잠겼다. 나는 삶의 다양한 순간을 주마등처럼 비춰봤다. 사색을 해 보니 나는 과거의 나와 지금의 나를 확실히 비교하게 되었다. 나는 비를 맞으며 카페의 풍경을 바라봤던 나를 기억했다. 그리고 지금 나는 쨍쨍한 태양 아래에서 굳건한 결의를 느낀다. 참 신비롭다. 어느새 나는 달라졌다. 아니다. 나라는 존재는 변하지 않았다. 나는 항상 나였다. 나는 항상 일반적인 학생들처럼 활기찼다. 나는 항상 여러 부모처럼 사랑과 조화의 가치를 이해했다. 그리고 나는 항상 노인들처럼 꽤 지혜로웠다. 어쩌면 나는 변한 게 아니라 드러났을지도 모른다. 저 태양은 내 마음속의 모든 것을 비추는 듯했다. 그 덕에 내 내면에 있는 모든 것이 드러난 걸까? 그 덕에 진정한 내가 드러난 걸까? 나는 이런저런 사색을 하며 천천히 발을 내디뎠다.

공원의 푸른 풍경은 자취를 감췄다. 이제 두 쌍의 해태가 나타났다. 두 쌍의 해태는 용맹한 표정을 지었다. 용맹한 해태상은 나를 정신적으로 지탱해줬다. 나는 해태상의 당당한 모습에 번잡한 생각들을 잊었다. 그리고 나는 내 티셔츠에 걸린 페니의 황금 명찰을 바라봤다. 나는 두 쌍의 해태상만큼 용맹한 페니를 기억했다. 나는 페니처럼 당당하게 해태상 저 너머의 공간을 바라봤다. 이제 국회의사당 모습이 보였다. 국회의사당은 거대한 크기로 존재감을 뽐냈다. 하지만 국회의사당은 적어도 나에게 일반적인 건물에 불과했다. 나는 다른 곳에 주목했다. 바로 국회의사당 앞에 있는 잔디 마당과 분수대였다. 국회의사당에 비하면 잔디 마당과 분수대는 매우 작은 먼지 조각이었다. 그래도 이곳은 나에게 매우 특별했다. 친숙한 사람이 이곳에 있었기 때문이다. 그랬다. 수많은 기자와 더불어 가짜 김민혁이 있었다. 내 형이 바로 이곳에 있었다.

형은 나에게 친숙했지만 동시에 낯설었다. 형은 기자들 앞에서 목을 가다듬는 듯했다. 그런 형의 모습은 나에게 낯설었다. 나는 내 추억 속 형의 모습을 기억했다. 나는 가족을 위해 힘겹게 일하던 형을 기억했다. 나는 주름이 패인 형의 얼굴을 기억했다. 나는 굳은살이 박인 형의 손을 기억했다. 그런데 지금 형은 말끔한 얼굴로 국회의 앞을 지켰다. 지금 형은 지친 기색 없이 당당했다. 지금 형의 모습은 과거의 형의 모습과 아주 달랐다. 나는 과거와 현재의 거대한 차이에 당황했다. 나는 크게 당황한 나머지 바로 형에게 달려들지 못했다. 나는 그저 기자들 틈으로 살금살금 움직였다. 나는 수많은 기자의 틈 속에 몸을 숨겼다. 나는 수많은 셔터 소리 속에 내 목소리를 숨겼다. 나는 기자들 사이에 숨어 형을 몰래 바라봤다. 나는 형과 기자들이 나누는 대화를 엿들었다. 이를 통해 나는 형이 옛날과 비교하여 얼마나 달라졌는지 알고 싶었다.

형은 기자들과 함께 예술가의 고달픔에 관해 얘기했다. 형은 왜 사람들이 예술가라는 직업을 포기하는지에 대해 주장했다. 형은 그의 과거를 통해 그것에 대한 답을 제시했다. 형은 가족을 부양해야 했던 나날들에 관해 얘기했다. 형은 그때의 고달픔과 서러움에 관해 얘기했다. 형은 이런 서러움과 함께 예술가라는 꿈을 고뇌했던 순간을 고백했다. 형은 나름대로 진실을 말했다. 물론 형의 말이 모두 진실은 아니었다. 가령 형은 가짜 김민혁으로서 집안의 동생 행세를 했다. 형은 진짜 김민혁인 나를 집안의 맏이이자 방탕한 인간으로 둔갑시켰다. 형은 그를 매우 똑똑한 수재로 둔갑시켰다. 형은 그를 방탕한 형을 부양하는 똑똑한 동생으로 둔갑시켰다. 이처럼 형은 분명 거짓말을 많이 했다. 하지만 형은 그때의 느낌만큼은 절대 각색하지 않았다. 형은 과거의 고달픔과 부양이라는 짐을 진심으로 털어놓았다. 형은 분명 사람들에게 진심을 표했다.

물론 나는 형의 조그마한 각색에 이상함을 느꼈다. 그래서 형이 정말 예전과 많이 달라졌다고 생각했다. 하지만 형은 분명 변하지 않았다. 나는 형의 말을 경청하며 그 사실을 깨달았다. 형이 늘여 놓은 화려한 각색 뒤에 가슴 아픈 고달픔이 있었기 때문이다. 형은 진심을 표현했다. 형은 화려한 모습 속에 어둠을 감췄을 뿐이다. 형은 각색을 통해 가슴 아픈 과거를 조금 감췄을 뿐이다. 형은 가슴 아픈 과거를 끄집어낼 의향이 있었다. 형은 어두운 과거를 극복할 의지가 있었다. 나는 여러 대화 속에서 형의 진심을 읽었다. 이제 내가 해결해야 했다. 나는 형의 힘겨운 희생 속의 수혜자였다. 나는 형의 대단한 희생을 무관심으로 대해왔다. 그리고 형은 무관심 속에서 그의 미래를 포기했다. 나는 형에게 보이지 않는 폭력을 가해온 셈이었다. 그래서 나는 형과 대화해야 했다. 나는 용기 내어 형에게 다가가야 했다. 나는 여러 기자를 해치고 형과 대면해야 했다.

"형."

나는 한 마디만으로 존재감을 드러냈다. 형은 갑작스러운 상황에 당황한 듯했다. 형은 어쩔 줄 몰라 했다. 형은 그저 동그랗게 눈을 뜨고 나를 쳐다봤다. 형은 식은땀을 흘리며 긴장했다. 곧바로 형은 가짜 김민혁으로서 연기를 시작했다. 형은 본인을 형으로 부른 나를 의아하게 바라봤다. 형은 본인이 내 동생이라고 말했다. 형은 말을 살짝 더듬으며 기자에게 나를 소개했다. 형은 식은땀을 흘리며 나를 그의 방탕한 형으로 소개했다. 기자들은 우리의 비슷한 외모에 카메라 셔터를 더 힘차게 눌렀다. 기자들은 우리들의 갑작스러운 재회에 시선을 집중했다. 나는 기자들의 열렬한 취재를 뒤로하고 형의 모습을 쳐다봤다. 나는 기자들과 열렬하게 대화하는 형의 모습을 쳐다봤다.

나와 형은 똑 닮은 외모를 가지고 있었지만, 우리 둘의 마음은 서로 다른 듯했다. 우선 나는 덤덤하고 당당한 표정으로 형을 바라봤다. 나는 밴드의 리더였던 메디처럼 당당하게 지금 내 앞의 현실을 직시했다. 반면 형은 겉으로만 당당했다. 형은 팔짱을 끼며 카메라를 누르는 기자들을 내려다봤다. 형은 다소 오만한 목소리로 기자들을 위해 가짜 김민혁을 연기했다. 형은 수많은 사람을 내려다봤다. 하지만 형은 나를 바라보지 못했다. 형은 어두운 과거와의 대면을 거부했다. 형은 꾸며진 자만심으로 어두운 과거를 회피했다.

나는 달라진 형의 모습에 초연했다. 나는 형이 기자들을 향해 내뿜는 거짓말을 조용히 들었다. 나는 정신적인 깨달음을 얻었던 베드로처럼 초연하게 고통스러운 상황을 응시했다. 반면 형은 이 상황에 대해 과도한 행복감을 드러냈다. 형은 몸동작을 크게 가져가며 카메라의 셔터를 유도했다. 형은 화려한 스포트라이트를 갈망하며 가짜 김민혁을 연기했다. 형은 그를 비추는 밝은 플래시를 즐겼다. 하지만 형은 내 눈빛을 회피했다. 형은 과거의 암흑을 거부했다. 형은 꾸며진 행복을 과시하며 과거의 어두운 불빛을 회피했다.

나는 형과의 재회를 강렬하게 느꼈다. 나는 피아노의 페달을 강렬하게 밟았던 오로라처럼 이 순간 속 강렬하게 존재했다. 반면 형은 겉으로만 강렬한 태도를 보였다. 형은 수많은 기자 앞에서는 중압감을 밝은 미소로 버텼다. 형은 기자들을 위해 용맹한 웃음으로 가짜 김민혁을 연기했다. 하지만 형은 나에게 다가서지 못했다. 형은 한 걸음씩 나에게 거리를 뒀다. 나는 형의 얼굴에서 식은땀을 봤다. 나는 여러 카메라 뒤편에 숨겨진 형의 식은땀을 봤다. 형은 어두운 과거와의 대결을 거부했다. 형은 꾸며진 용맹함을 드러내며 어두운 과거를 회피했다.

나는 형의 얼굴과 내 티셔츠에 걸린 황금 명찰을 차례대로 바라봤다. 페니의 황금 명찰을 보자마자 옛날 기억이 새록새록 떠올랐다. 나는 친구들과 함께 지냈던 그 나날들을 떠올렸다. 나는 다시 형의 모습을 바라봤다. 이제 나는 한 사실을 알아차렸다. 형은 더 이상 가짜 김민혁이 아니었다. 형은 과거의 김민혁이었다. 형은 과거의 김민혁처럼 무의식적인 핑계를 대며 고통을 회피했다. 형은 과거의 김민혁처럼 겉만 번지르르한 행복에 안주했다. 김민혁이 돈과 명예를 쥐고 겉으로만 웃었던 것처럼 말이다. 형은 과거의 김민혁처럼 기자들의 관심과 스포트라이트만 바라봤다. 그러면서 형은 과거의 김민혁처럼 현실의 그림자와 과거의 어둠을 회피했다. 나는 형의 모습이 더 이상 낯설지 않았다. 나는 내 티셔츠에 걸린 황금 명찰을 본능적으로 응시했다. 이제 나는 형을 페니 나르시스처럼 만들어야 했다. 나는 형을 페니 나르시스처럼 성장시켜야 했다. 나는 형의 불안한 마음을 통합하기 위해 그에게 다가갔다. 나는 깜짝 놀란 형에게 다가가 형을 가볍게 껴안았다.

"미안해 형."

나는 덤덤한 목소리로 형에게 진심을 전했다. 단 네 마디의 말이었지만 수많은 것들이 그 속에 담겼다. 나는 이 사과에 숨겨진 것들을 천천히 떠올렸다. 우선 나는 형이 예전부터 포기했던 꿈에 대해 생각했다. 형은 꿈을 포기하며 자신의 인생을 한탄했을 것이다. 나는 이런 생각을 하며, 가짜 김민혁의 가면 뒤에 숨겨진 형의 서러움을 느꼈다. 그리고 나는 형이 예전부터 놓쳤던 기회에 대해 생각했다. 형은 나 때문에 그를 돌아본 적이 없었다. 나는 형의 성격과 장점에 대해 들어본 적이 없었다. 형은 나라는 존재 때문에 그의 존재를 잘 몰랐을 것이다. 자기 성찰은 형에게 사치였을 것이다. 나는 이런 생각을 하며 가짜 김민혁을 연기하는 형을 바라봤다. 형은 기자들에게 김민혁이었지만 나에게는 여전히 김민준이었다. 나는 가짜 김민혁의 가면 뒤에 숨겨진 김민준이라는 이름을 분명히 봤다. 나는 오랫동안 소외됐던 김민준이라는 이름을 응시했다.

나는 오랫동안 방치됐던 김민준이라는 존재를 느꼈다. 나는 형의 존재를 깊이 느꼈다. 그래서 나는 형을 끌어안은 채로 눈물을 흘렸다. 나는 형의 고단한 인생을 생각하며 뜨거운 눈물을 흘렸다. 어쩌면 형은 그전부터 여러 가면을 써 왔을지도 모르겠다. 형은 진정한 자신을 돌아보지 못했기 때문이다. 분명 형은 마땅한 방법을 못 찾았을 것이다. 형은 사회라는 관객이 원하는 대로 그에 맞는 가면을 쓸 수밖에 없었다. 특히 형은 수많은 관객 속에 있는 나를 소중히 여겼다. 그래서 형은 나를 위해 진정한 인생을 포기했다. 형은 한동안 이 집의 맏이로서, 이 집의 가장으로서, 이 집의 희생자로서 살아왔다. 형의 이러한 모습은 실제 형과 거리가 멀었을지도 몰랐다. 형은 진심으로 어떤 일을 하지 못했다. 그보다는 형은 타인의 시선과 나의 시선을 만족시키기 위해 가면극을 해왔다. 그 가면극의 관객 모두는 한동안 형의 화려한 가면에만 집중해왔다. 우리는 가면 뒤에 숨겨진 형의 진짜 모습을 살피지 못했다. 우리는 형의 화려한 가면에 중독된 채 수수한 진심을 무관심으로 대했다. 그리고 무관심이라는 폭력은 형을 가짜 김민혁으로 만들었다. 나는 이 모든 것에 책임을 져야 했다. 나는 형의 손을 꼭 붙잡고 눈물을 흘렸다.

형은 내 눈물에 많이 당황한 듯했다. 형은 더 이상 예술에 관해 얘기하지 않았다. 형은 더 이상 스포트라이트를 향해 미소 짓지 않았다. 형은 더 이상 셔터 소리에 반응하지 않았다. 형은 약간 당황한 표정을 지으며 나를 바라봤다. 형은 아주 말없이 나만 바라봤다. 잠시 후 형의 눈가에 빗방울이 흘렀다. 형의 눈가에 뜨거운 빗방울이 흘렀다. 형은 나를 바라보며 빗방울 같은 눈물을 흘렸다. 형은 나를 껴안았다. 형은 뜨거운 눈물을 내 어깨에 적시며 나를 꼭 껴안았다. 나를 그런 형의 모습을 바라보며 몇 가지 사실을 깨우쳤다. 무엇도, 그리고 누구도 힘의 진심을 막을 수 없었다. 그리고 진심은 때로 누군가를 치유했다. 이제 형은 아주 말없이 내 사과를 받아들였다. 형은 아주 말없이 나를 받아들였다. 이제 형은 더 이상 가짜 김민혁이라는 가면을 쓰지 않았다. 이제 형은 다시 김민준으로 돌아왔다. 이제 형은 기자의 스포트라이트를 등지고 어두운 과거와 마주할 준비를 마친 듯했다. 기자들은 이 감동적인 장면에 카메라 셔터질을 멈췄다. 그리고 우리 형제의 관계는 다시 새롭게 시작되었다.

3개월 후

오늘도 어김없이 아침 해가 밝았다. 나는 항상 그랬듯이 소파에 앉아 텔레비전을 켰다. 나는 텔레비전의 채널을 수십 번 돌렸다. 잠시 후 나는 한 채널에 시선을 고정했다. 정말 놀랍게도 나는 무미건조한 뉴스 채널에 시선을 집중했다. 왜냐하면, 친숙한 사람이 뉴스에 등장했기 때문이다. 나는 그의 악랄한 표정이 친숙했다. 그리고 나는 그의 깡패 같은 몸집을 보며 그의 정체를 알아차렸다. 그랬다. 그 사람은 바로 곽세웅이었다. 놀랍게도 지금 곽세웅은 사무실에 없었다. 그보다 곽세웅은 법원을 향해 끌려갔다. 곽세웅은 고개를 푹 숙인 채 여러 기자 앞에 서 있었다. 그랬다. 오늘 피의자 곽세웅의 재판이 있었다. 곽세웅은 방화죄, 살인교사 혐의 등의 문제로 법정 앞에 섰다. 아나운서는 이 끔찍한 소식을 심각한 표정으로 얘기했다. 곧이어 아나운서는 이 끔찍한 소식을 자세히 알려줄 사람을 소개했다. 잠시 후 카메라가 한 사람을 비췄다. 그 사람도 나에게 친숙했다. 그는 나처럼 곽세웅의 범행을 잘 알았기 때문이다. 그랬다. 그 사람은 바로 김성준 작가님이었다. 작가님은 뉴스에 나와 곽세웅에 대해 얘기했다.

 작가님은 아나운서에게 3개월 전 상황을 자세히 말했다. 나는 3개월 전이라는 말에 집중했다. 나는 3개월 전이라는 말의 상징성을 잘 알았다. 나는 지금으로부터 3개월 전에 형과 진심 어린 포옹을 나눴기 때문이다. 그래서 나는 3개월 전 그날을 생생히 기억했다. 하지만 나는 오직 그 일만 기억했다. 나는 그때 작가님이 북쇼출판사에서 무엇을 했는지 몰랐다. 나는 작가님이 그곳에서 중요한 일을 했다고 확신만 했을 뿐이었다. 그래서 나는 작가님이 그때 했던 일이 궁금했다. 나는 작가님의 말에 관심을 기울였다. 작가님은 아나운서와 한 녹취록을 같이 들으면서 그때의 기억을 되살렸다.

"야, 이 새끼야. 네가 문학을 알아? 자고로 문학은 좀 더 자극적으로 그려야 하는 거야. 자극적으로. 소설에 갈등이 왜 있겠어? 그걸로 돈 받아먹으려고 있는 거야. 그러니까 내가 하라는 대로 해. 좀 더 아슬아슬하게 좀 더 섹시하게 묘사하라고."

나는 그 난폭한 목소리의 주인을 바로 알아차렸다. 분명 곽세웅의 목소리였다. 녹취록을 듣자마자 작가님은 곽세웅에 대해 폭로했다. 작가님은 곽세웅이 오래전부터 모든 편집자에게 강압적으로 명령했다고 했다. 작가님은 곽세웅을 독단적인 인간으로 묘사했다. 작가님은 곽세웅으로 인해 출판사 관계자 모두가 입어온 피해를 강조했다. 그러면서 작가님은 여러 희생자 중 한 중년의 편집자에 주목했다. 작가님은 아나운서와 한 편집자의 사진을 바라보며 그를 소개했다. 나는 그 편집자를 본 적이 있었다. 그는 작가님과 친분이 있던 경험 많은 그 편집자였다. 그 편집자는 사전 인터뷰를 통해 뉴스에서 흘러나온 녹취록의 탄생 배경을 밝혔다. 그 편집자는 곽세웅의 폭력적인 언행을 곽세웅 몰래 녹음해왔다고 했다. 그 편집자는 오랜 기다림 끝에 이 비밀의 결실을 본 것이다. 나는 당시 그 편집자의 행동을 이해했다. 곽세웅은 불과 몇 달 전만 해도 막강했기 때문이다. 수많은 연줄이 곽세웅 곁에 있었다. 그 연줄은 매우 끈끈했다. 문학계 사람을 비롯하여, 막강한 권력자도 그의 곁에 있었다. 따라서 우리 모두는 당당히 진실을 폭로하지 못했다. 우리는 그저 기다리고 기다릴 뿐이었다. 그래도 우리는 끝내 승리했다. 나는 그 편집자의 인내에 공감하며 오늘을 즐겼다.

한편 마지막으로 TV 속의 작가님은 북쇼출판사의 근황에 대해 얘기했다. 작가님은 그와 친분 있는 그 편집자가 북쇼출판사의 새 편집장이 되었다고 말했다. 작가님은 그 편집자가 곽세웅과 다르게 다양한 이야기를 경청한다고 말했다. 작가님의 말이 끝나자마자 뉴스 스튜디오 뒤편에 한 장이 사진이 보였다. 나는 그 사진 속에 편집자의 미소와 활기찬 직원들의 모습을 봤다. 나는 그 편집자의 미소에 덩달아 웃었다. 한편 작가님은 뉴스를 통해 제주도에 머무르겠다고 그의 계획을 알렸다. 작가님은 더 이상 문학계로 돌아가지 않겠다고 선언했다. 그보다 작가님은 마음이 아픈 사람을 돌보겠다고 말했다. 작가님의 확고한 다짐과 함께 뉴스는 막을 내렸다.

"오늘 아침부터 좋은 소식이 우리를 반기는군요."

누군가가 내 옆에서 나를 보며 말했다. 그 사람은 내 옆에 서서 행복한 뉴스를 바라봤다. 난 당연히 그 사람을 알았다. 바로 김성준 작가님이었다. 사실 나는 작가님의 집을 다시 방문했다. 나는 거의 3개월 만에 작가님의 집에 돌아왔다. 그리고 나는 작가님을 비롯해 오랜만에 친구들을 만났다. 그랬다. 지금 심연의 세계 멤버 모두가 이곳에 있었다. 내가 오랜만에 소중한 사람들과 뭉치는 데는 이유가 있었다. 오늘은 매우 중요한 날이었기 때문이다. 우리는 오늘 해야 할 중요한 일을 머릿속에 상기했다. 우리는 서로의 얼굴을 바라보며 열의를 다졌다. 그렇게 우리는 작가님을 필두로 밖에 나갈 채비를 했다. 우리는 서로의 얼굴을 바라보며 한 장소로 떠났다. 바로 제주 공항이었다.

우리는 천천히 공항 안에 들어왔다. 우리는 공항 내의 시계를 바라보며 제주도로 들어오는 한 사람을 기다렸다. 시간이 얼마나 흘렀을까? 우리에게 낯익은 사람이 공항으로 들어왔다. 곧바로 우리는 그를 반겼다. 우리는 그를 잘 알았다. 특히 나는 그를 더 잘 알았다. 그 사람은 내 형 김민준이었기 때문이다. 형이 제주도까지 오게 된 데에는 이유가 있었다. 오늘은 형의 심리 치료를 다 함께 돕는 날이기 때문이다. 오늘 작가님은 심리상담사로서 실력을 발휘해야 했다. 형이 용기를 내준 덕에 우리 모두가 이곳에 모일 수 있었다. 우리는 간단하게 형에게 인사했다. 형도 우리 모두에게 수줍게 미소 지었다. 곧바로 우리는 작가님을 따라 어디로 떠났다. 우리는 행복한 미소를 품은 채 한 공원에 도착했다.

우리는 형이 제주에 오기 전 많은 고민을 해왔다. 특히 우리는 형을 치유할 방법에 대해 열심히 고민했다. 우리는 더 이상 심연의 세계에서 형을 치유하지 못했기 때문이다. 그곳은 이미 시간의 심연 속으로 자취를 감췄다. 우리는 다른 방법으로 형을 치유해야 했다. 우리가 심각하게 고민하는 동안 작가님은 그에 대한 걱정을 하지 않았다. 작가님은 형을 치유하겠다고 단언해왔다. 소중한 사람들과 이 공원을 걷고 있는 지금, 나는 작가님을 확신했다. 어려움을 같이 극복한 사람들과 있는 지금, 장소는 우리에게 중요하지 않았다. 우리는 더 이상 심연의 세계에 숨은 채 우리 자신을 발견할 필요가 없었다. 우리는 당당하게 바깥에 나와 서로를 치유하면 되었다. 우리는 당당하게 이 공원에 서서 서로를 믿으면 되었다. 모든 곳은 하나의 치유 공간이 될 수 있었다. 나는 소중한 사람들을 신뢰하며 공원의 빈 공터에 도착했다.

거대한 벤치가 이 공터에 있었다. 맑은 새소리와 맑은 햇빛도 이곳에 있었다. 이곳은 매우 광활했다. 우리는 이곳의 탁 트인 들판에 감탄했다. 형을 제외한 우리는 모두 거대한 벤치에 앉았다. 벤치에 앉은 작가님은 형에게 공터 가운데에 잠시 서라고 권유했다. 형은 작가님의 친절한 말투에 천천히 가운데를 향해 나아갔다. 형은 맑은 햇빛이 비추는 공터 위에 섰다. 형은 우리 다섯 사람 앞에 섰다. 이 순간 우리는 한 편의 연극 무대를 보는 것 같았다. 이 순간 형은 광활한 연극 무대 중심에 선 연극 배우였다. 이 순간 우리는 긴 벤치에 앉아 연극을 보는 관람객이었다. 모든 것은 한 편의 훌륭한 연극 무대처럼 아름다웠다. 작가님은 형을 향해 천천히 말했다. 작가님은 형에게 자기소개를 하라고 부드럽게 말했다. 이 말은 다소 터무니없어 보일지도 몰랐다. 우리 모두는 형에 대해 알기 때문이다. 하지만 우리는 형의 진심에 대해 잘 알지 못했다. 따라서 이 과정은 형의 치유 과정에서 중요했다. 형은 쉽사리 입을 떼지 못했다. 나는 당연히 그 이유를 알았다. 형은 한 번도 자신에 대해 생각해본 적이 없었다. 자아 탐색은 형에게 사치였다. 그랬기에 형은 자신을 소개할 수 없었다.

"이름부터 말해 봐. 원래 자기 소개할 때 이름부터 말하잖아."

작가님은 부드러운 말투로 형을 도와줬다. 작가님은 형에게 충분한 시간을 줬다. 하지만 형은 지금 이 상황이 당황스러운 듯했다. 형은 쉽사리 입을 떼지 못했다. 나는 그런 형의 모습이 안타까웠다. 결국, 작가님은 부드러운 말투로 형을 불렀다. 작가님을 포함한 우리는 형을 위로했다. 특히 나는 형을 끌어안으며 진심을 다해 그를 위로했다. 나는 형의 어깨를 토닥이며 그의 긴장을 서서히 풀어줬다. 그러는 사이 출판사 편집장님은 작가님과 함께 무언가를 뒤적거렸다. 그리고 그들은 조심스럽게 한 티셔츠를 꺼냈다. 어떤 글자가 그 티셔츠 위에 있었다.

"이런 거 오랜만이죠, 페니 씨?"

출판사 편집장님은 티셔츠를 보여주며 웃었다. 나는 출판사 편집장님이 나를 페니 씨라고 부른 이유를 알았다. 낯선 글자가 티셔츠에 있었기 때문이다. 나는 그 글자의 정체를 바로 확신했다. 티셔츠에 적힌 글자는 바로 내 형 김민준의 또 다른 이름이었다. 티셔츠에 적힌 글자는 바로 내 형 김민준의 또 다른 모습이었다. 편집장님은 새로운 이름을 통해 형의 새로운 성장을 기원했다. 나는 편집장님의 세심한 배려에 감동했다. 우리는 오랜 추억을 회상하며 그 글자에 환호했다. 이 티셔츠 덕에 심연의 세계가 이 공터에 모습을 드러낸 것 같았다. 우리는 우리의 추억이 되살아나고 있음에 감사했다. 그리고 우리는 형이 우리의 일원이 된 사실에 감사했다. 우리는 특별한 티셔츠를 입은 형을 바라봤다. 형은 심연의 세계가 깃든 그 티셔츠를 행복하게 받아들였다. 우리는 그런 형의 모습을 보고 즐거운 마음으로 어디로 떠났다.

우리의 새로운 멤버인 형은 우리와 함께 현재를 즐겼다. 우리는 행복이 끊이지 않는 선물 같은 시간을 즐겼다. 우리는 얼굴을 서로 마주 보고 도란도란 얘기를 나눴다. 그렇게 우리는 시간 가는 줄도 모르고 한 곳에 도착했다. 나는 이곳에 놓인 다채로운 대문에 친숙했다. 나는 작가님의 집에 도착한 사실을 바로 알아차렸다. 우리는 다채로운 대문을 열고 앞으로 서서히 걸었다. 우리는 작가님의 다채로운 집 외관을 봤다. 우리는 즐겁게 작가님의 아름다운 조각상을 감상했다. 우리는 작가님의 밝은 앞마당을 즐겼다. 우리는 밝은 분위기에 파묻혔다. 이제 우리는 밝음을 뒤로 하고 집 안을 향해 걸어갔다. 우리는 어두운 암막 커튼이 있는 집을 향해 나아갔다. 우리는 앞으로 어떤 일이 일어날지 정확히 몰랐다. 우리는 앞으로 이 어두운 암막 커튼 뒤로 어떤 일이 일어날지 몰랐다. 하지만 한 가지는 확실했다. 우리는 이곳에 함께 존재했다. 그리고 우리가 함께 존재하는 한 무엇도 우리를 막을 수 없었다. 이제 우리는 밝은 햇빛이 있는 현실 세계를 떠난다. 이제 우리는 밝은 무대 같은 현실 세계를 떠난다. 우리는 어두운 커튼이 있는 작가님의 집으로 들어간다. 우리는 어두운 심연 같은 작가님의 집으로 들어간다. 그렇게 찬란한 우리의 인생은 잠시 막을 내린다. 이제 찬란한 우리는 깊은 심연을 향해 나아간다. 우리는 우리 자신에게 나아가기 위해 깊은 심연으로 함께 나아간다.

- The end